Niki de Saint Phalle

Kunst- und Ausstellungshalle
der Bundesrepublik Deutschland

Pontus Hulten

Niki de Saint Phalle

Verlag Gerd Hatje

Diese Publikation erschien anläßlich der
Ausstellung *Niki de Saint Phalle* vom
19. Juni bis 1. November 1992 in der
Kunst- und Ausstellungshalle der
Bundesrepublik Deutschland in Bonn

Herausgeber
Kunst- und Ausstellungshalle der
Bundesrepublik Deutschland GmbH

Intendant
Pontus Hulten

Geschäftsführender Direktor
Wenzel Jacob

Konzeption der Ausstellung
und des Kataloges
Pontus Hulten

Projektleitung und Gestaltung
des Skulpturengartens
Uta Grosenick

Assistenz
Hubert Ringwald

Katalogkoordination
Annette Kulenkampff

Kataloggestaltung
Pierluigi Cerri
mit Marion Hauff
und Sara Ricciardi

Herstellung und Produktion
Ute Harre

Verlagslektorat
Cornelia Plaas

Reproduktionen
C+S Repro, Filderstadt

Gesamtherstellung
Dr. Cantz'sche Druckerei
Ostfildern bei Stuttgart

Photographien
siehe Photonachweis

Neuauflage 1995
ISBN 3 7757 0576 7

Umschlagphoto
Hans Hammarskiöld

Inhalt

Vorwort

Wenzel Jacob

Der vorliegende Band ist die bisher umfassendste monographische Publikation über Niki de Saint Phalle. Er bietet einen facettenreichen Rückblick auf die Biographie und das Werk der Künstlerin. Das Katalogbuch erschien erstmals im Juni 1992 zu der repräsentativen Werkschau von Niki de Saint Phalle, die anläßlich der Eröffnung der Kunst- und Ausstellungshalle der Bundesrepublik Deutschland in Bonn stattfand. Der große Erfolg von Ausstellung und Buch hat einmal mehr die außergewöhnliche Popularität der Kunst von Niki de Saint Phalle bewiesen und schlägt sich nun auch in dieser Neuauflage nieder.

Inhaltlich folgt das Katalogbuch der Ausstellung, in der Arbeiten aus vierzig Schaffensjahren zu sehen waren: Ölbilder aus den frühen fünfziger Jahren, die legendären Schießbilder aus den sechziger Jahren, die *Nanas* sowie polierte und bemalte Bronzen phantastischer Gottheiten, die Anfang der neunziger Jahre entstanden. Darüber hinaus führen zahlreiche Collagen, Assemblagen, Zeichnungen, Druckgraphiken, Künstlerbücher und Photographien ihrer architektonischen Arbeiten den scheinbar unerschöpflichen Erfindungsreichtum von Niki de Saint Phalle vor Augen.
Die Ausstellung gliederte sich in zwei Teile und erfüllte sowohl die obere Etage der Atriumhalle als auch den Dachgarten unseres Hauses mit Leben. Die farbenprächtigen, teilweise begehbaren Skulpturen waren wie geschaffen für die vom Architekten Gustav Peichl entworfene Dachlandschaft der Kunst- und Ausstellungshalle mit den drei charakteristischen, kegelförmigen Lichttürmen mit hellblauem Fliesenmosaik. Sie verwandelten das Dach in einen phantasieanregenden Garten, der zum Flanieren und Verweilen einlud. Es wurde zu einem öffentlichen Platz, der von jedermann kostenlos aufgesucht werden konnte.
Von den farbenfrohen Skulpturen mit ihren sinnlichen Formen geht eine Faszination aus, die sie in besonderem Maß dazu prädestinieren, öffentliche Plätze zu akzentuieren und sie zu beliebten Treffpunkten zu machen. Kaum jemand kann sich beispielsweise dem Zauber des Brunnens an der Place Igor Stravinsky neben dem Centre Pompidou in Paris entziehen, den die Künstlerin zusammen mit Jean Tinguely gestaltet hat. Um die Phantasie der Betrachter stets aufs neue zu entfesseln, fordert sie beständig ihre eigene heraus und setzt sich Ziele, deren Verwirklichung oft viele Jahre mühevoller Arbeit bedeuten. Ihr bislang umfangreichstes Projekt hat Niki de Saint Phalle 1979 in Angriff genommen: den *Tarot-Garten* in Garavicchio, einem Dorf in den Hügeln der Toskana. Er besteht aus mehreren haushohen, zum Teil bewohnbaren Skulpturen, die trotz ihrer Dimensionen spielerisch und leicht wirken. Obwohl dieses Vorhaben enorme Anforderungen an sie stellte, verwirklichte die Künstlerin indessen noch Ideen ganz anderer Art. So schuf sie 1986 das Buch *AIDS, you can't catch it holding hands* und gehörte damit zu den ersten prominenten Künstlerpersönlichkeiten, die sich für die Aufklärung über Aids und für die Solidarität mit Infizierten und Erkrankten eingesetzt haben.

Mit großem Engagement hat die Künstlerin selbst an der Realisierung von Ausstellung und Buch mitgewirkt. Hierfür gilt ihr unser herzlicher Dank. Besonders danken möchte ich auch ihren Mitarbeiterinnen Phyllis Stigliano und Janice Parente, die unter anderem die Angaben für den dokumentarischen Anhang zusammengetragen haben, und ebenso Yvonne Robinson, deren Recherchen die Grundlage für die ausführliche Biographie darstellen.
Für die Abbildungen der Kunstwerke und die historischen Aufnahmen im Dokumentationsteil sind wir den Photographen zu Dank verpflichtet, insbesondere Leonardo Bezzola, Laurent Condominas und Harry Shunk.

Niki in California

Marie-Louise von Plessen

Seit der großen Niki-Retrospektive (19. Juni bis 1. November 1992) im Eröffnungsjahr der Kunst- und Ausstellungshalle der Bundesrepublik Deutschland in Bonn sind drei Jahre vergangen. Die Ausstellung wurde anschließend in den McLellan Galleries in Glasgow vom 22. Januar bis 4. April 1993 und von Juni bis September 1993 im Musée d'Art Moderne de la Ville de Paris mit anderen Werken gezeigt. 1993 folgte vom 3. Oktober bis zum 9. Januar 1994 eine weitere große Niki-Show im Musée d'art et d'histoire im schweizerischen Fribourg mit dem provokativen Titel »Aventure Suisse«.
Niki nahm das Ereignis zum Anlaß, ihre durchaus ambivalente Haltung zur Schweiz und zu den Schweizern in ihrem einleitenden Essay zum Katalog zu bekunden: »Die Schweiz ist das Symbol der Ordnung, des Geldes, der Vernunft, der Bilanzen, des Gleichgewichts, der Selbstzufriedenheit, eines Chauvinismus, der beinahe an den der Franzosen heranreicht. Die Schweiz ist auch das europäische Land, das am spätesten den Frauen das Wahlrecht gegeben hat...«
Mit dieser Ausstellung hat Niki zugleich eine Bilanz ihrer eigenen Arbeit und ihres Lebens in Europa nach dem Tode ihres Mannes Jean Tinguely im Jahre 1991 vollzogen. Aus vornehmlich gesundheitlichen Gründen, aber ein wenig auch auf der Suche nach ihrer amerikanischen Identität, aus Sehnsucht nach den Wurzeln ihrer Kindheit und Jugend und ihrer Zeit als junger Ehefrau mit Harry Matthews, die sie bis 1952 in den Vereinigten Staaten verlebte, entschied sie sich nun zunächst zur vorsichtigen Wiederentdeckung ihrer Herkunft, dann zur allmählichen Einleitung ihrer Rückkehr nach Amerika. Kein leichter Schritt, da sie wieder alles neu ordnen und besetzen mußte: Menschen und Häuser, Projekte und Pläne. Als Wohn- und Arbeitssitz wählte sie La Jolla bei San Diego im Süden Kaliforniens nahe der mexikanischen Grenze mit herrlichen Sandstränden und intensivem Lichtwechsel am großen, geheimnisvollen und tierreichen pazifischen Ozean. Seitdem ist Niki, zum Naturmenschen gewandelt, auf fortgesetzter Entdeckungsreise von Flora und Fauna anzutreffen: auf täglichen Strandwanderungen besucht sie die Robben bei deren Fels- und Unterwassergymnastik, sie spricht mit den Seemöwen, sie bewundert die Eleganz der Delphine und Killerwale bei den spektakulären Vorführungen im nahen Erlebnispark »Sea World«. Die seit 1993 entstehenden lichtdurchfluteten »tableaux éclatés« – elektronisch gesteuerte Verwandlungsbilder, die sie 1994 in den Galerien Maxwell Davidson und James Goodman in New York zeigte, versinnbildlichen die intensive Verarbeitung von großer Himmelsweite, des grellen Tageslichts und der kargen Vegetation der unendlichen Wüstenzonen im Norden mit sprießenden Kaktustrieben, den seltsamen biblischen Joshua trees und Felsen, die wie aufgeschnittene Brotlaibe den Weg zum legendären Death Valley säumen. Ein Dasein ohne Tiere, Wind und Wasser kann Niki sich seitdem nicht mehr vorstellen. So dirigiert sie denn von ihrem kalifornischen Cockpit aus, mit entwickeltem Zeittaktgefühl für spektakuläre Sonnenauf- und -untergänge, per Telekommunikation ihre laufenden Projekte und Unternehmungen im fernen Europa: den mittlerweile sehr populären *Tarot-Garten* im toskanischen Garavicchio oder den Publikumsbetrieb in der begehbaren monumentalen Eisenplastik von Tinguelys *Cyclope* nahe Fontainebleau, der feierlich von Präsident Mitterrand am 24. Mai 1994 als Stiftung des französischen Staates eingeweiht wurde.
Unter dem unmittelbaren Eindruck ihrer neuen kalifornischen Liebesgeschichte zur Tierwelt, die in zahlreichen Zeichnungen, Skulpturen und Briefillustrationen ihren Ausdruck findet, entstand das Projekt einer begehbaren Großplastik, der *Arche Noah,* die sie in Jerusalem in Zusammenarbeit mit dem Schweizer Architekten Mario Botta verwirklichen wird. Der Tessiner Botta hat auch das im Herbst 1996

zu eröffnende Tinguely-Museum für Hoffmann-La Roche am Rheinufer in Basel geschaffen, dessen Planung und Aufbau Niki ein Großteil ihrer Kraft widmet.
Ebenso wie Nikis Lebensraum vergrößerte sich ihre Familie: Seit 1993 ist sie erstmals stolze Urgroßmutter, seit dem Sommer 1995 zum zweiten Mal Großmutter. Diese Generationsverästelungen an ihrem internationalen Stammbaum genießt sie mit Liebe und Hingabe für die neuen Sprößlinge. Während sich ihre Familie vermehrt und verjüngt, entstand der »dramatische Dokumentarfilm mit zwei sehr kreativen Hauptdarstellern« von Peter Schamoni (93 Minuten, 35 mm, Farbe, Dolby-Stereo) über das Leben der Künstlerin, ihr Werk und ihre Zusammenarbeit mit Jean Tinguely bis zu dessen Tod im August 1991: *Niki de Saint Phalle – Who is the Monster – You or Me?* Der preisverdächtige Film, den der Regisseur Pontus Hulten gewidmet hat, wird im Sommer und Herbst 1995 auf verschiedenen Festivals in Europa und Amerika der Weltöffentlichkeit vorgestellt. Mit immer wiederkehrenden Verweisen auf den italienischen *Tarot-Garten* ist dieser Film ein pralles, schillerndes und farbiges Dokument des überaus aktiven künstlerischen und intellektuellen Lebens von Niki de Saint Phalle geworden. Er beginnt mit den Schießhappenings der frühen sechziger Jahre, zeigt die vielen monumentalen *Nanas*, die Gruppen der *Devouring Mothers* (1970), die Architekturplastik der *HON* in Stockholm (1966), des *Golem* in Jerusalem (1971), des *Dragon* in Knokke le Zoute (1973) und den *Strawinsky-Brunnen* in Paris (1982), verfolgt Entstehen und Wachsen von Tinguelys *Cyclope* im Wald von Fontainebleau (seit 1969) und schließlich Planung und Ausbau des *Tarot-Gartens* seit 1978 bis zu dessen Eröffnung 1994. Diese »work-in-progress«-Dokumentation ist durchsetzt mit Ausschnitten von Nikis eigenen filmischen Arbeiten aus *Daddy* (1972/73) und *Un rêve plus long que la nuit* (1975). Schamoni gelang mit diesem Film ein eindringliches Bildnis zu Nikis vielseitigen Schöpfungen. Das gefilmte Kunststück mit Eigenkommentaren der Künstlerin und einigen Sentenzen von Jean Tinguely ist dazu angetan, dem Verständnis ihres Werks zur Befreiung aus dem Korsett des Feminismus zu verhelfen.
In diesen wenigen Jahren seit der großen Retrospektive in Bonn ist Niki de Saint Phalle konzentrierter, unabhängiger und beinahe noch intensiver geworden. Sie hat viel in sich hineingehorcht, die aufwühlenden Kindheitserinnerungen an ihren Vater zu einem Buch mit dem Titel *Mon secret* verarbeitet, das 1993 lediglich in französischer Fassung bei Editions La Différence erschien. Sie lebt und arbeitet ohne Zwang, nach eigenem inneren Rhythmus, der dem Pulsschlag des Gemüts, der Gesundheit, der Temperaturen, des Lichts und der Launen folgt, mit kleinstmöglichem Management und geringstem Aufwand an Organisation, fast ohne ständige Helfer. Niki entdeckt jetzt mehr und mehr die Mythen der Weltreligionen; sie ist sich selbst zur archaischen Urgroßmutter, Großmutter, zu Mutter und Kind ihrer eigenen farbenprächtigen und vielfältigen dicken und dünnen Schöpfungen geworden, mit denen sie Menschen aller Altersgruppen, aller Hautfarben in direkter Zwiesprache zu gewinnen und ihnen so etwas Schlichtes und Kostbares wie Freude zu geben vermag.

Besessenheit und Lust an der Arbeit

Pontus Hulten

Niki de Saint Phalle ist eine Künstlerin dieses Jahrhunderts. Die großen Leistungen der bildenden Künste in der ersten Jahrhunderthälfte hat sie zu ihrem Nutzen anwenden können. Und sie hat die zweite Jahrhunderthälfte verschönert. Durch ein eher intuitives Wissen, das die großen Künstler der Moderne vor ihr auszeichnet, und mit einer tiefen Unschuld und Frohnatur hat sie sich ihrer Werke bedient, als ob sie in einem wunderschönen Garten Blumen pflückte. Aber wie alle ihre Werke in enger Verbindung mit ihr selbst stehen, verwandelt sie wie mit einem Zauberstab, was sie berührt. Die große Originalität ihrer Werke prägt unmittelbar ihre Persönlichkeit. Dieser vermeintliche Mangel an Gelassenheit wirkt aber zugleich wie ein Hintergedanke, bezeichnet er in Wirklichkeit doch eine viel größere, jedoch keineswegs oberflächliche und angepaßte, sondern zutiefst originelle Gelassenheit.
Jener gewisse Mangel an Anmaßung, den man auch als Niki de Saint Phalles ›aristokratischen Zug‹ bezeichnen könnte, erlaubt ihrer Intelligenz, ihre Umgebung mit fesselnder und anregender Neugier anzuhören und zu befragen. Da sie keine akademische oder universitäre Erziehung genossen hat, erweitert sie ihre Welt um alles, was sie hört und interessiert, ohne daß der kritische Geist sie daran hinderte, den uns die Schule vermittelt. Sie ersetzt ihn ganz einfach durch gesunden Menschenverstand.

Züge eines Portraits
Niki de Saint Phalle liebt die Mythen. Daher erfindet sie ihre eigenen ohne studierte und vertiefende Kenntnisse der Kunstgeschichte und Volkskunst, ohne Studien all der Völker, die die Welt bebildert und ihre Rätsel und Ängste entschlüsselt haben, bevor sie sich daran machte. Sie ist überhaupt nicht von Wissen abhängig. Um ihrem vorrangigen Drang nachzugehen, hat sie ihr Leben lang nach Freiheit und Unabhängigkeit gestrebt. Dafür hat sie sich aus den Verhältnissen gelöst, die sie zurückgehalten haben, sie hat sich von Personen getrennt, deren Einfluß diesen so lebendigen Trieb in ihr beeinträchtigte. Niemals hat sie die Freiheit auf aggressive Weise gesucht, auch die Schießbilder dienten nicht diesem Zweck. Vielmehr ging es ihr darum, anderen Entdeckungsmöglichkeiten zu eröffnen, die man beinahe kindlich nennen könnte, gleichsam erste Annäherungsversuche an höhere Wesen, die unser Weltbild formen und bestimmen. In diesem Sinne, trotz negativer Erfahrungen – mit Krankheit, Schmerzen, dem Dunkeln – ist sie in sich unschuldig und rein geblieben – feminin in dem Sinne, anderen Lust am Leben zu vermitteln, die sie auffordert, mit ihr das Reich der Farben, Bilder, der Phantome und Mythen zu beschreiten. Oder sogar dort zu wohnen, wie in der *Herrscherin* im Tarot-Garten von Garavicchio, um dem Leeren näher zu sein, das sie so gut mit Erotik und Liebe wie mit Leidenschaft und Leid zu füllen versteht.
Niki de Saint Phalle ist auch eine Priesterin, die den Ausweg aus den Widersprüchen des Lebens gegenüber dem Tod weist, die ihre Ängste zu meistern versteht, indem sie sie in Frohsinn verwandelt, die den Blick entführt in das Reich der Poesie von Märchen und Kindergeschichten. Sie tut dies mit Einfällen, die nicht die Wirklichkeit und Brutalität der sie prägenden Gesellschaft ausspart. Sie hat kein Vertrauen in die von der Macht etablierte Moral. Aus diesem tiefen Mißtrauen schöpft sie eigene Einbildungskräfte, die das Böse zugleich zerstören und beschwören können, weil es sie fasziniert. Niki de Saint Phalle, die Verführerin, kann Elemente verbinden, die uns unerwarteten, manchmal sogar grausamen und zerstörerischen Erfahrungen aussetzen, und gleichzeitig positive Kräfte durchdringen und sichtbar machen. Ihr Reich aus Zeichen, Formen, Farben und Strukturen in Gips, Gitterdraht, Polyester und Glasdraht oder mit Farbstiften gezeichnet, ähnelt dem Bestiarium indischer Tempel, die von wilden Tieren und einer ungezähmten Natur überwuchert sind. Niki de Saint

Phalle ist manchmal ein wildes Wesen, das zu überleben versteht, wenn andere sich mit Scheitern zufriedengeben, denn sie ist keineswegs bestrebt, die negativen Kräfte um sie und in ihr zu meistern, vielmehr ihnen näher zu kommen, sich mit dem Dunklen anzufreunden. Sie sondert sie nicht aus ihrem Reich. Gleichermaßen trennt sie niemals die männliche von der weiblichen Seite. Sie hat große Freude daran, beide Seiten zu versöhnen, indem sie sie jeweils bestimmt und ihnen den zugehörigen Platz zuweist. So bleibt sie ihrem unangepaßten Rebellentum treu, ohne sich vom Feminismus vereinnahmen zu lassen, der ihr Werk für seine Zwecke nutzen wollte.
Durch ihre Kraft, das Schöne auf archaische Weise zu erschaffen, als wäre sie eine Naturgöttin, hat Niki de Saint Phalle sich dem Behauptungswillen all der Männer, die ihr Leben geteilt haben, widersetzt und ihre Unterdrückungsversuche gemieden.
Die besten Portraits von Niki de Saint Phalle sind ihre Skulpturen, ihre Zeichnungen und ihre Schriftstücke. Eine ›expressionistische‹ Künstlerin ist sie vor allem wegen des geringen Abstands zwischen sich und ihren Werken. Ihre Beziehungen sind eher intuitiv als reflexiv, eher emotional als kritisch oder analytisch. Ohne Ironie könnte man sagen, daß sie sich in ihrem Werk verwirklicht. So gesehen, hat ihr Werk eine große Vielfalt.
Dieses Buch enthält Reproduktionen von Werken in allen Größen aus vierzig Arbeitsjahren, enstanden im Atelier und an von ihr ausgewählten Orten. Aus jedem Jahr sind drei oder vier Werke ihres künstlerischen Lebens abgebildet. Man muß sich dies nur vergegenwärtigen, um das Ausmaß der Produktion von Niki de Saint Phalle zu ermessen, ein immenses Werk, aus dem wir das Bedeutendste ausgewählt haben. Diese Auswahl durch die Jahre verdeutlicht, wie sie sich Materialien aneignet, ihr Selbstvertrauen erweitert und große Treue zu sich selbst gewinnt.

Themen und Etappen

Manche Themen und Motive kehren durch Jahrzehnte wieder: das Kind, das geboren wird, das Haus, die Monster und besonders die Frau und der Mann. Wie ein unbewußtes Repertoire und wie das Versprechen zukünftiger Dinge tauchen sie bereits in den Ölbildern der fünfziger Jahre auf. Die Ölbilder, der Beginn des Werkes, beeindrucken durch ihre Freiheit und Kraft. Was zunächst ungeschickt und unbegabt scheint, ist schon Ausdruck dieser erwähnten unangepaßten und unverschulten Unabhängigkeit.

Die Assemblagen

Die Aggressivität eines Aktes, der ein Objekt des täglichen Lebens wie einen Küchen- oder Toilettenartikel durch Fixierung in Gips mit anderen Gegenständen in ein Kunstwerk verwandelt, mußte der Rebellin gefallen, die sich der Kunst auch als Form der Auflehnung gegen das wohlsituierte und angepaßte Milieu bediente, in dem sie erzogen worden war und trotz allem immer noch lebte. Niki de Saint Phalle verwandelte auf diese Weise ihr bürgerliches Zuhause, den Treppenaufgang, den Kamin im Salon in eine Schreckensszene, in der man sich überall an gipsgefaßten Messern, Scheren und hervorstehenden Nägeln stechen konnte. Die Hackebeile, Messer, Revolver oder Nägel wanderten dann auf Leinwände und bildeten dort finstere Landschaften. Aber wie so oft, wenn alles in eine Schreckensszene eingeht, geht damit das teuflische Lachen einher. Vor soviel Entsetzen gewinnt im Geist des Widerspruchs die Lebensfreude. Diese Reliefbilder sind oft so schön, daß der Schrecken durch die gestaltete Schönheit und die hochmusikalischen Rhythmen in Vergessenheit gerät, die nach und nach zwischen den nunmehr niedlich in Gips getauchten Objekten entstehen und so schön wie Schlagsahne wirken.

Das Portrait meines Geliebten mit einem Kopf als Schießscheibe, auf die man Pfeile werfen soll (und dessen Hemd, das den Oberkörper bildet, von ›Saks‹ aus New York stammt), schwebt wiederum über jenem Abgrund, wo Hölle und Schrecken es auf tragikomische Weise einmalig werden lassen.

Die Schießbilder
In der Folge eröffnen die Schießbilder einen Bereich, in dem das Schöne und das Neue in einem Klima des Schreckens und der Gewalt zugegen sind. Man muß hier vielleicht erwähnen, daß die Welt Anfang der sechziger Jahre Augenblicke gewalttätiger Zusammenstöße erlebte, und daß in Paris die Kriege im Kongo und in Algerien sehr gegenwärtig waren. Niki de Saint Phalle beschreibt in diesem Buch den Anfang, die Entdeckung dieses Abenteuers, das mehrere Jahre dauerte und mehr als alles andere in ihr schöpferische Kräfte befreit hat. Nach den Schießbildern war alles möglich.

Die Bräute, die Altäre und die Monster
Eine religiöse Erziehung hinterläßt unvermeidliche Spuren, und so macht sich Niki de Saint Phalle jetzt daran, jene Bereiche einer Vergangenheit anzugehen, die sie um jeden Preis zerstören wollte. Es entstehen Altäre, auf die geschossen wird, es entsteht der Altar der O.A.S. (einer Terroristenorganisation der extremen Rechten, die die Rechte der Franzosen in Algerien verteidigte). Auf diesem Altar sind Kruzifixe, Fledermäuse, Pistolen, Revolver, Ratten und Madonnen mit Odalisken vereint.
Die Kräfte, die die Schießbilder und die Altäre hervorbrachten, sind mehrere Jahre wirksam geblieben. Gleichzeitig sind dann die friedlicheren Wesen, die Bräute und die Nanas, entstanden. Die Bräute saßen zuweilen auf der Erde oder auch auf einem Pferd, oder sie waren von Monstern begleitet. Sie waren aus Spielzeug und anderen Kleinartikeln aus Plastik gebildet, die zu dieser Zeit (1962–1963) in den Supermärkten auftauchten, und trotz ihres gewöhnlichen, dümmlichen, unnützen Charakters dennoch durchaus anziehend wirkten. Niki de Saint Phalle verwandelte sie in schöne Bräute und schöne Monster und fixierte sie auf Stoffgrund und Drahtgitter.

Die Nanas
Die Nanas treten zunächst sehr diskret auf, sie lassen sich Zeit. Einmal vorhanden, beherrschen sie recht lange das Werk Niki de Saint Phalles. In Wirklichkeit handelt es sich um einen großen Stamm, der sehr verschiedene Erscheinungsformen annimmt. In der Kunstwelt wurde Niki de Saint Phalle vor allem durch die Nanas, manchmal nur wegen der Nanas bekannt. Sie hat darin eine Form gefunden, die Apotheose der Frau in all ihren Erscheinungsformen darzustellen, die in hohem Maße befreiend, vergnüglich und überzeugend war. In diesem Buch spricht sie von der größten der Nanas, der *Hon* in Stockholm.

Die Hon und die Monumentalskulpturen
Hon brachte die Erschaffung einer ganzen Familie anderer Monumentalskulpturen mit sich: das *Paradies* in Stockholm, den *Golem* in Jerusalem, den *Kopf* in Milly-la-Forêt oder den *Drachen* in Knokke-le-Zoute. Diese Erfahrungen mit sehr großen Skulpturen scheint noch nicht abgeschlossen, denn im Moment ist ihre Apotheose der *Tarot-Garten* in Garavicchio nahe der Küste südlich von Grosseto in der Toskana. In einem kleinen aufgelassenen Steinbruch in südlicher Lage zum Meer hat Niki de Saint Phalle während zehn Jahren einen Garten mit zweiundzwanzig Bildsymbolen der Tarotkarten geschaffen. Manche Elemente wurden zu teils großen und bewohn-

baren Häusern, andere zu großen Skulpturen, die im Garten vereinzelt angeordnet sind. Der *Tarot-Garten* ist eine architektonische und technische Gewalttour und vor allem ein großes Denkmal für die Lebensfreude und die guten Kräfte in der Welt. Dieses inzwischen als französische Stiftung begründete Monument wird bald dem Publikum zugänglich sein, da es im wesentlichen vollendet ist.
Die Schwierigkeit und der Aufwand, derartige Gebäude ohne Plan, ohne spezialisierte Techniker und selbstverständlich ohne Architekt zu bauen, sind offensichtlich. Wie oft in ihrer Arbeit hat Niki de Saint Phalle aus der Not eine Tugend gemacht – wie es nur denen möglich ist, die das Glück haben, ihre Pläne insgeheim auszuführen; ohne Rechenschaftsbericht, in kurzen oder langen Einheiten, die von einem Fortgang der Arbeit profitieren können, den keine Gremiensitzungen, Verwaltung oder Budgets beeinträchtigen. Die Wichtigkeit der Kunst ist auch dem Umstand zu danken, daß diese Arbeit, die sich unaufhörlich im Kopf vollzieht, Einzelgänger verrichten, und es ist kein Zufall, daß diese Art zu arbeiten die besten jeder Generation angezogen hat. Noch weniger zufällig ist die Behauptung, man könne eher sagen, was Kunst nicht ist, als was sie ist.

Theaterarbeit
Daß Niki de Saint Phalles Arbeit Theaterleute angezogen hat, ist nicht erstaunlich; dies hat eine gelungene Zusammenarbeit zur Folge gehabt. Darüberhinaus hat sie mit Jean Tinguely Ballettinszenierungen mit Roland Petit realisiert, die wie 1966 *Eloge an den Irrsinn* zu den großen Schöpfungen des Nachkriegsballetts zählen. Bühnenentwürfe und Kostüme von Niki de Saint Phalle hätten der Oper neue Wege weisen können, derer sie dringend bedarf. Die Verantwortlichen haben es aus Mangel an Vertrauen in die Kunst unterlassen oder nicht die Gelegenheit zu einer Zusammenarbeit ergriffen. Doch dieses Versäumnis gilt gleichermaßen für die ganze Künstlergeneration, zu der Niki de Saint Phalle gehört.

Filme
Sie hat eine Menge schöner und sehr persönlicher Filme geschaffen. Jedoch unterscheidet sich die Schöpfung einer Skulptur in vieler Hinsicht von der eines Filmes; bei der Herstellung eines gefilmten Bildes vollzieht sich alles im Dunkeln. Vielleicht wird ihr schönster Film der sein, an dem sie gerade arbeitet, für den sie Teile ihrer alten Filme mit Dokumenten ihrer Skulpturen und anderem zu einem großen Fresko der Bilder zusammenfügt, die sie so gut kennt und nach Belieben einsetzen kann.

Skinnies und Lampen
Der Einsatz und die Verantwortung für die großen Skulpturengruppen in der Landschaft oder in situ in einer Stadt läßt sich am besten vor Ort in Ruhe bewältigen. So lernt man die Landschaft wie einen geliebten Körper kennen. Nach vielen Arbeitsjahren mit unterschiedlichen Größenordnungen, kleinen, großen und sehr großen, folgen die Skinnies (die Dünnen) ... Mager an Volumen, wirken sie mit den elektrischen Lampen, die sie erleuchten, wie Luftzeichnungen oder ganz einfach wie Linien im Raum, die ihre Schatten werfen, wo es ihnen beliebt. Die Tabus sind gebrochen, das Atelier ist nicht der ruhige Arbeitsort und schon gar nicht ein Museum, sondern ein Laboratorium, dessen Ergebnisse, selbst wenn sie großartig scheinen, ständig in Frage gestellt werden müssen.

Die Bronzen
Und dann gibt es noch die anderen Tabus, zum Beispiel die Tabus der Materialien.

Nachdem Bronze in alle möglichen Formen von Unsinn gegossen worden ist, hat dieses Material offensichtlich in gewisser Weise einen Grad von Lächerlichkeit angenommen. Zugleich aber ist es ein sehr schönes Metall, das große und solide Skulpturen zuläßt, wenn es mit freiem Geist und angemessenem Mangel an Respekt behandelt wird. Niki de Saint Phalle hat daraus eine Serie ägyptischer Götter und Göttinnen aus Bronze gemacht, denen man sehr wohl das Gewicht ihrer großen Skulpturen anmerkt und denen Malerei, Politur und Vergoldung eine Schönheit verleihen, die das Material wohl rechtfertigen.
Größere und kleinere Wellen bewegen ein Leben. Vielleicht ist es diese Großzügigkeit, die Niki de Saint Phalles so wenig doktrinäres Werk ausstrahlt, die uns zweifellos, aber vielleicht auch vergebens in unserer tatsächlichen Ruhelosigkeit beruhigen kann. Warum denn galt das Werk Niki de Saint Phalles als marginal? Zweifellos aus vielfältigen, meist uninteressanten Gründen (Antifeminismus, Mangel an Sensibilität und Neugier, vorgefaßte Meinungen). Dennoch zählen wahrscheinlich auch diese tieferen Gründe: Mehr als andere Lehren und Schulen haben Wissenschaft und Rationalität unser Jahrhundert beherrscht. Trotz des Surrealismus mit seiner Antirationalität und trotz des Dadaismus mit seiner unwahrscheinlichen Intelligenz, ohne den Kubismus zu vergessen, ist die Begründung unseres Individualismus, der Unterboden des Lebensglücks, wie ihn zu Beginn des Jahrhunderts Matisse bezeichnet und begriffen hat, seitdem ganz oder beinahe verschwunden.
Hier und da auftauchenden Ängsten zum Trotz ist doch die Lebensfreude ein allgegenwärtiges Element im Leben Niki de Saint Phalles. Dieses einfache Licht, das nicht immer schmeichelt und daher nicht jedermann gefallen kann, verwandelt die Schatten.

Übersetzung Marie-Louise von Plessen

Eine Dokumentation in Bildern

Die Eltern von Niki de Saint Phalle

1 Jeanne Jacqueline de Saint Phalle, geborene Harper

2 André Marie Fal de Saint Phalle

3 Jacqueline Harper mit einem Neffen an ihrem Hochzeitstag am 6. Juni 1927

4

5

4 November 1952: Titelblatt von *Vogue*

5 Modell für Cartier in der französischen *Vogue*

6 Titelblatt von *Life:* photographiert von Arnold Newman posiert sie als populäre New Yorker Debütantin

Erste Werke: Gouache- und Ölgemälde, entstanden Mitte der fünfziger Jahre während der Ehe mit dem amerikanischen Schriftsteller Harry Mathews

1 *Ohne Titel*, 1954, Öl auf Leinwand, Sammlung Harry Mathews

2 *Jeanne d'Arc*, 1959
Öl auf Holztür, Sammlung Harry Mathews

3 *Nachtlandschaft*, 1958
Öl auf Leinwand

4 *Ohne Titel*, 1958
Öl auf Leinwand

4

5

6

5 *Ohne Titel*, 1958
Öl auf Leinwand

6 *Le château du monstre et la mariée*, 1955/56
Öl auf Leinwand
Sammlung Eva Aeppli

Erste Assemblagen:
Collagen aus objets trouvés
Gips und Farbe auf Holz

2 *Hors d'œuvre*, 1960
6. Februar bis 6. März 1961: Niki de Saint Phalles erstes Werk, das in der Gruppenausstellung *Comparaisons: Peinture Sculpture* im Musée d'Art Moderne de la Ville de Paris gezeigt wird. Niki de Saint Phalle fordert die Betrachter auf, auf die Zielscheibe zu werfen.

2

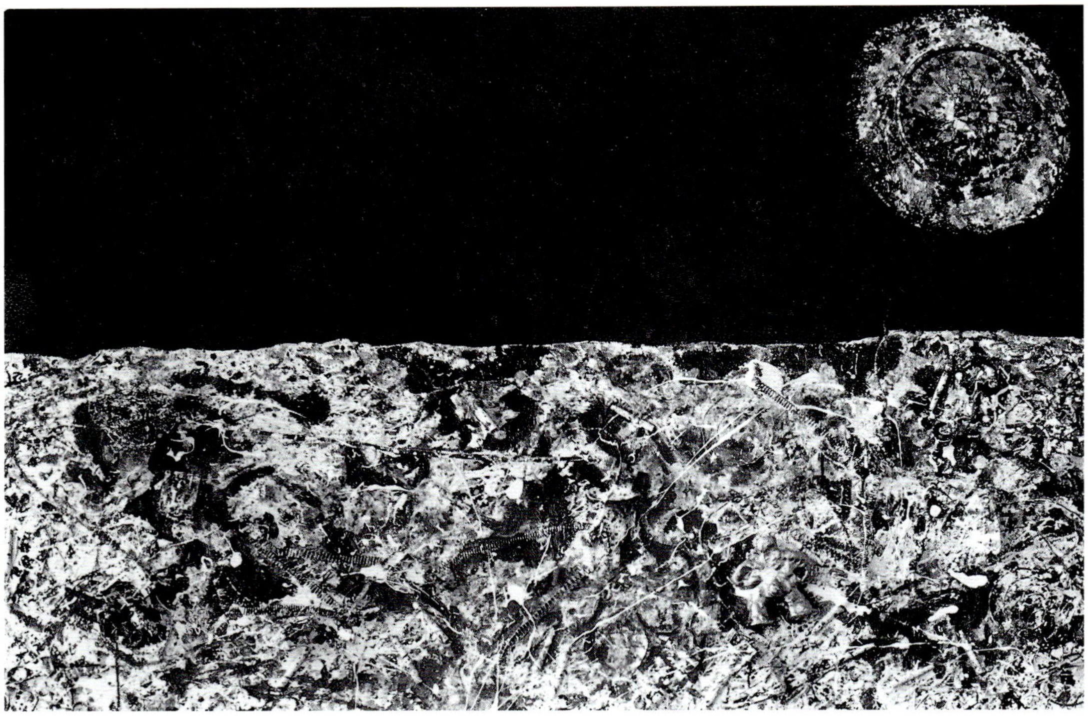

1 *Ohne Titel*, 1958/59

3 *Paysage de la mort*, 1960

4 *Bouche d'incendie*, 1959

5 *Saint-Sébastien or Portrait of my Lover*, 1961. Wird vom 10. März bis 17. April 1961 in der Ausstellung *Bewogen Beweging* im Stedelijk Museum in Amsterdam gezeigt

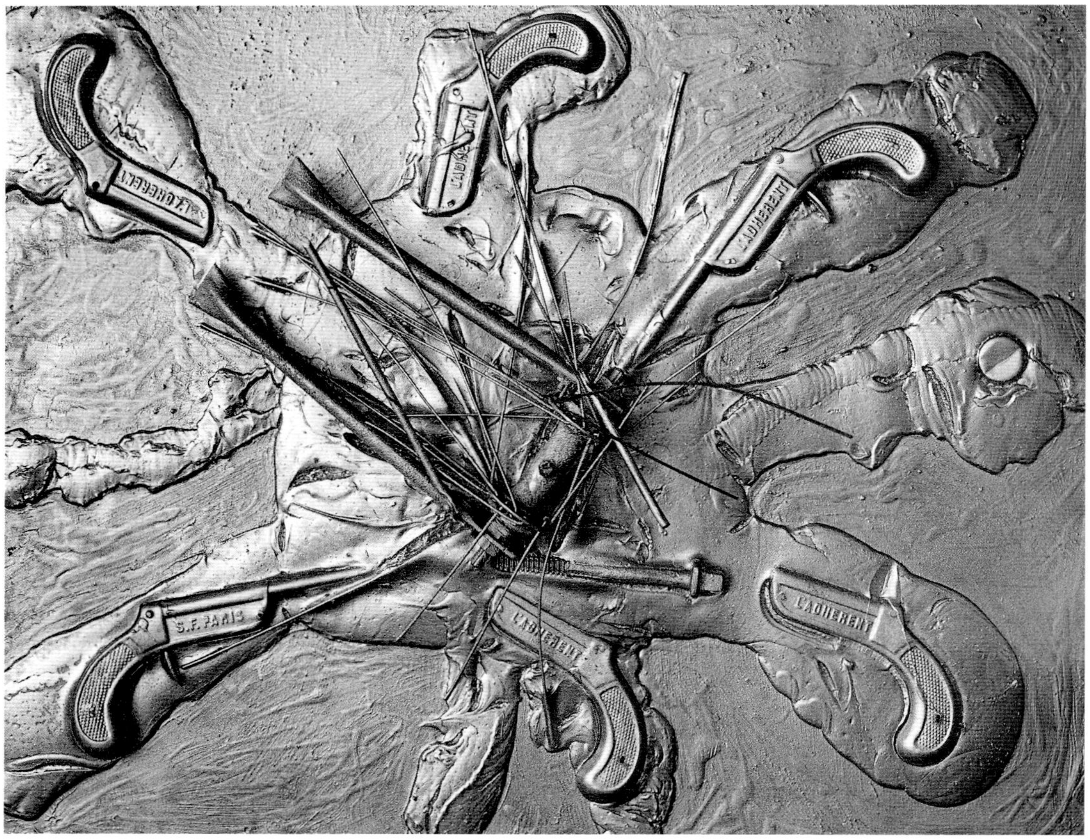

1 *Assemblage aux pistolets*, 1960

2 + 3 Niki de Saint Phalle bei der Herstellung von Assemblagen in ihrem Atelier in der Rue Alfred Durand-Claye, Paris

2

3

4 – 6 Assemblagen, 1960

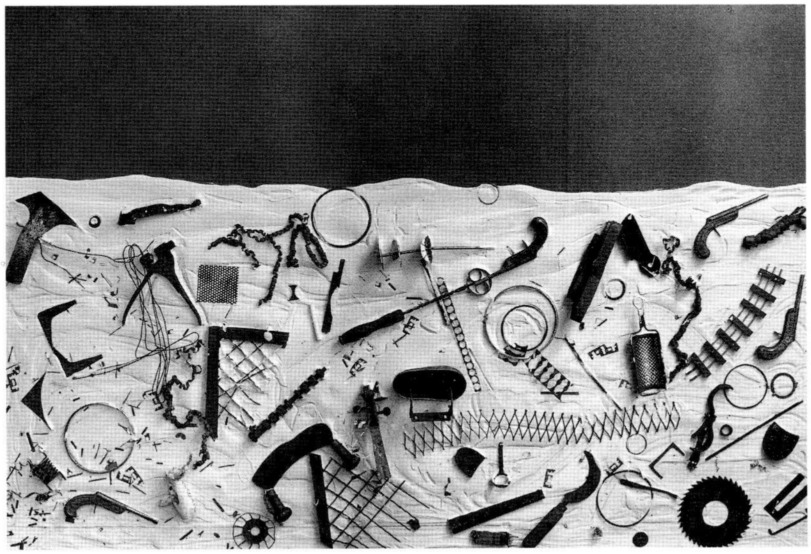

4

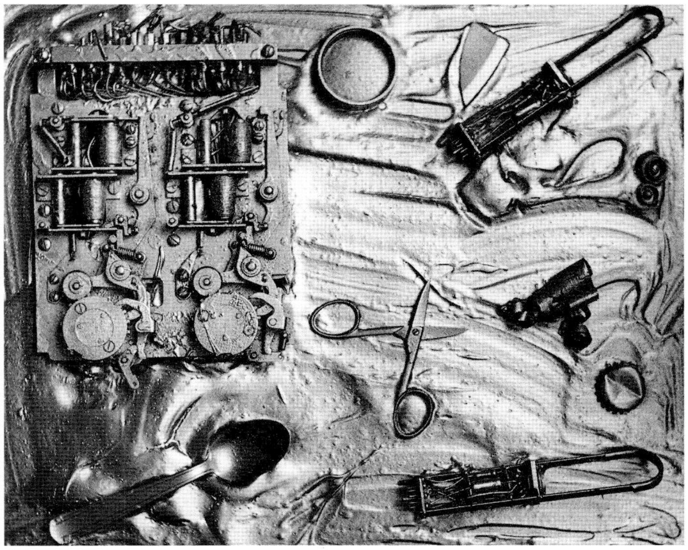

6

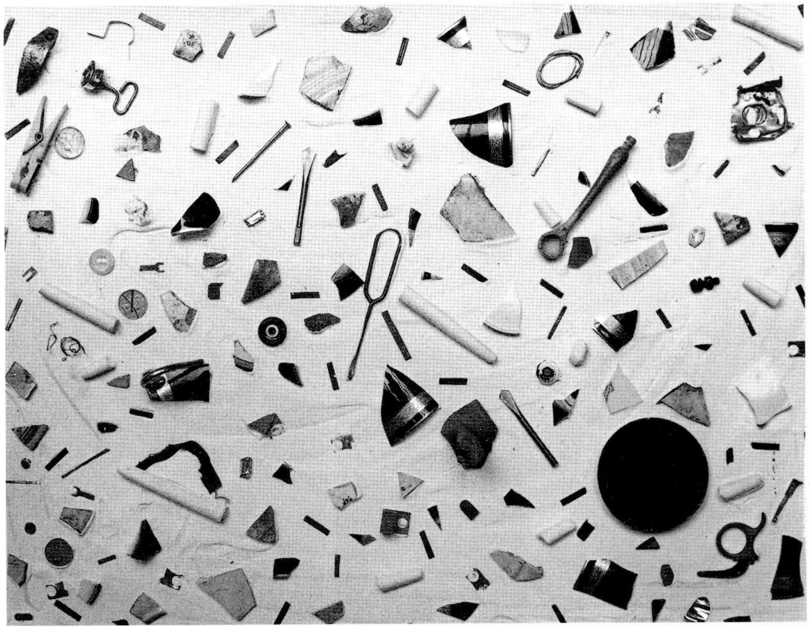

5

1961: Niki de Saint Phalle produziert die ersten Schießbilder, auch *tirs* genannt. Ein von ihr entwickelter Vorgang, durch einen Zerstörungsprozeß ein Kunstwerk zu schaffen: kleine Beutel oder Sprühdosen, auf Holz in Gips eingebettet, verspritzen Farbe, wenn sie von ihr oder eingeladenem Publikum beschossen werden

1 Die erste Schießbildaktion: 12. Februar 1961 auf einem leeren Grundstück hinter dem Pariser Atelier von Niki de Saint Phalle, 11 Impasse Ronsin. Vier Werke entstehen. Pierre Restany schießt, neben ihm Jeannine de Goldschmidt, Daniel Spoerri und der Besitzer der Waffe

2 Jeannine de Goldschmidt schießt, beobachtet von Vera und Daniel Spoerri, Niki de Saint Phalle, dem Besitzer der Waffe, Jean Tinguely, Pierre Restany, Hugh Weiss und anderen

3 Niki de Saint Phalle schießt mit einer 22 rifle

4 Niki de Saint Phalle

5 Jean Tinguely, Niki de Saint Phalle und Pierre Restany betrachten ein vollendetes Schießbild. Niki de Saint Phalle wird nach der Veranstaltung von Pierre Restany aufgefordert, Mitglied der von ihm gegründeten Gruppe ›Nouveaux Réalistes‹ zu werden

3

4

5

1

25. Februar 1961:
Vorbereitung von Schießbildern im Atelier

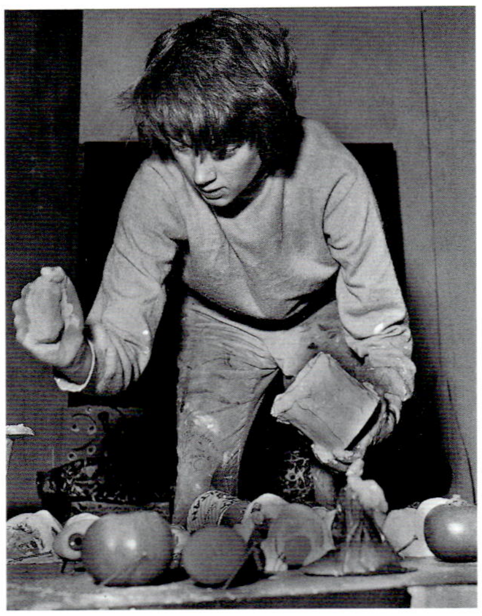

2

3

4

1–4 Niki de Saint Phalle befestigt Spaghetti, Tomaten, Eier, objets trouvés und Farbbeutel auf einer Holzplatte und bedeckt sie mit Gips

26. Februar: Zweite Schießbildaktion in der Impasse Ronsin. Sechs Tirs entstehen

5 Hugh Weiss schießt, neben ihm Sabine Weiss

6

7

10

8

9

6 Gérard Deschamps schießt

7 Unbekannte Person schießt, beobachtet von Niki de Saint Phalle, Gérard Deschamps, Sabine Weiss, Shirley Goldfarb, Hugh Weiss, Jimmy Metcalf und dem Besitzer der Waffe

8 Niki de Saint Phalle, Mr. Goldfarb, Shirley Goldfarb, John Ashbery und Hugh Weiss

9 Ebenfalls anwesend: Raymond Hains und andere

10 Sam Mercer, Eva Aeppli und Niki de Saint Phalle

10. März bis 17. April 1961:
Ausstellung *Bewogen Beweging*
im Stedelijk Museum
in Amsterdam

1

2

3

1 Ein Besucher wirft Pfeile auf *Hors d'œuvre*, jetzt *Portrait of myself* genannt. Sie werden neben dem Bild für das Publikum bereitgehalten

2 Schulkinder beteiligen sich

3 Ausstellungseröffnung: Heinz Mack, Louisa Calder, Niki de Saint Phalle, Jean Tinguely und Alexander Calder

12. März 1961: Schießbildaktion im Freien als Veranstaltung der Amsterdamer Ausstellung *Bewogen Beweging*

5

6

5 Tirs, die an einem Baum hängen

6 Pontus Hulten mit den Tirs

7 Pontus Hulten schießt, Elizabeth de Saint Phalle, William Seitz, Niki de Saint Phalle und Anna Lena Wibom sehen zu

8 Jean Tinguely, Niki de Saint Phalle und William Seitz nähern sich den vollendeten Schießbildern

9 Fünf Reliefs hängen in einem Baum

4 Jean Tinguely schießt, hinter ihm Anna Lena Wibom, Elizabeth und Niki de Saint Phalle

7

8

9

17. Mai bis 13. September 1961: Die Ausstellung *Bewogen Beweging* wird vom Moderna Museet in Stockholm in einer erweiterten Form unter dem Titel *Rörelse i konsten* gezeigt. Am 23. Mai veranstaltet Niki de Saint Phalle in einer Sandgrube bei Wik auf Värmdö eine Schießbildaktion. Dabei entstehen zwei Werke

1 Jean Tinguely und Niki de Saint Phalle bei den Vorbereitungen zu einem Schießbild

2

2 Katrin Wibom, Ulf Linde und Gösta Wibom betrachten das Tir

3

4

3 Robert Rauschenberg schießt

4 Gösta Wibom schießt auf das kleinere Relief, Jean Tinguely und Niki de Saint Phalle beschießen das größere mit einer 22 rifle

5

6

5 Gösta Wibom schießt

6 Jean Tinguely und Niki de Saint Phalle vor dem vollendeten Tir, das sich heute im Moderna Museet befindet

Niki de Saint Phalle produziert ein Tir, das mit anderen Schießbildern vom 30. Juni bis zum 12. Juli 1961 in ihrer ersten Einzelausstellung in der Pariser Galerie J zu sehen ist

2 Die Phasen des Schießbildes im Ausstellungsprospekt

1 + 3 Impasse Ronsin: Niki de Saint Phalle schießt mit einem Gewehr Kaliber 22

3

4 Niki de Saint Phalle vor
dem vollendeten Werk

20. Juni 1961: Niki de Saint Phalle, Jean Tinguely, Robert Rauschenberg und Jasper Johns beteiligen sich an der Konzert-Performance *Variations II* von John Cage, aufgeführt unter der Leitung von David Tudor im Theater der Amerikanischen Botschaft in Paris. Werke der Künstler dienen als wandelbares Bühnenbild

1

2

1 Jean Tinguelys gefiederte Striptease-Maschine, die während der Aufführung sämtliche Federn verliert. Im Hintergrund Niki de Saint Phalle, am Flügel David Tudor

2 Das Schießbild von Niki de Saint Phalle und eine Zielscheibe aus echten Blumen von Jasper Johns. Jean Tinguely beobachtet Robert Rauschenberg, der auf der Bühne ein Bild malt, das das Publikum nie zu Gesicht bekommt

3 Niki de Saint Phalle und Robert Rauschenberg auf der Bühne

4 Da die Schießbildaktion von Niki de Saint Phalle als Sicherheitsrisiko gilt, heuert die Amerikanische Botschaft einen professionellen Scharfschützen an. Er beschießt das Relief, während Robert Rauschenberg malt

5 Gesamtansicht der Bühne mit den Werken von Jasper Johns und Niki de Saint Phalle, während Robert Rauschenberg malt. Vorne rechts vor der Bühne der Scharfschütze und Jean Tinguely

6 Das vollendete Schießbild *Tir de l'Ambassade Américaine* oder *Tir au siège*

26. Juni 1961: Schießaktion in der Impasse Ronsin

3

1 15. Juni: Niki de Saint Phalle bereitet das Tir vor

2 26. Juni: Niki de Saint Phalle installiert das Werk

4

5

3 Niki de Saint Phalle schießt

4 Niki de Saint Phalle lädt das Gewehr

5 Jean Tinguely, Niki de Saint Phalle und eine weitere Person schießen gleichzeitig

6 Niki de Saint Phalle fügt ihrem Werk ein weiteres Element hinzu

7 Niki de Saint Phalle vor dem fertigen Tir

30. Juni bis 12. Juli 1961: Erste Einzelausstellung von Niki de Saint Phalle in der Pariser Galerie J, organisiert von Pierre Restany. Die Besucher der Galerie werden aufgefordert, auf die Werke zu schießen

1 Niki de Saint Phalle, Jasper Johns, Kichka und Daniel Spoerri am Eingang zur Galerie

2

3

4

5

6

2 Niki de Saint Phalle schießt

3 Besucher schießt, Frank Stella schaut zu

4 Robert Rauschenberg und Leo Castelli

5 Jasper Johns schießt, beobachtet von Frank Stella

6 Besucherin schießt, neben ihr Jean Fautrier (zweiter von links)

7 Harry Mathews, Niki de Saint Phalle, Eva Aeppli und Lawrence Rubin auf der Vernissage

8 Diner nach der Eröffnung im ›La Coupole‹: Jasper Johns, Niki de Saint Phalle, Jean Tinguely, Gérard Deschamps, Jean Fautrier (von links nach rechts); Leo Castelli, Elizabeth Rubin, Robert Rauschenberg (von rechts nach links)

7

8

3

4. März 1962: Die erste Schießaktion in den USA, gesponsert von der Everett Ellin Gallery, findet vor dem Strandhaus von Virginia Dwan in Malibu, Kalifornien statt

1

2

4

5

6

1 + 2 Niki de Saint Phalle schießt in ihrem weißen Anzug, den sie nur bei Schießaktionen trägt

3 John Cage, Jean Tinguely und Niki de Saint Phalle

4 Niki de Saint Phalle schießt

5 Das vollendete Tir

6 Publikum betrachtet das Werk

7 Zeichnung von Walter Molino in *Domenica del Corriere*, 1. April 1962

1 APRILE 1962 DOMENICA DEL CORRIERE ANNO 64 - N. 13 - L. 50 LA COPIA

Sparando dipinge. La giovane artista francese Niki de Saint-Phalle ha escogitato un curioso sistema per fare dei quadri a suon di fucilate e rivoltellate: il colore è racchiuso in sacchetti di plastica, sotto una superficie di gesso e, quando i proiettili rompono le vescichette, la tinta cola a rivoli. Servizio di Dino Buzzati alle pagg. 18-19 *(Disegno di Walter Molino)*

L'AUTOSTRADA MANGIA TROPPO

Servizio di Renato Albanese alle pagine 28 - 29

7

1

2

3

4

5

6

April 1962: An einem Sonntagnachmittag findet in den Hügeln von Malibu eine Schießaktion statt. Unter den Anwesenden befinden sich Leute vom Film und Künstler. Am Ende der Veranstaltung feuert Jean Tinguely eine kleine Kanone ab, die gelben Rauch verbreitet

1 Jane Fonda rechts und andere betrachten die Installation des Tir

2 Peggy Moffit und andere Photomodelle

3 Bevor geschossen wird, veranstaltet Jane Fonda ein Picknick für den Filmregisseur John Houseman

4 Während das Publikum, darunter Henry Geldzahler als Vertreter des Metropolitan Museum of Art in New York, das Picknick genießt, trifft Niki de Saint Phalle letzte Vorbereitungen für die Schießaktion. Ed Kienholz assistiert ihr

5 Niki de Saint Phalle schießt

6 Niki de Saint Phalle und Ed Kienholz vor dem vollendeten Werk, das später von der Galeristin Virginia Dwan erworben wird

Niki de Saint Phalle spielt in Kenneth Kochs Stück *Construction of Boston,* das unter der Leitung von Merce Cunningham am Maidman Playhouse in New York am 4. Mai 1962 aufgeführt wird. Ihre Rolle ist es, Kunst nach Boston zu bringen, dabei entsteht auf der Bühne die einzige Tir-Skulptur *Vénus de Milo*

Eröffnung der Ausstellung *DYLABY,* die vom 30. August bis zum 30. September 1962 im Stedelijk Museum in Amsterdam zu sehen ist. *DYLABY* steht für Dynamic Labyrinth und ist ein gemeinsames Projekt von Robert Rauschenberg, Martial Raysse, Niki de Saint Phalle, Daniel Spoerri, Jean Tinguely und Per Olof Ultvedt

15. Oktober bis 3. November: Erste Einzelausstellung in der Galerie Alexander Iolas, New York

1

3

2

4

1 Aufführende: Henry Geldzahler, Jean Tinguely, Maxine Groffsky, Robert Rauschenberg, Kenneth Koch, Frank Stella, Billy Kluver und andere

2 Das vollendete Tir: *Vénus de Milo,* Jean Tinguely und Niki de Saint Phalle

3 In der Schieß-Galerie: Niki de Saint Phalle schießt unter Aufsicht eines als Großwildjäger gekleideten Wachmanns. Neben ihr der Kurator der Ausstellung Ad Petersen

4 Niki de Saint Phalle zwischen Jean Tinguely und Wachmann

5 Willem Sandberg, der Direktor des Stedelijk Museums, mit Niki de Saint Phalle

6 Leo Castelli und weitere Besucher warten in der Schieß-Galerie, bis sie an der Reihe sind. Niki de Saint Phalle, zwischen Publikum und Tir, gibt Ratschläge

7 Niki de Saint Phalle vor dem fertigen Schießbild *Homage to Le Facteur Cheval*

5

6

7

Während der ›weißen Periode‹ zwischen 1963 und 1964 schafft Niki de Saint Phalle eine Serie von Arbeiten mit Bräuten, gebärenden Müttern, Köpfen und Herzen

1

2

3

1 Niki de Saint Phalle im Wohnzimmer ihres Hauses ›Auberge du cheval blanc‹ in Soisy-sur-Ecole. An der Wand ihr Kopfrelief *Napoléon*

2 + 3 Im Landhaus Jean Tinguelys in Outry, Schweiz, arbeitet Niki de Saint Phalle an der Braut *Cécile*

4 Niki de Saint Phalle vollendet *Cécile* auf der Terrasse. Der Kopf *La tête aux roues* ist bereits fertig

4

Der ehemalige Landgasthof ›Auberge du cheval blanc‹, erworben 1963, ist das Wohnhaus und Atelier von Niki de Saint Phalle und Jean Tinguely in Soisy-sur-Ecole

1 Im Garten ihres Hauses in Soisy arbeitet Niki de Saint Phalle an *Le cheval et la mariée*

2

3

2 Im Hof vor dem Haus in Soisy schießt Niki de Saint Phalle *The red witch*

3 Ein weiteres Schießbild entsteht

4 Niki de Saint Phalle mit ihren Werken *The red witch*, *La femme brune*, *Pink Heart* und anderen im Atelier in Soisy

5 Niki de Saint Phalle, umgeben von *Le mangeur d'enfants*, *La mariée sous l'arbre* und *Le cheval et la mariée*

4

5

Sommer 1963: In Kalifornien entsteht, gesponsert von der Dwan Gallery in Los Angeles, das monumentale Schießbild *King Kong*

1

1 *Tir des hommes politiques,* 1963, Studie zu *King Kong*

2 *King Kong,* Geschenk der Künstlerin, im Moderna Museet in Stockholm

Die Anregung zu den Nanas gibt eine Zeichnung von Larry Rivers, die seine schwangere Frau Clarice vor der Geburt der Tochter Gwynne 1964 darstellt

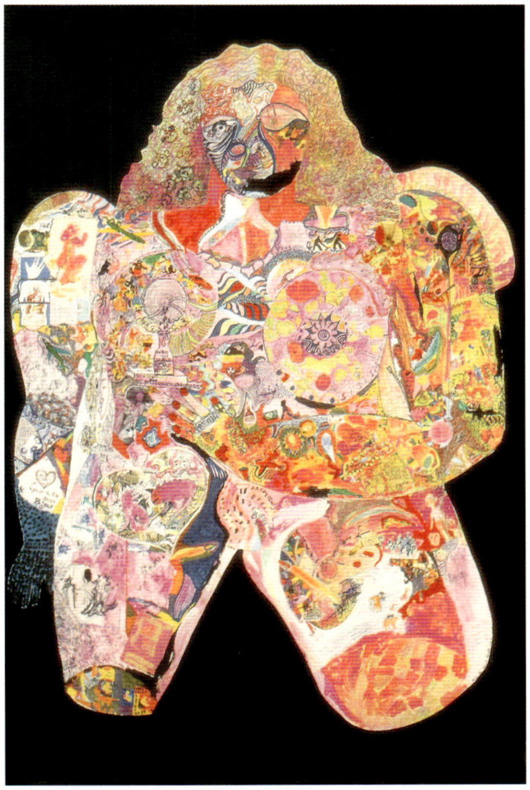

3 *Pink Lady,* 1964, Öl auf Leinwand und Collage, Sammlung Hirshhorn Museum and Sculpture Garden, Smithsonian Institution, Washington, D.C.

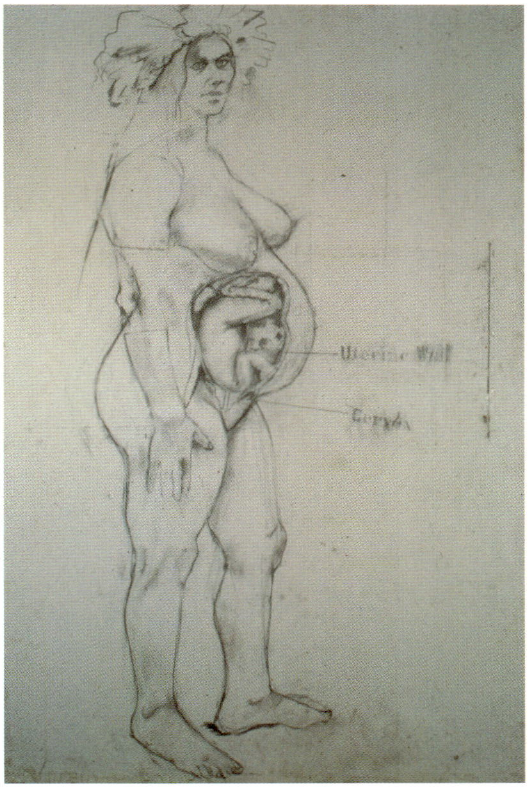

4 Larry Rivers' Zeichnung

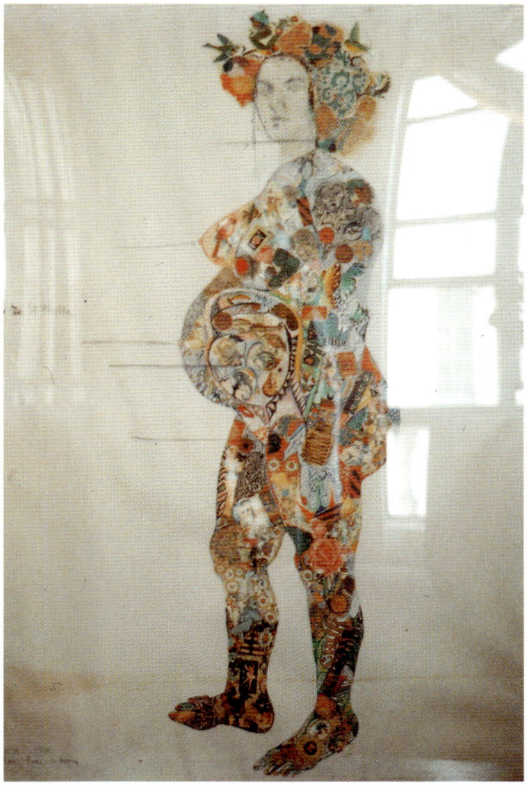

5 Gemeinschaftsarbeit von Niki de Saint Phalle und Larry Rivers, der das Gesicht für ihre Collage zeichnet

3 Ausstellungsplakat mit einer Zeichnung der Nana *Elizabeth*

4 Laura Mathews, die Tochter von Niki de Saint Phalle, mit ihrer Mutter in der Galerie Alexandre Iolas vor *Elizabeth*

1

3

2

4

1 Jean Tinguely, Niki de Saint Phalle und Larry Rivers in dessen New Yorker Atelier, 1965

2 Sommer 1965: In Southampton, Long Island, arbeiten Clarice Rivers und Niki de Saint Phalle an dem Drahtgestell für eine Nana

Vom 30. September bis zum 30. Oktober 1965 werden in der Pariser Galerie Alexandre Iolas erstmals Nanas aus Stoff, Garn und Papiermaché gezeigt

5 Niki de Saint Phalle zwischen ihren Nanas in der Galerie Alexandre Iolas

2

1 *La Baigneuse*, 1965, wird 1967 zu *Black Venus* umgemalt

3

2 Eine Reihe bemalter Katzen im Freien

3 Jean Tinguely und Niki de Saint Phalle im Hof der ›Auberge du cheval blanc‹. Er ist das Atelier von Jean Tinguely, während Niki de Saint Phalle im Haus arbeitet

4 Das Atelier von Niki de Saint Phalle mit Nanas, an denen noch gearbeitet wird. Ganz rechts *La Waldaff*

9. Juni bis 4. September 1966: Ausstellung eines Gemeinschaftswerkes von Niki de Saint Phalle, Jean Tinguely und Per Olof Ultvedt, das Pontus Hulten, der Direktor des Moderna Museet, in Auftrag gegeben hat. Die Künstler installieren eine riesige Nana, die mit gespreizten Beinen auf dem Rücken liegt. Die Skulptur ist 6,10 × 28,70 × 9,15 m groß und heißt *Hon*, was im Schwedischen ›sie‹ bedeutet

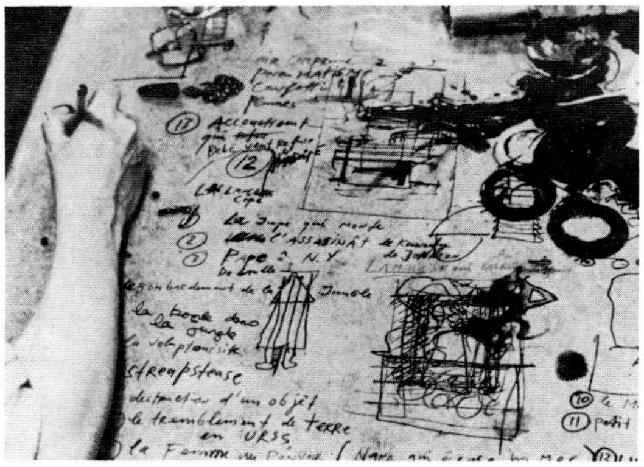

1

2

1 Arbeitsskizze

2 Per Olof Ultvedt, Niki de Saint Phalle, Jean Tinguely und Pontus Hulten fangen mit der Konstruktion an

3 Niki de Saint Phalle und Jean Tinguely

4 Niki de Saint Phalle demonstriert, am Boden liegend, die für *Hon* geplante Stellung

5 Jean Tinguely und Per Olof Ultvedt

3

4

5

Der Bau beginnt

6

6 Am 27. Mai 1966 diskutieren Jean Tinguely, Niki de Saint Phalle, Per Olof Ultvedt und Pontus Hulten im Moderna Museet das Projekt

7

7 Niki de Saint Phalle, Pontus Hulten, Jean Tinguely und Per Olof Ultvedt arbeiten an der Hand von *Hon*

8 Per Olof Ultvedt, Niki de Saint Phalle und Jean Tinguely machen einen Entwurf

9 Der Bau des Gerüstes für *Hon*

10 Das Skelett des Kopfes

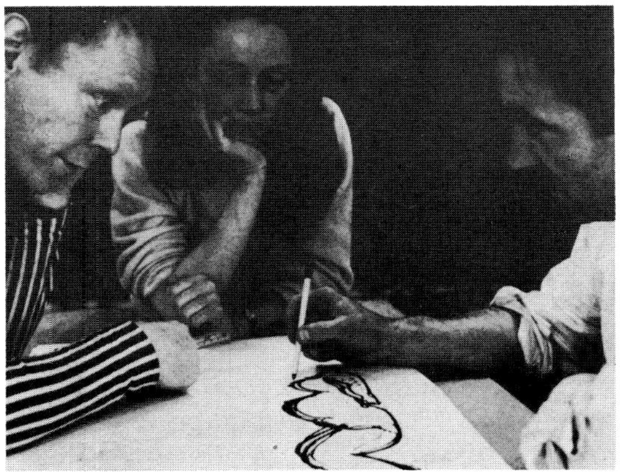

8

9

10

1 Niki de Saint Phalle kocht an einem Tag 20 bis 30 Liter Knochenleim

2 Niki de Saint Phalle mit leimgetränktem Stoff, der über die Drahtkonstruktion gelegt wird

3 Die Beine von *Hon*

4 Niki de Saint Phalle bemalt das rechte Bein von *Hon*

6 Rad für eine der Maschinen Tinguelys im Innern von *Hon*

7 Niki de Saint Phalle malt das Innere aus, ihre Assistentin Maja-Lena Engström arbeitet an der Außenseite

5 Niki de Saint Phalle, Jean Tinguely, Sidsel Wibom, Rico Weber, Anna Lena Wibom, Klara Hulten, Katrin Wibom, Axel Wibom

8

9

8 Per Olof Ultvedt bei der Arbeit im Innern

9 Per Olof Ultvedt

1

2

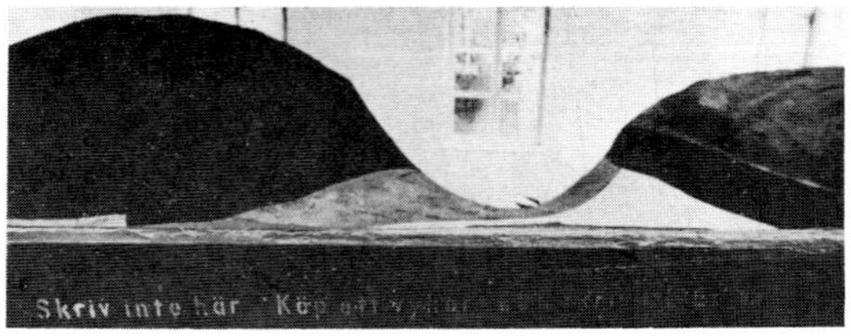
Skriv inte här

3

hon
en katedral byggd av:
Niki de Saint Phalle
Jean Tinguely, Per Olof Ultvedt
Moderna Museet, Stockholm
juni, juli 1966

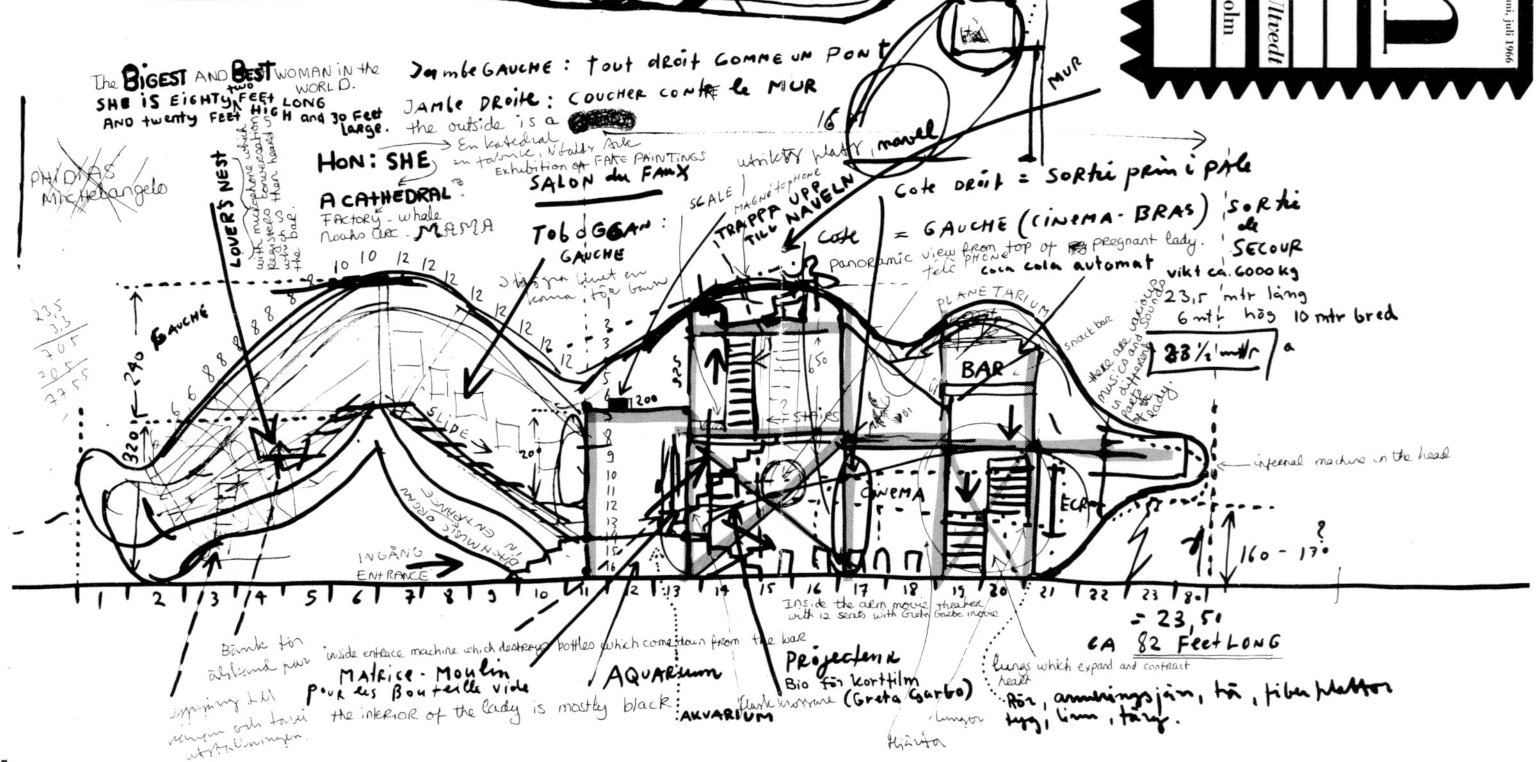
The BIGEST AND BEST WOMAN in the WORLD.
SHE IS EIGHTY two FEET LONG
AND twenty FEET HIGH and 30 Feet large.
Jambe GAUCHE : tout droit comme un Pont
Jamle Droite : coucher contre le MUR
the outside is a
En katedral
HON: SHE
A CATHEDRAL
FACTORY - whale
Noahs Ark - MAMA
Exhibition of FAKE PAINTINGS
SALON du FAUX
PHIDIAS
Michelangelo
LOVER'S NEST
TOBOGGAN : GAUCHE
SCALE
MAGNETOPHONE
TRAPPA UPP TILL NAVELN
navel
MUR
Cote droit = Sortie prin i pâle
Cote = GAUCHE (CINEMA - BRAS)
panoramic view from top of pregnant lady.
tele PHONE
coca cola automat
Sortie de SECOUR
vikt ca. 6000 kg
23,5 mtr lång
6 mtr hög 10 mtr bred
PLANETARIUM
snack bar
BAR
CINEMA
SLIDE
STAIRS
INGÅNG
ENTRANCE
infernal machine in the head
160 - 170
= 23,5
CA 82 Feet LONG
INside the arm movie theater with 12 seats with Greta Garbo movie
inside entrance machine which destroys bottles which come down from the bar
Matrice - Moulin pour les Bouteille vide
the interior of the lady is mostly black
AQUARIUM
AKVARIUM
Projecteur
Bio för kortfilm (Greta Garbo)
lungs which expand and contract
Rör, armeringsjärn, trä, fiberplattor
tyg, lim, färg.

4

5

6

5 Die Herstellung des Prospekts

6 Per Olof Ultvedt, Niki de Saint Phalle und Jean Tinguely bei der Fertigstellung von *Hon*

7 Der Oberkörper von *Hon*

8 Der Unterkörper von *Hon*

1 Stehend: Gösta Wibom, Björn Eneroth, Jean Tinguely, Pontus Hulten, Rico Weber, Jörgen Hammarberg, Per Olof Ultvedt. Sitzend: Anna Lena Wibom, Mette Prawitz, Klara Hulten, Niki de Saint Phalle

2 Niki de Saint Phalle beim Bemalen des Kopfes

3 Die Außenhaut von *Hon*

4 Das Titelblatt des Prospekts zu *Hon* vom Moderna Museet zeigt eine Arbeitsskizze. Darauf sind die Spielräume im Innern von *Hon* beschrieben: im linken Arm befindet sich ein Kino mit zwölf Plätzen, in dem Greta Garbos erster Film *Luffarpetter* gezeigt wird, im Kopf ein bewegliches hölzernes Gehirn, in der linken Brust ein Planetarium, in der linken Hüfte die Radio-Skulptur *Radio Stockholm;* im Knie steht die beschallte *Banc des amoureux*, deren roter Samt von einem Scheinwerfer beleuchtet wird, was nur von den Benutzern der Bank durch einen Rückspiegel erkannt werden kann; in der rechten Brust eine Milchbar und ein Flaschenzerkleinerer, die Galerie der Fälschungen – in der jedes Gemälde eine bronzene Lampe besitzt – in einem Bein; daneben ein Münzfernsprecher, ein Imbißautomat, eine Postkarten-Piennale mit Gemälden des Moderna Museet, eine Dachterrasse auf dem Bauch und ein Aquarium. In verschiedenen Teilen von *Hon* ist Musik von Johann Sebastian Bach zu hören

7

8

1 Niki de Saint Phalle und Jean Tinguely bei der Ausstellungseröffnung

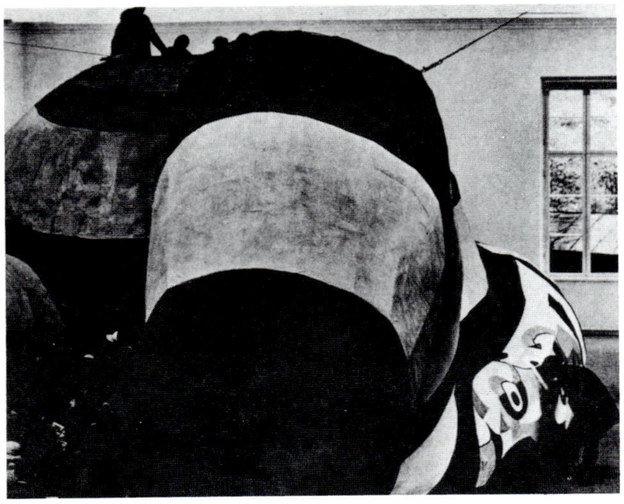

2 Besucher auf der Dachterrasse von *Hon*

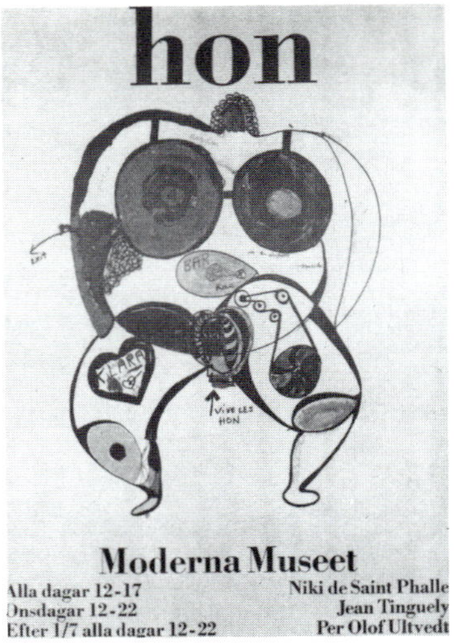

3 Eines der verschiedenen Ausstellungsplakate

4 Ein Herr betritt *Hon*

5 Seitliche Ansicht des
Eingangs

1

2

3

4

1 Eintretende Besucher, vom Innern aus gesehen

2 Jean Tinguelys *Big Mill* im Innern

3 Zwei Besucherinnen unter dem Kopf

4 + 5 Besucher von *Hon*

Die Installation von *Hon* ist befristet, das Werk muß wegen einer Claes Oldenburg Ausstellung abgebaut werden

2

3

1

4

5

1 Pontus Hulten trennt den Kopf von *Hon* ab, der als einziger Teil im Moderna Museet bleibt

2 – 5 Der Abbau von *Hon* beginnt

6

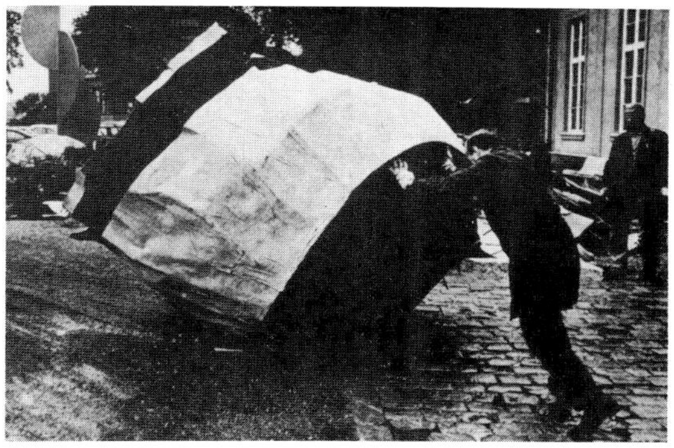

7

8

6 Fragmente der zerstörten *Hon*

7 Ein Teil von *Hon* wird abtransportiert

8 Das Gerüst nach dem Abbau

1966 entwirft Niki de Saint Phalle in Zusammenarbeit mit Martial Raysse und Jean Tinguely Bühnenbilder und Kostüme für John Caus Ballett *Eloge de la folie*, choreographiert von Roland Petit. Thema ist der Verfall der modernen Gesellschaft

2

3

1

4

5

1 Martial Raysse, Jean Tinguely, der Komponist Marius Constant, Roland Petit und Niki de Saint Phalle beim Applaus auf der Bühne

2 Premiere im Théâtre des Champs-Elysées in Paris am 2. März 1966

3 Szenenbild mit Nanas

4 Szene aus dem 6. Akt: *La guerre*

5 Szene aus dem 4. Akt: *Les femmes au pouvoir*

Ebenfalls 1966 gestaltet Niki de Saint Phalle Bühnenbild und Kostüme für die *Lysistrata* von Aristophanes. Regisseur ist Rainer von Diez. Die Komödie wird im Herbst am Staatstheater Kassel aufgeführt. Das Bühnenbild ist eine Variante von *Hon* 10 m lang und 3,60 m hoch. Die Schauspieler können die Vagina als Ausgang oder Eingang benutzen

6 Zwei Darsteller im Bühnenbild

7 Das Ensemble bei der Premiere am 2. Oktober 1966

8 Niki de Saint Phalle vor ihrem Theaterplakat

1966 erhalten Niki de Saint Phalle und Jean Tinguely von der französischen Regierung den Auftrag zu einer Außenskulptur für die *Expo '67* in Montreal. Sie wird dort vom 28. April bis zum 27. Oktober 1967 auf dem französischen Pavillon ausgestellt. Die Arbeit heißt *Le paradis fantastique:* neun große, von Niki de Saint Phalle mit Neonfarben bemalte Styroporfiguren, von denen sechs mit kinetischen Maschinen Tinguelys kombiniert werden.

1

3

2

1 Modell zu *Le paradis fantastique*

2 Modell zu *Nana-arbre*

3 Die Skulpturen werden im Atelier Simonini hergestellt, das einem Pariser Bühnenbildner gehört

4 Niki de Saint Phalle neben *La grosse Nana*

5 Ansicht von *La bête gentille*, *Le rotozaza* und *La Nana sur la tête*

5

6 *La baigneuse*

7 *La grosse Nana*

8 Die Skulpturen werden für den Transport nach Montreal aus dem Lager geholt. *La fleur* wird auf einen Lastwagen geladen

Installation von *Le paradis fantastique* auf dem Dachgarten des französischen Pavillons in Montreal

1 *Le bébé-monstre et le char Raspoutine* und *La Nana embrochée et la machine*

2 *Le bébé-monstre et le char Raspoutine, La grosse Nana et la perceuse, La Nana embrochée et la machine*

Nach dem Ende der *Expo '67* geht *Le paradis fantastique* Ende 1967 nach Buffalo. Im Frühjahr 1968 wird es in New York gezeigt

1 Installation im Innenhof der Albright-Knox Art Gallery in Buffalo, 21. November 1967 bis 7. Januar 1968

2

3

4

5

2–5 Im New Yorker Central Park haben Kinder mit aufblasbaren Nanas von Niki de Saint Phalle ihren Spaß an *Le paradis fantastique*

6 Niki de Saint Phalle und Jean Tinguely bei der Eröffnung am 1. Mai 1968

6

7 Blick auf die Installation im Conservatory Garden des Central Park, unweit von Harlem

1 *Nana sur la tête, La fleur* und *Nana-arbre et la folle*

Niki de Saint Phalle und Jean Tinguely überlassen *Le paradis fantastique* dem Moderna Museet in Stockholm. Jean und Dominique de Menil stellen die Mittel für den Transport der Skulptur aus den USA nach Schweden zur Verfügung. Nach einjähriger Restaurierung wird die Arbeit in der Nähe des Moderna Museet installiert

2 *Nana sur la tête, La fleur* und *La baigneuse.* Ein neugeschaffener Brunnen von Jean Tinguely bespritzt die beiden Nanas mit Wasser

3 *La Nana embrochée et la machine, La grosse Nana* und *Nana-arbre et la folle*

4 Niki de Saint Phalle und
Jean Tinguely in ihrem
Garten in Soisy

Für die erste Retrospektive *Les Nanas au pouvoir* vom 26. August bis 15. Oktober 1967 im Stedelijk Museum in Amsterdam gestaltet Niki de Saint Phalle ihr erstes *Nana Dream House* und ihren ersten Nana-Brunnen

3

4

1 Nana-Brunnen *Teresita*

2 Niki de Saint Phalle bei der Arbeit am Ausstellungsplakat zu *Les Nanas au pouvoir*. Es zeigt einen Entwurf des *Nana Dream House*

3 Ein Besucher blickt ins Innere des *Nana Dream House*

4 Niki de Saint Phalle mit ihrem Galeristen Alexandre Iolas, Bénédicte Pesle von der Galerie Iolas und Jean Tinguely mit den Kindern der Künstlerin, Philip und Laura Mathews

5

5 Eröffnung der Ausstellung *Les Nanas au pouvoir* im Stedelijk Museum

6 Ansicht von *Black Venus* und *Nana Dream House*

Die Ausstellung *Les Nanas au pouvoir* geht an den Kunstverein für die Rheinlande und Westfalen in Düsseldorf, wo sie vom 19. November 1968 bis zum 1. Januar 1969 zu sehen ist

1

2

1 Niki de Saint Phalle in Soisy

2 Jean Tinguely, Willem Sandberg, der Direktor des Stedelijk Museums, und Niki de Saint Phalle in ihrem Wohnzimmer in Soisy

3 Niki de Saint Phalle posiert vor einer Nana

4 Rückansicht der *Black Venus*

5 Kasse des Kunstvereins mit einer Nana auf dem Tisch

6 Ansicht einer tanzenden Nana und *Anna Lena in Greece*

5

4

6

Niki de Saint Phalle schreibt *Moi*, die Geschichte eines kleinen revoltierenden Mädchens. Sie macht, in Zusammenarbeit mit Rainer von Diez, daraus das Stück *ICH (All about ME)* und entwirft Bühnenbilder und Kostüme für die Aufführung. Die Premiere findet am 28. Juni 1968 während der *documenta 4* am Staatstheater Kassel statt

1

2

3

4

1–4 Szenen aus dem Stück *ICH*

24. Oktober bis 6. November 1968: Niki de Saint Phalle präsentiert in der Pariser Galerie Alexandre Iolas ihr Relief *Hier soir j'ai fait un rêve.* Es besteht aus 18 Teilen

5

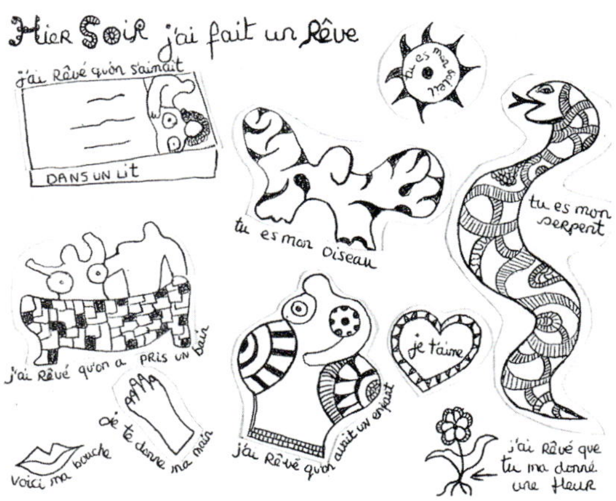

6

7

5 Die Installation in der Galerie Alexandre Iolas

6 Einladungskarte zur Einzelausstellung, von Niki de Saint Phalle entworfen

7 Detailansicht

1

2

1 + 2 Niki de Saint Phalle bemalt *Le rêve de l'oiseau*

3 Niki de Saint Phalle und Rico Weber bemalen die Tür von *Le rêve de l'oiseau*

3

Von 1969 bis 1971 baut Niki de Saint Phalle erstmals Architektur in Originalgröße. Die drei Häuser in den südfranzösischen Bergen funktionieren jeweils als separate Räume: *Le rêve de l'oiseau* als Küche, *Big Clarice* als Wohnraum, *La sorcière* als Badezimmer

4 *La sorcière*

5 Ansicht von *Big Clarice*, im Hintergrund *Le rêve de l'oiseau*

6 Rainer von Diez und Niki de Saint Phalle bemalen *Le rêve de l'oiseau*

7 Rückansicht von *Big Clarice*

6

7

1 In der Pariser Galerie Alexandre Iolas bei der Installation der Einzelausstellung *Le rêve de Diane*, die vom 5. bis zum 28. Februar 1970 dauert. Niki de Saint Phalle zeigt ihre riesige, aus mehreren Einzelteilen bestehende Skulptur. Die Künstlerin vor der Galerie im Gespräch mit Lulu Bleibtreu

2 Nana-Brunnen

3 Niki de Saint Phalle bemalt *La machine à rêver*

4 *Le rêve de Diane*

4

5 *La machine à rêver*

6 Das von Niki de Saint Phalle entworfene Plakat für die Vorstellungen von Merce Cunningham und der Paul Taylor Dance Company im Pariser Théâtre de France

29. November 1970: In der Galleria Vittorio Emmanuele, Mailand, organisieren Pierre Restany und Guido Le Noci ein Festival anläßlich des zehnjährigen Bestehens der ›Nouveaux Réalistes‹. Eine der Eröffnungsveranstaltungen ist die Entstehung eines Schießbildes von Niki de Saint Phalle

3 + 4 Sakrale Gegenstände zur Herstellung der Assemblage für das Tir

4

1

2

1 Das Publikum vor dem Altar-Tir von Niki de Saint Phalle in der Galleria

2 Niki de Saint Phalle und Fausta Squatritti im Restaurant Biffi, wo Daniel Spoerri ein Diner bestellt hat. Bei dieser ›Ultima cena‹ gibt es kulinarische Spezialitäten mit Bezügen zum Werk eines jeden Mitglieds der ›Nouveaux Réalistes‹, für Niki de Saint Phalle eine Nana-Torte und einen Kuchen in Form einer Zielscheibe

5 Niki de Saint Phalle schießt

6 Am 25. November 1970:
Niki de Saint Phalle bereitet
ihre Schießaktion vor

7 Jean Tinguely und
Zuschauer vor dem Altar

8 Der Altar vor dem
Beschießen

9 Niki de Saint Phalle
und der Altar nach dem
Beschießen

1970 beginnt Jean Tinguely im Wald von Milly-la-Forêt mit der Arbeit an der 22,50 m hohen Monumentalskulptur *La tête,* auch *Le cyclope* genannt. Folgende Künstler beteiligen sich: Eva Aeppli, Bernhard Luginbühl, Giovanni Podesta, Jean-Pierre Raynaud, Jesus Rafael Soto, Daniel Spoerri und Niki de Saint Phalle. Das Werk wurde zum französischen Kulturgut erklärt und wird im September 1992 eingeweiht

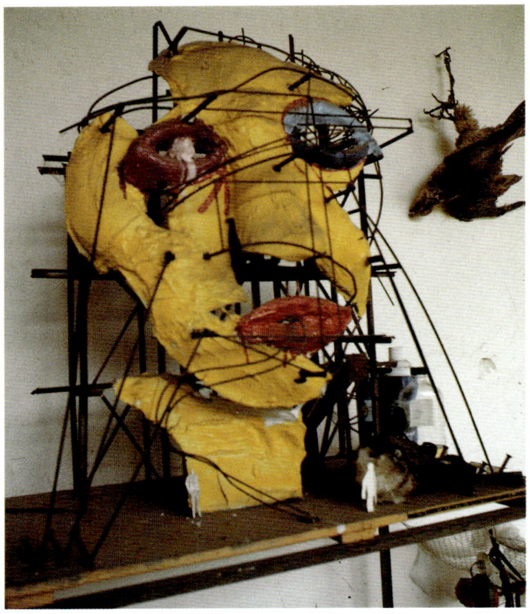

1

2

1 Das Modell

2 Pontus Hulten und Jean Tinguely 1971 vor *La tête,* der sich im Bau befindet

3 Niki de Saint Phalle gestaltet die Fassade mit Spiegelmosaiken

Niki de Saint Phalle schreibt 1971 ihr erstes Drehbuch: *Nana Island.* Der Film wird begonnen aber nicht fertiggestellt

5

6

4

7

8

9

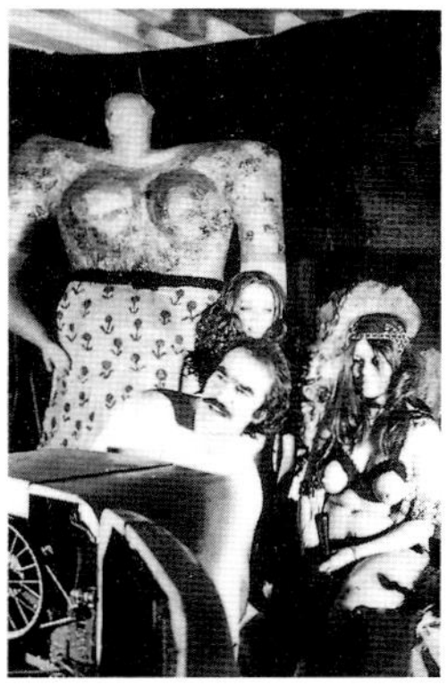

10

4 Rico Weber mit einer Konstruktion von Jean Tinguely

5 Mimi Johnson und ein Kind vor *La Waldaff*

6 Darsteller aus *Nana Island:* Niki de Saint Phalle, Patty Oldenburg, Madame Gérard, Clarice Rivers und Mimi Johnson

7 Niki de Saint Phalle, Patty Oldenburg und Clarice Rivers

8 Mimi Johnson und Niki de Saint Phalle

9 Jean Tinguely

10 Jean Tinguely, Niki de Saint Phalle und Clarice Rivers vor *La Waldaff*

1972 baut Niki de Saint Phalle im Auftrag von Familie Rabinovitch den *Golem*, ihre erste Architektur für Kinder im Rabinovitch Park in Kiryat Hayovel, Jerusalem. Der Bürgermeister von Jerusalem, Teddy Kollek, ist ein begeisterter Anhänger dieses Projekts

1

2

3

1 Niki de Saint Phalle, Jean Tinguely, Rico Weber und Paul Wiedemer vor dem eisernen Gerüst

2 Jean Tinguely, der die Eisenkonstruktion entwarf, mit seinen Assistenten Rico Weber und Paul Wiedemer bei der Arbeit am *Golem*

3 Modell des *Golem* und Jean Tinguely

4 Das eiserne Gerüst

4

5

6

7

8

9

5 + 6 Das Gerüst wird mit Zement verkleidet

7 + 8 Spielende Kinder auf dem *Golem*, drei Zungen dienen als Rutschen

9 Jean Tinguely und Niki de Saint Phalle betrachten den *Golem*

10 Der *Golem*

10

1973 baut Niki de Saint Phalle im Garten von Roger und Fabienne Nellens im belgischen Knokke-le-Zoute einen Drachen für deren Kinder. Er ist ein komplettes ›Haus für Kinder‹ mit Spielzimmer, Küche, Bad und Schlafräumen im Obergeschoß

1

2

3

4

5

1 Modell des *Dragon*

2 Einweihung des fertigen, aber noch unbemalten *Dragon*

3 Das Auge des Ungeheuers

4 Der Mund mit der Rutschbahn-Zunge

5 Das Innere des *Dragon*

6 Der vollendete *Dragon* 1973

2

3

1 *Tränen-Collier* aus der limitierten Schmuckedition von Niki de Saint Phalle

4

2 Familienphoto von 1973: Rico Weber, Niki de Saint Phalle, Laura Condominas, Jean Tinguely, die Enkelin Bloum Condominas und Jacqueline de Saint Phalle

3 Philip Mathews, Sohn von Niki de Saint Phalle

4 Niki de Saint Phalle mit ihrer Mutter Jacqueline und ihrer Tochter Laura Condominas mit der Tochter Bloum

1972 dreht Niki de Saint Phalle in Zusammenarbeit mit Peter Whitehead in der Commanderie in Dannemois und im Château de Mons in der Nähe von Grasse ihren zweiten Film *Daddy*. Mitwirkende sind Rainer von Diez, Mia Martin und Clarice Rivers. Im April 1973 findet die Welturaufführung einer revidierten Fassung des Films in New York statt

5 Plakat zum Film *Daddy* von Niki de Saint Phalle

6 Jean-Pierre Raynaud und Niki de Saint Phalle

7 Niki de Saint Phalle posiert für ein Filmphoto

8 Niki de Saint Phalle

9 Niki de Saint Phalle, Clarice Rivers und Rainer von Diez

10 Niki de Saint Phalle in einer Filmszene

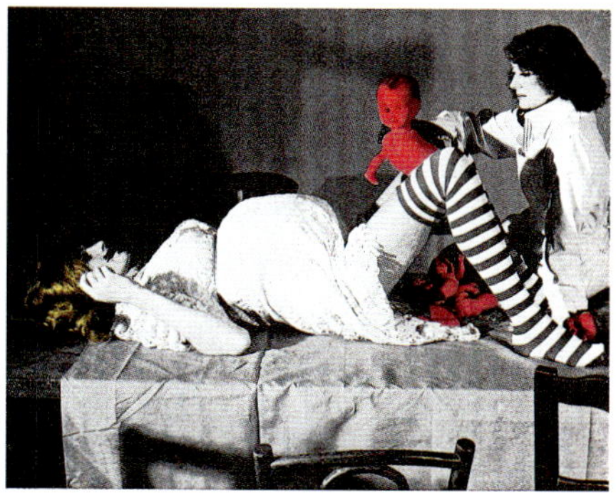

6

7

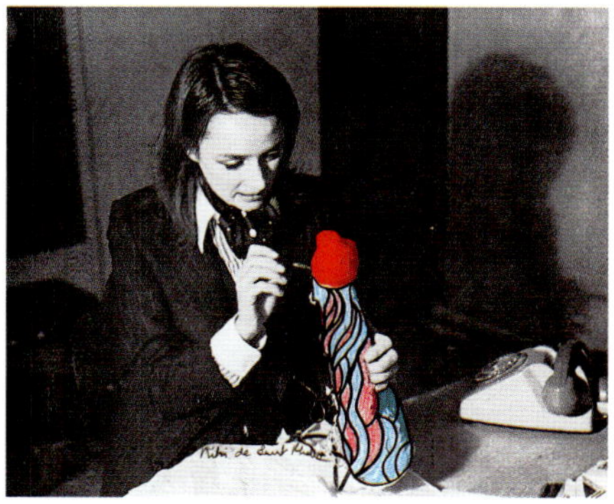

8

9

10

1

2

1+2 Nana Brosche und Collier, von Niki de Saint Phalle entworfener Schmuck, der vom Atelier Giancarlo Montebello in Mailand produziert wird

4

3

5

3 Niki de Saint Phalle 1974 bei der Arbeit an dem Modell zu *Le poète et sa muse*. Die 5,50 m hohe Skulptur wird später auf dem Gelände der Universität Ulm installiert

4–6 1974 werden in Hannover die drei Riesen-Nanas *Caroline*, *Charlotte* und *Sophie* aufgestellt

Niki de Saint Phalle schreibt und produziert den Film *Un rêve plus long que la nuit.* Er erzählt die Geschichte eines Mädchens, dessen Leben sich im Traum in einer Reise durch die Nacht abspielt. Die Dekoration des anderthalbstündigen Films besteht aus Skulpturen von Niki de Saint Phalle und Maschinen von Jean Tinguely, der 1975 in der Umgebung von Paris gedreht wird. Viele Freunde und Verwandte wirken bei der Produktion mit, so Laura Condominas, Marina Karella, Jacqueline Monnier, Bernhard Luginbühl, Jean-Yves Mock, Andrée Putman, Daniel Spoerri, Christian Ledoux und andere

2

3

4

1 Laura Condominas und Bernhard Luginbühl

2 Plakat von Niki de Saint Phalle zu dem Film *Un rêve plus long que la nuit.* Die Premiere findet am 16. November 1976 in Paris statt

3 Laurence Bourqui und Marina Karella

4 – 7 Szenen aus dem Film

8 + 9 Bernhard Luginbühl

10 Laurent Condominas

5

6

1977 dreht Niki de Saint Phalle in Zusammenarbeit mit Constantin Mulgrave den Film *The Travelling Companion*, eine Adaption des Märchens von Hans Christian Andersen

7

11

8

12

11 + 12 Modelle für die Filmkulisse

9

10

1

1 Die Skulptur *L'aveugle dans la prairie,* bemaltes Polyester, 1978/79, Sammlung Musée national d'art moderne, Centre Georges Pompidou, Paris

2 Das Gerüst für den Mann auf der Bank zu *L'aveugle dans la prairie*

2

3

3 Niki de Saint Phalle auf ihrem Stuhl *Charly* beim Bemalen einer kleineren Version von *Le monde.* 1979 erscheint die erste Edition von Möbeln, die Niki de Saint Phalle entworfen hat

4 Relief *Tears,* bemaltes Polyester, 1979

4

5 Niki de Saint Phalle
und ihr langjähriger
Mitarbeiter Ricardo Menon
mit Architekturentwürfen
am Strand von Malibu,
Kalifornien

1979 beginnt Niki de Saint Phalle mit der Anlage eines Phantasiegartens in Garavicchio, Toskana, nach den Motiven der 22 Karten des Tarot-Spiels. Damit realisiert sie ihren Traum von einem Skulpturenpark. Durch die Vermittlung ihrer Freundin Marella Agnelli erhält Niki de Saint Phalle das Nutzungsrecht für ein Gelände, das deren Brüdern Carlo und Nicola Caracciolo gehört. Den Bau finanziert die Künstlerin selbst. Von italienischer Kunst beeinflußt verwendet sie erstmals Spiegel-, Glas- und Keramikmosaiken. Der Garten wird voraussichtlich 1993 für Besucher eröffnet werden

1

2

3

1 Modell für den *Magier* und die *Hohepriesterin* (Karte I und II)

2 + 3 Modelle des Tarot-Gartens

4 Jean Tinguely und Niki de Saint Phalle auf dem Grundstück in Garavicchio

5 Skizze von Jean Tinguely und Niki de Saint Phalle auf einer Photographie kurz nach Baubeginn des Tarot-Gartens

4

5

1 Sepp Imhof, Jean Tinguely, Ricardo Menon und Niki de Saint Phalle bei der Arbeit an einem Eisengerüst

2 Unterbau vom *Magier* und von der *Hohepriesterin*

3 Unterbau vom *Magier*

4 Innenansicht des Unterbaus zur *Hohepriesterin*

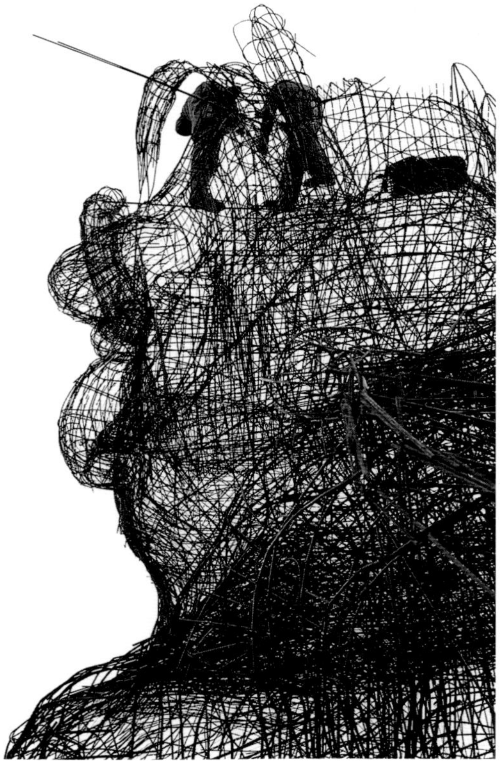

3

1

2

4

5 Unterbau der
Herrscherin (Karte III)

1

1 Unterbau von *L'arbre de la vie*, der die Liebenden (Karte VI) symbolisiert

3

2 *Magier, Hohepriesterin, L'arbre de la vie* und *L'oiseau de feu*, der die Sonne (Karte XVII) verkörpert, während des Baus

4 Unterbau für das *Schloß des Herrschers* (Karte IV)

3 + 5 *L'oiseau de feu* wird mit Zement verkleidet

4

5

6 *Magier, Hohepriesterin* und *L'arbre de la vie* mit Zementverkleidung

7 *Turm* (Karte XVI), von Niki de Saint Phalle ›Falling Tower‹ oder ›Turm zu Babel‹ betitelt, und *Schloß des Herrschers*

8 Rico Weber, Doc Winsen und andere bei der Arbeit im Tarot-Garten

6

7

8

1 Mosaik wird auf die *Herrscherin* appliziert

2 Der *Turm* mit einer Maschine von Jean Tinguely auf der Spitze und das *Schloß des Herrschers*. Die Rakete gehört in der Vorstellung von Niki de Saint Phalle zum Waffenarsenal des *Herrschers*

1

2

3

4

3 Der *Turm*, das *Schloß des Herrschers*, der *Magier* und die *Hohepriesterin*, von Niki de Saint Phalle ›Päpstin‹ genannt

4 Die Spitze des *Turms* mit Jean Tinguelys Maschine

5 Blick von der Dachterrasse des *Schlosses des Herrschers* zum *Turm*

5

1

2

3

4

5

6

7

1–4 Keramiken für die *Herrscherin*

5 Die *Herrscherin*

6 + 7 Das Innere der *Herrscherin* diente Niki de Saint Phalle als Atelier

8 Weg zwischen der *Herrscherin* und dem *Schloß des Herrschers*

1 Badezimmer in der *Herrscherin*

2 Inneres des *Turms* mit Fensterausblick auf die *Herrscherin*

3 Altar mit Schwarzer Madonna in der Kapelle der *Mäßigkeit* (Karte XIV)

1

3

2

4 Innenhof des *Schlosses des Herrschers*

5 + 6 Arkaden des Innenhofs

4

5

6

1 Kapelle der *Mäßigkeit*

2 *Schloß des Herrschers, Narr* (Karte O), *Magier, Hohepriesterin, Rad des Schicksals* (Karte X) von Jean Tinguely, *Justitia* (Karte VIII), *L'arbre de la vie*

1

2

3 + 4 Details von
L'arbre de la vie

5 *Hierophant* (Karte V)

3

4

5

3. Juli bis 1. September 1980: Das Musée national d'art moderne, Centre Georges Pompidou zeigt eine große Retrospektive von Niki de Saint Phalle

1

2

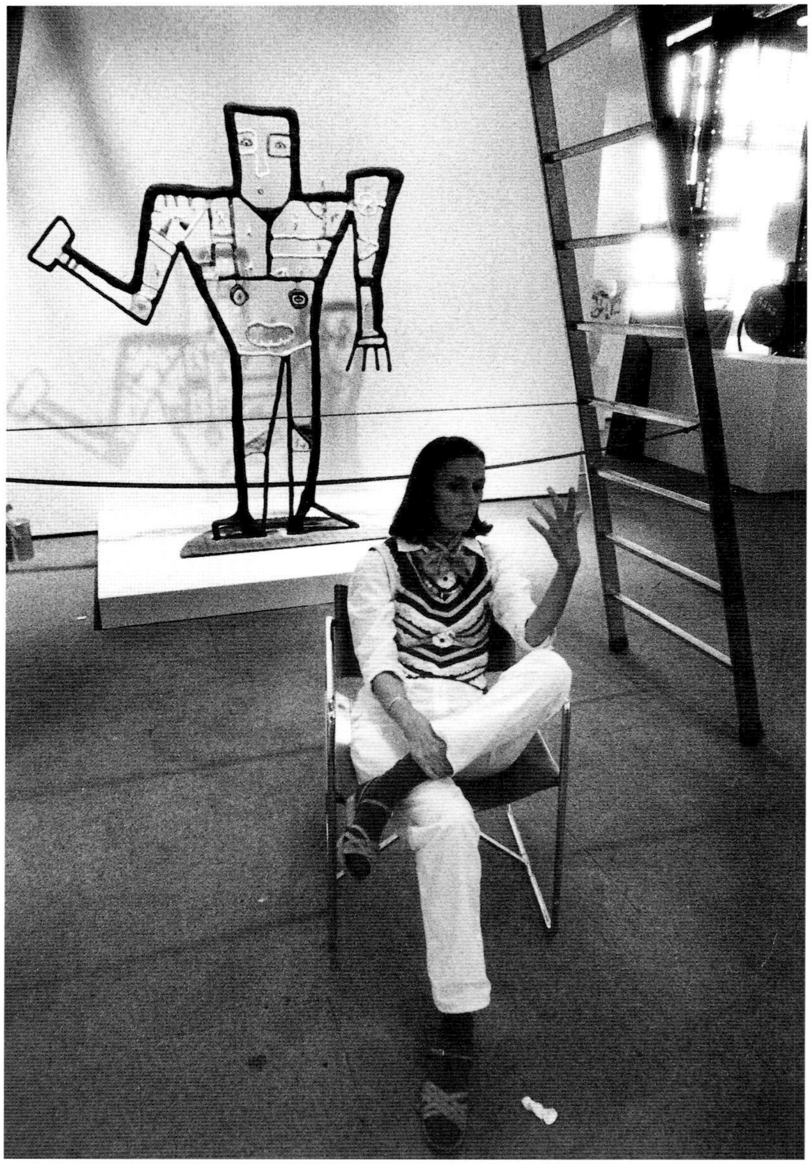

1 *La Waldaff, La promenade du Dimanche* und *Black Rosy*

2 Niki de Saint Phalle mit einer Skulptur aus der Serie *Devouring Mothers* während des Ausstellungsaufbaus, beobachtet von Jean Tinguely. Im Hintergrund *L'oiseau amoureux*

3 Niki de Saint Phalle vor *New man is coming*

4 Niki de Saint Phalle gestaltet für die Peter Stuyvesant Foundation in Amsterdam das Äußere des neuen zweimotorigen Flugzeugs ›Piper aerostar 602 P‹. Es nimmt in der Nacht vom 8. auf den 9. Juni 1981 an dem Rennen ›La Première Course Aerienne Transatlantique‹ Paris – New York – Paris teil und belegt den zweiten Platz

1983: Die Stuart Foundation of California bestellt bei Niki de Saint Phalle die Außenskulptur *Sun God* für den Campus der University of Southern California in San Diego

1–3 Die Aufstellung von *Sun God*

4 *Sun God*, Höhe 10,50 m

1

2

3

4

1982 gibt die Stadt Paris bei Niki de Saint Phalle und Jean Tinguely einen Brunnen für die Place Igor Stravinsky neben dem Centre Pompidou in Auftrag. Er liegt über dem IRCAM, dem unterirdisch angelegten Musikinstitut des Museums, und besteht aus sechzehn Skulpturen. Das Werk, von Kompositionen Igor Strawinskys inspiriert, wird am 16. März 1983 eingeweiht

6

6 *Le cœur*

7 *La clef de sol, Ragtime, La spirale*

8 *L'amour*

5 Einladungskarte von Niki de Saint Phalle und Jean Tinguely zu einer Ausstellung mit Entwürfen zu dem Brunnen-Projekt

7

8

1

2

3

1 *L'éléphant*

2 *La mort*

3 Blick auf den Brunnen:
Ragtime, Clef de sol, L'amour, Le rossignol, Le serpent, L'oiseau de feu und *La spirale*

4 Der Brunnen bei Nacht:
Ragtime, Le cœur, Le serpent, La vie und *L'oiseau de feu*

4

1982 kreiert Niki de Saint Phalle den Duft ›Niki de Saint Phalle‹ für die Firma Jacqueline Cochran, New York. Das Parfum wird 1984 in Paris vorgestellt

1 Parfumflakon mit Verschluß in Form verknoteter Schlangen

2

26. März bis 5. Juli 1987:
Retrospektive von Niki de Saint Phalle in der Kunsthalle der Hypo-Kulturstiftung in München

3

2 Blick in die Kunsthalle mit *Les funérailles du père*, *Les baigneuses* und *Le témoin*

3 Keith Haring bei der Ausstellungseröffnung. Die Besucher der Vernissage wurden von der Künstlerin gebeten, Hüte zu tragen

4 Niki de Saint Phalle bei der Eröffnung

François Mitterrand erteilt Niki de Saint Phalle und Jean Tinguely den Auftrag zu einem Skulpturenbrunnen für den Rathausplatz von Château-Chinon im Nièvre, wo er mehrere Jahre Bürgermeister war. Der Brunnen *Château-Chinon* wird am 10. März 1988 eingeweiht

2

2 Installierung von *Château-Chinon*

3 Installierung von *Château-Chinon*, ganz links Marcelo Zitelli, Assistent von Niki de Saint Phalle, zweiter von rechts Sepp Imhof, Jean Tinguelys Mitarbeiter

4 Jean Tinguely und Niki de Saint Phalle während des Aufbaus

1 François Mitterrand, Niki de Saint Phalle und Jean Tinguely mit dem Modell von *Château-Chinon* als Torte

3

4

5

5 Jean Tinguely und Niki de Saint Phalle bei der Einweihung

6 Niki de Saint Phalle und François Mitterrand

7 Detail von *Château-Chinon*

6

7

1 Robert Haligon zwischen seinen Mitarbeitern beim Errichten von *Château-Chinon*

2 Gesamtansicht von *Château-Chinon*

1

2

3

3 Niki de Saint Phalle mit Bernhard Luginbühl und seiner Frau Ursi im Garten von ›Auberge du cheval blanc‹

4 Jean Tinguely und Bernhard Luginbühl laden *La tête de mort* aus

5 Jean-Gabriel Mitterrand, Niki de Saint Phalles Pariser Galerist und Niki de Saint Phalle

6 *La tête de mort* und ein Obelisk

7 *La tête de mort* im Atelier

4

5

6

7

27. September 1987 bis 3. Januar 1988: Erste Retrospektive von Niki de Saint Phalle in den USA im Nassau County Museum of Fine Art in Roslyn, Long Island

3

1

1 Blick in die Ausstellung mit *Black Venus*

2 *Gorgo in New York* und *Vénus de Milo*

3 Herstellung von *La mort*, 1989

4 *La mort*

4

2

Die Pariser Galeristen Catherine Thieck und Jean-Gabriel Mitterrand organisieren eine Ausstellung *Œuvres des années 80* von Niki de Saint Phalle, die in beiden Galerien gleichzeitig stattfindet: 12. Mai bis 17. Juni 1989 in der Galerie de France, 12. Mai bis 24. Juni in der JGM. Galerie

5

6

7

5 + 6 Niki de Saint Phalle beim Ausstellungsaufbau

7 Niki de Saint Phalle mit ihrer Skulptur *Le champignon magique*

8 Galerie de France mit *La main* und *Le diable*

8

2–4 Niki de Saint Phalle schreibt auf die frisch zementierten Wege

2

1 Marina Karella, Marcelo Zitelli, Sepp Imhof, Niki de Saint Phalle, Dorothée Bouveret, Philippe Bouveret und Jean Tinguely hinter *Le monde* (Karte XXI) in der Commanderie in Dannemois. Eine Skulptur der Edition steht jetzt im Foyer der Opéra-Bastille, Paris

3

4

5 Ihr neues Atelier im Tarot-Garten, erbaut 1989

6+8 Vor dem Atelier: Niki de Saint Phalle und ihre Assistenten bei der Arbeit an Tonmodellen für die ägyptischen Gottheiten

7 Tonio Urtis, Marco Iacotonio, Pierre Marie Lejeune, Gigi Pecoraro und Gérard Haligon beim Aufstellen von *Le Monde*

9 Niki de Saint Phalle und Venera Finocchiaro im Atelier, während Marco Iacotonio draußen an *Anubis* arbeitet

5

8

6

9

7

10 Ugo Celletti bringt Spiegelmosaiken auf der *Herrscherin* an

In Zusammenarbeit mit Prof. Silvio Barandun schreibt und illustriert Niki de Saint Phalle das Buch *AIDS – You Can't Catch it Holding Hands.* 1986 erste Ausgabe (500 Exemplare) in englisch bei C. J. Bucher, München und Luzern. 1987 erscheint es in hoher Auflage bei Lapis Press, San Francisco und Santa Monica, Kalifornien.

Noch im selben Jahr folgen französische, deutsche, italienische und japanische Übersetzungen.
1990 entstehen in Zusammenarbeit mit Philip Mathews eine erweiterte Ausgabe und ein Zeichentrickfilm, beides finanziert von der Agence française de lutte contre le sida, Paris

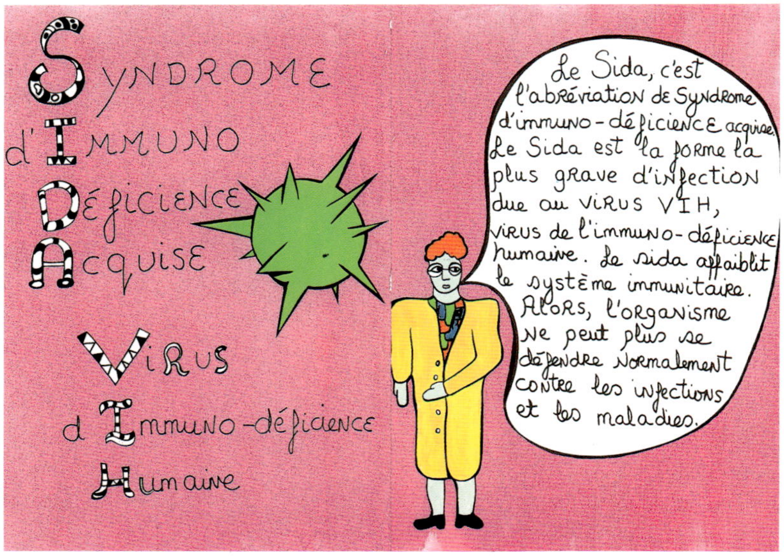

1

2

3

4

1 – 4 Acht Seiten aus der erweiterten Ausgabe *Le sida tu ne l'attraperas pas…*

1 Großes Modell für *Le temple idéal* (Kirche für alle Religionen). Die 16 m hohe Skulptur wird in Nîmes im Auftrag von Bürgermeister Jean Bousquet realisiert. Die Einweihung findet 1993 statt

Briefe

Niki de Saint Phalles Briefe – eine Einführung

Uta Grosenick

»What do you like the most about me?« fragt Niki de Saint Phalle in ihrem Bilderbuch *My Love*.

Was macht die Faszination aus, der wir uns nur schwer entziehen können, wenn wir die lebendigen Werke dieser Künstlerin betrachten?

Die folgenden autobiographischen Texte von Niki de Saint Phalle geben Aufschluß. Auf den ersten Blick sind es Briefe. Diese Briefe wurden jedoch nie abgeschickt. Niki de Saint Phalle spricht in ihnen zu einem imaginären Gegenüber. Die Briefe sind Geschichten, in denen die Künstlerin einer Freundin oder einem Freund ein Kapitel ihres Lebens schildert, an dem der Angesprochene teilgenommen hat.

Im Grunde genommen aber erzählt sie die Episode allen, die sie lesen, allen, die versuchen, ihre Kunst und ihr Leben zu verstehen. So werden scheinbar Außenstehende zu Beteiligten.

Bei kaum einem anderen Künstler ihrer Generation sind Leben und Werk so untrennbar miteinander verbunden wie bei Niki de Saint Phalle. In Frankreich geboren, wächst sie in großbürgerlichen amerikanischen Verhältnissen auf und rebelliert schon als Kind gegen die ihr zugedachte Rolle als Frau. Doch sie hat keine Möglichkeit, sich wirklich davon zu lösen und beschreitet zunächst den vorgegebenen Weg: mit 19 heiratet Niki de Saint Phalle den jungen, gutaussehenden und wohlhabenden Harry Mathews, ein paar Jahre später ist sie Mutter zweier Kinder. Der Widerspruch zwischen ihren Ansprüchen auf Selbständigkeit und ihrem alltäglichen Leben wird ihr so schmerzhaft bewußt, daß sie einen Nervenzusammenbruch erleidet und in ein Krankenhaus eingeliefert werden muß.

Hier setzt sie ihre bisher nebenbei betriebene Ölmalerei fort, und ihr Wille, Künstlerin zu werden, hilft ihr, die Krise zu meistern. Später wird sie sich fragen: »Sind es die frühen Ölbilder, in denen alle zukünftigen Wege schon angelegt sind?«

Niki de Saint Phalles Briefe machen klar, daß jeder neue Lebensabschnitt durch einen Stilwechsel in ihrem künstlerischen Schaffen markiert ist – das bedeutet aber auch, daß jede Veränderung in ihrem Werk ein nie gekanntes Lebensgefühl für sie mit sich bringt.

Ihre persönliche Befreiung beginnt, lange bevor es die ›Frauenbewegung‹ gibt und der Begriff ›Emanzipation‹ in aller Munde ist.

Ihr erster Schritt: sie bejaht ihre eigenen Aggressionen. Zunächst noch passiv, sammelt sie Pistolen, Messer und Metzgerbeile, um sie zu Assemblagen zu montieren. In ihrer Phantasie bedroht sie mit diesen Mordinstrumenten alle Männer, die sie emotional und real behindern könnten.

Im zweiten Schritt wirft sie auf bildnerische Symbole dieser Männer Pfeile und beschießt sie mit einem Gewehr.

Der Prozeß des Schießens gewinnt dabei für Niki de Saint Phalle zunehmend an Bedeutung, so daß die männlichen Attribute bald in den Hintergrund treten. Sie schießt auf alle möglichen Objekte, die sie zuvor mit Gips und Farbbeuteln zu Reliefs verarbeitet hat.

Die Aufnahme in die Künstlergruppe ›Nouveaux Réalistes‹ und nicht zuletzt das weltweite Interesse der Presse an ihren Schießaktionen zeigt Niki de Saint Phalle, daß sie ihr Ziel, eine ›professionelle Künstlerin‹ zu sein, bereits erreicht hat.

Sie horcht nun nach innen, denkt über die verschiedenen Rollen der Frau in der Gesellschaft nach und stellt sie in Reliefs und Skulpturen dar: Bräute, Gebärende, Mütter, Huren und Hexen.

Viele Frauenbilder führen Niki de Saint Phalle zu einer einzigen Frau, sie nennt sie liebevoll ›Nana‹ und fertigt ungezählte Ausführungen von ihr an. Alle weiblichen

Eigenschaften sind in ihr vereint, sie ist eine Hymne an alle Frauen (auch an sich selbst).

Als Kind hatte sich Niki de Saint Phalle geschworen: »Ich werde die größten Skulpturen meiner Generation machen. Größer, höher und stärker als die der Männer.« Mit *Hon* geht dieser Wunsch in Erfüllung.

Sie beschreibt in ihrem Brief an ihre Freundin Clarice Rivers die Entstehung der begehbaren Monumentalskulptur.

So wie *Hon* eher zufällig das Werk wird, von dem Niki de Saint Phalle viele Jahre geträumt hat, entstehen auch ihre anderen Arbeiten intuitiv, aus einem Gefühl heraus, aber immer mit dem sicheren Instinkt, daß gerade jetzt der richtige Zeitpunkt gekommen ist, sie so und nicht anders zu machen.

In ihren Erzählungen versucht Niki de Saint Phalle, diese Intuition zu beschreiben und auch für sich selbst transparent zu machen.

Da ist die lange Geschichte von der Erschaffung ihres Tarot-Gartens in der Toskana. Seit sie zum ersten Mal Gaudís Parc Güell in Barcelona besuchte und durch den phantastischen Giardino di Bomarzo in Mittelitalien streifte, trug sich Niki de Saint Phalle mit dem Plan, einen ähnlichen Garten zu bauen. Sie würde die erste Frau sein, die sich an ein solches Projekt wagte, noch dazu als ihr eigener Mäzen. »Es ist kein Zufall, daß ich diesen Garten baue. Es gibt einen Grund. Meine Hand wird geführt. Ich folge einem Weg, der für mich ausgesucht wurde, und meinem dringenden Bedürfnis, zu zeigen, daß eine Frau in monumentalem Maßstab arbeiten kann.«

Es reizt Niki de Saint Phalle, sich mit Männern zu messen und aus diesem imaginären Zweikampf als Siegerin hervorzugehen. Dabei setzt sie ihre eigenen Mittel ein; sie verwendet weiche, organische, geschwungene Formen. Dennoch ist ihre Ästhetik nicht weiblich. Erst kürzlich lehnte Niki de Saint Phalle die Teilnahme an einer Ausstellung ab, in der nur Künstlerinnen vertreten sein sollten. Sie braucht die Gegenüberstellung und den Vergleich mit männlichen Künstlern, alles andere ist für sie nicht akzeptabel.

Es ist ihre individuelle Sicht der Dinge, die in Niki de Saint Phalles Briefen zutage tritt, schon ein enger Freund würde das gleiche Geschehen völlig anders erzählen. Ihre Texte sind etwas ganz eigenes – wie ihre Kunstwerke.

Man spürt beim Lesen, wie Niki de Saint Phalle manche Ereignisse und Gefühle leicht und flüssig berichtet, andere Passagen lesen sich etwas schwieriger. Manchmal hält man unwillkürlich inne, so wie Niki de Saint Phalle es beim Schreiben getan hat.

Dann ist man bei einem Geschehnis angelangt, zu dem sie noch keine Distanz gewonnen hat. Während sie noch dabei war, den Brief an Jean Tinguely zu schreiben, starb er unerwartet. Wochenlang war sie unfähig weiterzuarbeiten, das Schreiben wieder aufzunehmen. Mit ihrem starken Willen hat sie den Brief beendet, doch welche Gedanken haben sie dabei bewegt?

»Ich löste meine Probleme wie immer durch eine Metamorphose.« Wie schon mehrmals zuvor in Niki de Saint Phalles Leben beginnt mit der neuen Situation eine neue Phase in ihrem Werk. Zum ersten Mal integriert sie pendelnde Zeiger und sich drehende Rädchen in ein Portrait von Jean Tinguely. Wäre es vor wenigen Monaten für sie noch undenkbar gewesen, kinetische Kunst zu schaffen, macht es ihr jetzt riesigen Spaß, die Bewegungen zu beobachten. »Meine neue Art mit Jean zu kommunizieren sind meine ›Méta-Tinguelys‹.«

»What do you like the most about me?« – Just the way you are, Niki!

N.Y.C. oct. 91
DEAR PONTUS
Rebel
Right to exist
feminism

Lieber Pontus,

wann beginnt man ein Rebell zu sein? Im Mutterleib? Mit fünf? Mit zehn?

Ich wurde 1930 geboren. EIN DEPRESSIONSBABY. Während meine Mutter mich erwartete, verlor mein Vater ihr ganzes Geld. Zur selben Zeit entdeckte sie, daß mein Vater FREMDGING. Sie weinte alles in ihre Schwangerschaft hinein. Ich fühlte diese TRÄNEN.

Später erzählte sie mir, ALLES SEI MEINE SCHULD; ich brachte Ärger.

Einige Tarotkarten wurden mir am Tag meiner Geburt zugeteilt: Der Magier (Karte für Kreativität und Energie) und der Gehängte (Karte für Aufnahmefähigkeit und Sensibilität für alles und jeden). Mir wurde auch die Karte des Mondes (Phantasie und als Gegengewicht verneinende Einbildungskraft) gegeben.

Diese Karten sollten der Untergrund, die Leinwand werden, auf der ich mein Leben malte.

Ich würde meiner Mutter das GEGENTEIL beweisen. Ich würde mein Leben damit zubringen, zu beweisen, daß ich das RECHT hatte, ZU EXISTIEREN. Ich würde sie eines Tages dazu bringen, stolz auf mich zu sein, indem ich berühmt und reich würde. Ich hatte die Fähigkeit, etwas zu erreichen, das mußte ich beweisen. Eines Tages würde ich den größten Skulpturengarten seit Gaudís Parc Güell in Barcelona bauen.

O. k., vielleicht hatte ich den Bankrott der Saint Phalle Bank mit mir gebracht, aber ich würde viel berühmter werden als die Bank meines Vaters.

Ja, ich würde meiner Mutter das GEGENTEIL beweisen. Und ich würde es meiner Mutter BEWEISEN.

Eines Tages würde ich etwas Unverzeihliches tun. Das Schlimmste, was eine Frau tun kann. Ich würde meine Kinder für meine Arbeit verlassen. Ich würde mir selbst einen guten Grund geben, mich schuldig zu fühlen.

Als Kind konnte ich mich weder mit meiner Mutter, noch mit meiner Großmutter identifizieren, weder mit meinen Tanten, noch mit den Freundinnen meiner Mutter. Sie schienen ein ziemlich unglücklicher Haufen. Unser Zuhause war beschränkt. Ein enger Raum mit wenig Freiheit oder Privatleben. Ich wollte nicht so wie sie werden, Wächterinnen des Herdfeuers; ich wollte die Welt, und die Welt gehört den MÄNNERN. Eine Frau konnte die Bienenkönigin in ihrem Heim sein, aber das war auch alles. Die Rollen, die Männer und Frauen bestimmt waren zu spielen, waren damals sehr strengen Regeln unterworfen.

Wenn mein Vater die Wohnung nach dem Frühstück um 8.30 Uhr verließ, dann war er frei (so dachte ich mir). Er hatte das Recht auf zwei Leben, eines außerhalb und eines innerhalb des Zuhauses.

Ich wollte, daß die Außenwelt auch mir gehörte. Sehr jung erhielt ich die Botschaft, daß MÄNNER MACHT HATTEN, UND DIE WOLLTE ICH.

JA, ICH WÜRDE DAS FEUER VON IHNEN STEHLEN. Ich würde die Grenzen, die meine Mutter meinem Leben aufzuerlegen versuchte, weil ich eine Frau war, nicht anerkennen.

Nein, ich würde ihre Welt, die mir abenteuerlich, geheimnisvoll und aufregend erschien, unbefugt betreten. Meine optimistische Natur half mit dabei, wie sie es auch heute noch tut.

Für einen Optimisten scheint nichts unmöglich zu sein. Ich wünschte mir Heldinnen, mit denen ich mich identifizieren konnte. Der Geschichtsunterricht in der Schule war ein endloser Vortrag über die Überlegenheit der männlichen Gattung, und das ärgerte mich ungeheuerlich.
Wir hörten von ein paar Frauen – Katharina die Große, Jeanne d'Arc, Elizabeth von England. Aber es gab nicht genug Heldinnen. Ich wollte mehr. SO BEGANN ICH, DAVON ZU TRÄUMEN, SELBST EINE HELDIN ZU SEIN.

Ich identifizierte mich schon mit dem Helden in den unzähligen Märchen, die meine Großmutter mir vorlas. Der Held war IMMER ein Junge und schien ein Narr zu sein.

Der Held im Märchen, der auf seine innere Stimme vertraut und niemals das Ziel aus den Augen verliert, wird wahrscheinlich, nach vielen Schwierigkeiten, den Schatz finden, den er sucht.

Ich lehnte meine Mutter nicht vollkommen ab. Ich lernte Dinge von ihr, die mir viel Spaß machten – meine Liebe zu Kleidern, Mode, Hüte, mich schön anzuziehen, Spiegel. Meine Mutter hatte eine Menge Spiegel in unserem Haus. Jahre später würden Spiegel zu einem von mir häufig verwendeten Material werden, das ich im Tarot-Garten in Italien und für den Zyklop im Wald von Fontainebleau nahe bei Paris benutzte. Meine Mutter liebte Musik sehr, Kunst, gutes Essen, und hatte einen besonderen Stil und viel Charme. Diese Dinge nahm ich von ihr, und sie halfen mir, einen gewissen Teil meiner Weiblichkeit auszudrücken.

Ich liebte das Aussehen meiner Mutter, ich liebte die Power, die es ihr gab, ich liebte ihr Chanel No.-5-Parfum, ihren gläsernen Toilettentisch von 1930, voll mit Cremes und Puder und Lippenstiften. Ich liebte ihre rotbraunen Locken und ihren makellosen weißen Teint. Sie sah aus wie Merle Oberon, eine bekannte Schauspielerin.

Ich betrachtete dieses wunderschöne Wesen, meine Mutter, in die ich ein bißchen verliebt war (wenn ich nicht gerade den Wunscht hatte sie umzubringen), als Gefangene einer auferlegten Rolle. Einer Rolle, die traditionell von Generation zu Generation weitergegeben wurde, ohne jemals in Frage gestellt zu werden.

Die Rollen der Männer schienen wesentlich mehr Freiheiten zu gewähren, und ICH WAR ENTSCHLOSSEN, DIESE FREIHEIT ZU MEINER EIGENEN ZU MACHEN.

Mein Bruder John wurde ermutigt, seinen Geist zu trainieren. Leistung zu erbringen, stand für mich nicht zur Diskussion. Ich war eifersüchtig auf ihn und ärgerlich darüber, daß das einzige Können, das mir zugestanden wurde, die Fähigkeit war, Männer auf mich aufmerksam zu machen. Es war nicht wirklich wichtig, ob ich lernte oder nicht, solange ich die Prüfungen bestand. Mir wurde klar, daß meine Jungfräulichkeit, mein Aussehen, mein Charme und eine bestimmte soziale Herkunft wichtiger waren. Der Wunsch meiner Mutter bestand darin, daß ich einen reichen, gesellschaftlich arrivierten Mann heiraten sollte.

Als kleines Mädchen lehnte ich meine Mutter und meinen Vater nicht nur als Vorbilder für meine eigene Zukunft ab, ich haßte auch ihre gesellschaftliche Stellung. Der einzige Raum in unserem Haus, den ich behaglich und warm fand, war die Küche mit der schwarzen Köchin.
Im Alter von acht Jahren gab ich mein ganzes Taschengeld für Wonder Woman und Batman Comics aus. (Es wurde mir verboten, sie zu lesen, deshalb mußte ich sie unter meiner Matratze verstecken.) Ein nicht geringer Teil von dem Geld, das ich meinem Vater und meiner Großmutter stibitzte, ging an Bettler. Ich liebte Bettler. Sie erschienen mir irgendwie wirklicher als viele der Leute, die in den Straßen von New York herumliefen. Das war 1940, als ich zehn Jahre alt war.

Ich besuchte die Klosterschule ›Sacred Heart‹ für Mädchen in der 91sten Straße.

Jede Woche (oder war es jeden Monat?) wurde ein wunderschönes rotes Band für ausgezeichnete Leistungen vergeben. Ich bekam es nie. (Das war nicht verwunderlich, da ich niemals arbeitete.) Eines Tages beschloß ich, mir selbst ein rotes Band zu kaufen, das ich an meiner Uniform befestigte, so, als ob ich den Preis gewonnen hätte. Das wurde gar nicht gern gesehen.

Die Uniform der Schule war grün, ein häßliches dunkles Grün mit einer beigen Bluse und einer grünen Krawatte. Kein Wunder, daß ich mich nach der roten Schärpe sehnte.

Es war zur Weihnachtszeit 1940, als die Nonnen uns nach Harlem führten, mit Geschenken für einige arme schwarze Familien, die wir zu ihnen nach Hause brachten.

Ich schämte mich ihnen gegenüber. Die Nonnen hielten lächerliche Reden, wir standen herum (es müssen zehn von uns gewesen sein), während zwei schwarze Ladies uns dankten. Ich haßte uns. Ich schämte mich.

Die Straßen von New York mit ihrem Elend und ihrem Vergnügen, das war richtiger Unterrichtsstoff.

Auf der Straße wurde englisch, zu Hause wurde französisch gesprochen. Französische Kindererziehung bedeutete, daß Kinder gesehen und nicht gehört werden sollten. Ganz im Ernst. Jeder mußte seinen Teller leeressen. Wenn jemand Widerworte gab (und ich tat das oft), wurde er ins Gesicht geschlagen (eine alltägliche Praktik zu der Zeit).

Ich war verschiedenen und manchmal gegensätzlichen Einflüssen ausgesetzt, die mich dazu brachten, mir sehr früh meine eigene Meinung über Dinge zu bilden. Ich suchte mir aus, was ich glauben wollte.

Meine Tante Joy (aus Georgia) aus der amerikanischen Linie der Familie war eine süße alte Lady, die mich verziehen wollte. Sie las mir Märchen vor und ging mit mir in eine Menge Eiscafés. Ich war ein begeisterter Fan von Schokoladen und Butterscotch Sundaes. Diese Ausflüge endeten manchmal mit einem Drama. Wenn dort irgendein SCHWARZER war, wollte meine Tante Joy sofort nach Hause gehen.

Für mich waren alle Menschen. Schwarz, weiß und gelb existierte nicht. Warum durfte ich nicht neben einer schwarzen Dame sitzen, wo wir doch zu Hause eine schwarze Köchin hatten, die ich als großartige FREUNDIN ansah?

Nachdem ich nun die gesellschaftliche Stellung meiner Eltern nicht als die meinige betrachtete, war ich MIT DEM RIESIGEN PROBLEM KONFRONTIERT, MICH SELBST NEU ZU ORIENTIEREN UND ZU DEFINIEREN. Hinzu kam noch, daß ich keine eindeutige nationale Zugehörigkeit spürte, ich fühlte mich halb als Französin, halb als Amerikanerin.

Ebenso halb als Mann, halb als Frau.

Was mir während dieser schwierigen Pubertätsjahre half, war eine IMAGINÄRE GEHEIME MAGIC BOX, die ich unter meinem Bett aufbewahrte. Sie war aus Holz geschnitzt und hatte Emailverzierungen in den leuchtendsten Farben.

NIEMAND AUSSER MIR KONNTE DIESE KISTE SEHEN.

Wenn niemand da war, öffnete ich sie, und alle Arten von außergewöhnlich bunten Fischen, Geister und süß duftende wilde Blumen fielen heraus.

In diesem Kasten, der mir ganz allein gehörte, bewahrte ich meine ersten Gedichte und meine ersten Träume von Größe und Erfolg auf.

DIE BOX WAR MEIN GEISTIGER ZUFLUCHTSORT. Der Anfang eines selbständigen Lebens, wo sich meine Eltern nicht einmischen konnten. In diese Kiste legte ich meine Seele. Ich begann, mich mit ihr zu unterhalten. Da ich mit meiner Familie keine tiefschürfenden Gespräche führen konnte, fing ich an, mit mir selbst zu reden. Hiervon rührt mein lebenslanges Bedürfnis nach EINSAMKEIT. In dieser Einsamkeit, ganz allein, finde ich die Ideen für meine Arbeit. Sie ist genauso notwendig für mein Schaffen wie Luft für meine Lungen.

Noch heute, Pontus, ist die Magic Box unter meinem Bett. Ich öffne sie jeden Tag. Mein Charakter, mein Rückgrat, meine Haltung sind in der Kiste.

Manchmal ist sie mit Sand gefüllt, und ich werde wieder fünf Jahre alt und baue Schlösser und Traumpaläste. Meine Kiste erschließt mir die Erwachsenenwelt, mit der ich gelernt habe, wenn auch mit Schwierigkeiten, umzugehen – aber ich bin nicht gerade verrückt nach ihr.

Die Box hat mich davor bewahrt, zynisch und desillusioniert zu werden.

Es ist die Büchse der Pandora. Was in ihr bleibt ist Hoffnung.

Printemps 90
Cher
JEAN
qui est le monstre toi ou moi ?

Lieber Jean,

ich erinnere mich noch sehr genau an das erste Zusammentreffen mit Dir und Eva Aeppli. Ich war 25 Jahre alt. Ich verliebte mich sofort in Deine Arbeit. Dein Atelier sah aus wie ein riesiger Schrotthaufen voll wunderbarer verborgener Schätze.

Ein langes, schwarz-weißes Objekt, das sich bewegte, hing an der hinteren Wand Deines Ateliers. Ein kleiner Hammer schlug an eine Flasche, und zahlreiche kleine Rädchen mit Drähten wackelten und drehten sich. Ich hatte noch nie etwas Ähnliches gesehen und war ganz verrückt danach.

Harry und ich hatten nicht viel Geld, aber wir wollten die Arbeit kaufen. Du freutest Dich sehr, denn Du und Eva hattet gerade genug, um zu essen und zu arbeiten. Von den Vorräten des in der Nähe Deiner Wohnung an der Impasse Ronsin gelegenen Krankenhauses stahlst Du Kohlen, damit Ihr im Winter heizen konntet.

Deine damalige Galeristin kaufte meistens Deine komplette Produktion. Dafür gab sie Dir weniger als hundert Dollar im Monat, ein Hungerlohn.

In Deinem Atelier stand eine Leiter. Wenn man sie hinaufkletterte, erlebte man eine phantastische Überraschung. Eva hatte sich unter dem Oberlicht in ihrem Raum eine wundervolle eigene Welt eingerichtet. Hier war ihre erste Stoffskulptur mit ungewöhnlicher Stickerei entstanden. Schon bald sollte sie an meinem Portrait arbeiten.

Du mochtest meine Bilder, die Du sehr ernst nahmst, und auch meine schlecht gezeichneten Skizzen auf kleinen Zetteln. Ich liebte es, Entwürfe für Architekturprojekte zu machen und die zeigte ich Dir. Eines dieser Projekte war eine Kapelle und Dein Vorschlag war, alle Figuren des Kreuzgangs in Bewegung zu versetzen.

Ich erzählte Dir von Gaudí und vom Facteur Cheval, die ich beide soeben entdeckt hatte.
Sie waren meine Helden mit ihrer Faszination, mit ihrer Besessenheit, allein ihren Weg zu gehen – ohne Vermittler, ohne Museen und ohne Galerien. Du warst gegen diese Vorstellung, Du meintest, Kunst solle Teil der Gesellschaft sein und keine Außenseiterposition einnehmen. Dann provozierte ich Dich, indem ich behauptete, Cheval sei ein viel größerer Bildhauer als Du.

»Ich habe noch nie von diesem Idioten gehört«, riefst Du, und Du bestandest darauf: »Laß uns gleich hinfahren und ihn ansehen!«

Das taten wir. Du warst beeindruckt von der Poesie und dem Fanatismus dieses kleinen Postangestellten, der seinen großen verrückten Traum wahrgemacht hatte.

Du fühltest Dich außerordentlich hingezogen zu diesem künstlerischen Außenseiter und sagtest: »Du hast recht. Er ist ein besserer Bildhauer als ich.«

Jean, Du sahst sehr gut aus. Du gingst wie ein Panther und hattest diese magnetischen Augen, die Du sehr genau einzusetzen wußtest. Ein sehr schöner, dunkler, gefährlich aussehender Mann.

Ich war in meinen Ehemann Harry Mathews verliebt, und es machte mir Spaß, Dich mit anderen Frauen zu sehen. Für mich warst Du ein großartiger Charmeur. Du hast mir alle Deine Tricks verraten, wie Du Frauen verführtest. Wenn Du kein Geld hattest, gingst Du oft in einem Café zu einer Frau und batest: »Bitte spendieren Sie mir eine Tasse Kaffee.« Die Frauen genossen es, einem hungernden Künstler zu helfen.

Es entwickelte sich zwischen uns eine wirkliche Freundschaft, die auf unserer beider Leidenschaft für die Kunst beruhte.

Eva und Du, Ihr wart ein einzigartiges Paar. Eva hatte einen jungen Liebhaber, der bei Euch wohnte, und Deine Freundin mochte Eva sehr gern. Es existierte eine wunderbare Kameradschaft zwischen Dir und Eva und eine große Liebe, die Ihr auf Eure Art lebtet.

1955 wollte ich meine erste Skulptur schaffen. Es war selbstverständlich, daß ich Dich bat, mir ein eisernes Gerüst zu schweißen, auf das ich Gips auftragen konnte. Du liehst zwei Sauerstoffflaschen aus – damals hast Du noch nicht regelmäßig geschweißt.

Die Plastik sah aus wie ein verrückt gewordener Baum. An seinen Ästen klebten alle möglichen Dinge einschließlich grellgefiederter Fischköder, buntem Papier und Farbe. Ich hatte den Kamin im Schlafzimmer meiner beiden kleinen Kinder, Laura und Philip, als Basis benutzt. Meine erste Skulptur sollte für sie sein. Unglücklicherweise hielt ein befreundeter Bildhauer, der die Wohnung später mietete, es für angebracht, sie zu zerstören.

Es war etwa 1959, als Du mir von Yves Klein, Marcel Duchamp und Daniel Spoerri erzähltest. Bis dahin war Hugh Weiss mein künstlerischer Mentor gewesen. Er überzeugte mich, nicht auf eine

Kunstschule zu gehen. Ich vertraute ihm; die vielen Museen und Kirchen, die ich besichtigte, wurden meine Kunstakademie.

Zur gleichen Zeit fand eine große, phantastische Ausstellung amerikanischer Kunst in Paris statt. Zum ersten Mal sah ich Werke von Jackson Pollock, Willem de Kooning und anderen. Ich war total überwältigt. Im Vergleich dazu erschienen mir meine Bilder auf einmal sehr klein. Das war meine erste große künstlerische Krise. Ich habe sie bewältigt, wie ich in Zukunft alle Probleme lösen würde: durch Metamorphose.

Ich begann, Reliefs imaginärer Landschaften mit Objekten herzustellen, ich hörte auf, in Öl zu malen und benutzte Gouache und Lackfarbe. Ich kaufte in Geschäften Spielzeug und gebrauchte Gegenstände auf dem Flohmarkt – hauptsächlich Dinge, die mit Gewalt zu tun hatten wie Beile, Messer und Pistolen. Es machte Spaß und war aufregend. Ich liebte diese neue direkte Art, mich selbst auszudrücken, anstatt monatelang langsam und geduldig an meinen Ölbildern zu malen.

Ich zeigte Dir meine neuen Arbeiten, Jean, Du mochtest sie sehr. Du nahmst mich mit zu Daniel Spoerri, damit ich dessen Werke sehen konnte, und es faszinierte mich. Er fixierte das Leben, indem er Tische, von denen zuvor gegessen worden war, festklebte. Diese für mich neue Haltung der Kunst gegenüber stimulierte mich. Später stelltest Du mich Arman und Yves Klein vor.

Eines Tages hatte ich eine Auseinandersetzung mit Daniel Spoerri. Als er eines meiner Reliefs sah, auf das ich Nägel geklebt hatte, um eine Rakete zu symbolisieren, sagte er: »Warum hast du keine richtige Rakete genommen?« Es gehört zur Philosophie der Nouveaux Réalistes, nur objets trouvés zu verwenden. Das ärgerte mich: »Warum Regeln aufstellen?« Damit traf ich ihn und offensichtlich saß es.

Zur selben Zeit lernte ich auch die bekannten Künstler Joan Mitchell und Jean Paul Riopelle kennen. Ich fühlte mich gedemütigt, weil Joan mich als Künstlerin nicht ernst nahm. Für sie war ich eine verheiratete Frau, die malte. Mich vertrat keine Galerie – deshalb war ich nicht professionell. Indem sie mich wie die Ehefrau eines Schriftstellers behandelte, fachte Joan meinen Ehrgeiz an und meinen Wunsch, mich der Welt zu beweisen. Ich fand meine Arbeiten genausogut wie ihre und die ihrer Malerfreunde, ich wollte es ihnen zeigen, daß es mich gab.

Durch diese Gruppe von Künstlern wurde mein Bedürfnis verstärkt, mein künstlerisches Abenteuer ohne die vollkommene Ausgeglichenheit, die ich zwischen meiner Arbeit, Harry und den Kindern fand, voll und ganz auszuleben. Ich habe Joan Mitchell eine Menge zu verdanken, weil sie diejenige war, die mich dazu trieb, meine Kunst bis zum Ende zu gehen.

Während der elf Jahre, die ich mit Harry zusammen verbrachte, habe ich mich keinen Moment gelangweilt. Ich liebte meine Kinder und meine Arbeit, mein Leben war ausgefüllt. Von Zeit zu Zeit ging mir jedoch ein Gedanke durch den Kopf: Paradies... Wie gerne würde ich in die HÖLLE hinabsteigen, um die HÖLLE kennenzulernen! Vielleicht würden mir sehr schmerzhafte Erinnerungen aus der Vergangenheit dabei begegnen. Ich wollte nicht in der HÖLLE bleiben, aber ich wollte in die TIEFEN hinabsteigen.

Manchmal träumte ich davon, dieses perfekte Leben zu verlassen, das ich so mühsam zusammen mit Harry aufgebaut hatte.

Ich begann, mit Harry darüber zu sprechen, daß ich mich für ein, zwei Jahre von ihm trennen wolle, um allein zu leben und bis ans Ende meines Potentials als Künstlerin zu gehen. Ich spürte, daß ich die Einsamkeit brauchte.

Harry war nicht gerade glücklich, aber er hat niemals etwas getan, um mich zurückzuhalten. Er hätte viele Waffen einsetzen können, zum Beispiel die Kinder. Vielleicht hatte er einfach zuviel Respekt vor mir und meiner Kunst.

Während dieser Zeit hatte ich eine kurze Affäre mit einem bekannten Künstler, der mir nachstellte. Er war verheiratet oder lebte zumindest mit jemandem zusammen, und seine Spezialität war es, Paare auseinanderzubringen und die Frauen von Freunden zu verführen. Ich war nicht in ihn verliebt, aber er band mich auf gewisse Weise an sich. Ich mochte diese Abhängigkeit überhaupt nicht, deshalb kaufte ich eine Pistole, um ihn symbolisch zu töten. Es waren keine Patronen in dem Revolver, aber ich hatte ihn in meiner Handtasche, und das gab mir ein besseres Gefühl.

Eines Tages kam ich auf die Idee, ihn zu portraitieren. In einem Spielwarenladen kaufte ich eine Zielscheibe, auf die man Pfeile werfen konnte und fragte ihn, ob er mir eines seiner Hemden geben würde. Ich band dem Hemd eine Krawatte um und klebte alles auf eine Holzplatte. Ich nannte es *Portrait of my Lover*. Ich fand Spaß daran, Pfeile nach seinem Kopf zu werfen. Es war eine erfolgreiche Therapie, und ich begann, mich von ihm zu lösen.

Einmal kamst Du mit Daniel Spoerri in mein Atelier. Ihr entdecktet das Objekt und fandet es beide so toll, daß ihr es sofort für die neue Ausstellung der Nouveaux Réalistes haben wolltet. Ich war hocherfreut.

Ich hatte eine Menge Aggressionen in mir, die während dieser Zeit hochkamen. Eines Nachts war ich mit Jean Paul Riopelle und Joan Mitchell im ›La Coupole‹, das damals nur ein Café gewesen ist, in dem sich Künstler in Paris trafen. Alberto Giacometti saß an unserem Tisch, und später stieß Saul Steinberg zu uns. Er trug ein schönes graues Cape, und ich mochte seinen großen Schnurrbart. Er war sehr sorgfältig und extravagant gekleidet.

Es war ziemlich spät, und er begann ganz ungeniert, mit mir zu flirten. Ich haßte das und fühlte mich durch seine übertriebene Aufmerksamkeit erniedrigt. Eine starke, unkontrollierte Gewalt wallte in mir auf. Also nahm ich ein Glas Bier, das auf dem Tisch stand, und schüttete es in sein Gesicht. Giacometti war davon so angetan, daß er mich umarmte und auf den Mund küßte und sich vier oder fünf Stunden mit mir unterhielt.
Er sprach über Kunst und über seinen Abscheu für Picasso. Ich war immer eine große Bewunderin Picassos und erstaunt über den Haß, den Giacometti vielen wichtigen Künstlern entgegenbrachte. Für mich war Picasso von großer Bedeutung. Ich liebte seine immense Freiheit im Umgang mit Materialien und sein ständiges Suchen. Der Wechsel seiner Stile hat mich stimuliert. Für jeden anderen war damals Duchamp NEIN, Picasso JA. Ich liebte immer beide, und Matisse mochte ich auch.

Ich fing an, meine Aggressionen in meine Arbeit einfließen zu lassen. Ich schuf Objekte von Tod und Verwüstung. Eines enthielt die Pistole, die ich gekauft hatte, um meinen Liebhaber symbolisch zu töten. Der Mond in diesen Bildern war immer schwarz und trug Spuren von Gewalt. Ja, ich war dabei, in die Hölle hinabzusteigen.

Ich begann, allein zu leben. Harry kaufte großzügigerweise meine Bilder, was mir einen sehr bescheidenen Lebensstil erlaubte. Ich war in der Lage, den ganzen Tag an meiner Kunst zu arbeiten, ohne einen Job annehmen zu müssen. Es erschien mir logisch, daß die Kinder bei Harry blieben, da ich nicht genug Geld hatte, für sie zu sorgen. Ich besuchte alle drei sehr oft.

Daniel Spoerri fing an, mir den Hof zu machen. Ich stand seinem Charme nicht gleichgültig gegenüber. Er sah aus wie Louis Jouvet, der berühmte französische Schauspieler, den ich sehr attraktiv fand. Du warst sein bester Freund und ich bemerkte, daß Du das Ganze nicht besonders schätztest.

Du und Eva, Ihr hattet Euch getrennt. Eva wollte nach New York gehen, um mit einem brillanten und ziemlich verrückten Wissenschaftler, Billy Kluver, zusammenzuleben. Zwei Tage vor ihrer Abreise stellte ich ihr Sam Mercer vor, einen guten Freund von mir, der Anwalt und Maler und voller Charme, Originalität und Überraschungen war. Für beide war es Liebe auf den ersten Blick. Eva beschloß, in Frankreich zu bleiben und mit Sam zusammenzuleben. Eine Woche später zog sie in seine Wohnung. Ich war sehr glücklich darüber, weil ich den Gedanken, daß Eva so weit weg war, nicht mochte. Außerdem war ich stolz auf meine Kuppelei.

Jean, zu dieser Zeit sah ich Dich oft. Ich kam vorbei und begleitete Dich auf den Schrottplatz. Dort suchte ich Teile aus, die Dir sehr gefielen. Wir setzten unsere endlosen Diskussionen über Kunst fort. Du erzähltest mir eine Menge über die Dadaisten. Du und Yves Klein betrachtetet die Abstrakten Expressionisten als Feinde, die man bekämpfen mußte. Ihr wolltet, daß Eure Weltanschauung die ihre ersetzte.

Am Tag meines 30. Geburtstags, am 29. Oktober 1960, kaufte mir Harry eine wunderschöne Jacke aus weißer, lockiger Lammwolle. Ich sah spektakulär darin aus, und Jean und Daniel waren begeistert. Ich war sehr stolz auf meine neue Jacke. Daniel lud mich ein, mit ihm essen zu gehen. Ich nahm mit Vergnügen an und fragte mich insgeheim, ob er mein nächster Geliebter werden würde. Als Daniel weg war, Jean, kamst Du zu mir und sagtest: »Ich verbiete Dir, mit ihm auszugehen.« Ich war sehr überrascht und fragte: »Warum?« »Ich will, daß Du mit mir zu Abend ißt,« antwortetest Du. Ich wollte weder die Freundschaft zwischen Dir und Daniel zerstören noch meine zu Dir. Ich sagte: »O. k., aber was erzähle ich ihm?« »Lüg', erfinde irgendwas.«
Ich sah in Deinen Augen, daß sich etwas verändert hatte. Du schautest mich so anders an.
Ich fragte Dich: »Was ist los? Was geht hier vor?« Du fuhrst fort: »Ich kann den Gedanken nicht ertragen, daß er mit Dir in diesem schönen Mantel ausgeht. Das gefällt mir fast noch weniger, als daß er Dich anfassen könnte.«

Zwei Tage später konnte ich Deinen Augen nicht länger widerstehen. Du sahst mich auf eine neue Weise an, die ich sehr verwirrend fand. Wir verließen einander nicht mehr. (Es ist eben manchmal gefährlich, seiner Frau zu schöne Kleider zu kaufen.)

Ich wollte unabhängig sein, FREI. Ich hatte keine Lust, ein Paar zu sein. Ich sah mich eher als Mata Hari der Kunst, die viele Abenteuer hat und vielleicht nach ein bis zwei Jahren zu Harry zurückkehrt.

Doch das Leben ist niemals so, wie man es sich vorstellt. Es überrumpelt dich, es erstaunt dich, und es läßt dich lachen und weinen, wenn du es am wenigsten erwartest.

REMEMBER 1960-61-62?
Dear
Cher
Pontus
PERFORMANCE
PARTICIPATION
BANG
darts
target
cible
RAGE
ACTION
VIOLENCE
MANS SHIRT
MIS A MORT
PORTRAIT OF MY LOVER
ROUGE
SMOKE
DEATH
REBIRTH
GUN
TABLEAUX TIR
SURPRISE
SHOOTING PAINTINGS

Lieber Pontus,

Du hast mich nach den Schießbildern gefragt.
Eines Tages im Frühling 1961 besuchte ich die Ausstellung *Comparaisons* in Paris. Ein Relief von mir hing in der Ausstellung. Es hieß *Portrait of my Lover,* hatte eine Zielscheibe als Kopf, ein Männerhemd und eine Krawatte waren auf schwarz gemaltem Hintergrund geklebt.

Auf einem Tisch lagen Pfeile, die die Besucher auf den Männerkopf werfen sollten. Ich war aufgeregt, zu sehen, wie die Zuschauer die Pfeile warfen und so Teil meiner Skulptur wurden. Nicht sehr weit von meiner Arbeit entfernt hing ein vollkommen weißes Gipsrelief von einem Künstler namens Bram Bogart. Ich sah es an – FLASH – was wäre, wenn das Bild bluten würde – verwundet wäre, so wie Menschen verletzt sein könnten. Das Bild wurde für mich zu einer Person mit Gefühlen und Empfindungen.

Was wäre, wenn sich hinter dem Gips Farbe befände? Ich erzählte Jean Tinguely von dieser Vision und von meinem Wunsch, ein Bild bluten zu lassen, indem ich auf es schoß. Jean war verrückt nach der Idee und schlug vor, daß ich gleich anfangen sollte.

Etwas Gips war noch da. In der Impasse Ronsin fanden wir ein altes Brett und kauften etwas Farbe im nächsten Laden. Wir schlugen Nägel in das Holz, damit der Gips an etwas haften blieb. Ich wurde wild und füllte nicht nur Farbe in Plastiktüten, sondern alles was so herumlag – auch Spaghetti und Eier.

Als fünf oder sechs Reliefs fertig waren, meinte Jean, es wäre Zeit, ein Gewehr aufzutreiben. Wir hatten nicht genug Geld, um eines zu kaufen, deshalb gingen wir auf einen Rummelplatz auf dem Boulevard Pasteur und überredeten den Mann an der Schießbude, uns sein Gewehr zu leihen. Es war ein Kaliber 22, mit richtigen Patronen, die den Gips durchlöchern konnten. Wenn dann die Kugel die im Gips eingearbeiteten Plastikbeutel mit der Farbe traf, würde sie durch das Einschußloch nach unten tropfen und die Oberfläche färben. Der Mann von der Schießbude bestand darauf, selber vorbeizukommen, ich glaube, er hatte Angst, daß wir das Gewehr nicht zurückgeben würden.

Wir mußten ein paar Tage warten, bis er kam, was unsere Aufregung natürlich noch steigerte und uns Zeit gab, ein paar Freunde einzuladen. Auch Shunk und Kender, zwei befreundete

Photographen, die die ersten Schüsse festhalten sollten. Jean lud auch Pierre Restany ein, der, während er Rot, Blau, Reis, Grün, Spaghetti, Eier, (wo war das Gelb?) herunterlaufen sah, beschloß, mich in die Künstlergruppe der Nouveaux Réalistes aufzunehmen. Es machte mir großen Spaß, die Gesellschaft durch KUNST zu provozieren. Ohne Opfer.

Wir wechselten uns ab. Es war ein erstaunliches Gefühl, auf ein Bild zu schießen und zu sehen, wie es sich selbst in ein neues verwandelt. Es war AUFREGEND und SEXY, aber auch TRAGISCH, weil wir Zeugen einer Geburt und eines Todes im selben Moment wurden. Es war ein MYSTERIÖSES Ereignis, das jeden, der schoß, völlig fesselte.
Wir hatten die Reliefs an die Mauer am Ende der Impasse Ronsin gehängt. Vor der Wand war eine langgezogene Wiese, die uns viel Platz zum Schießen bot.

Die Impasse Ronsin lag mitten in Paris, zwischen dem Kinderkrankenhaus und der Rue Vaugirard. Brancusi hatte dort gelebt, und Max Ernst hatte vorher in diesen kleinen baufälligen Ateliers gewohnt. Es waren malerische Hütten ohne Badezimmer oder fließendes Wasser.

Heute kommt es einem unvorstellbar vor, daß man einfach so mitten in Paris frei schießen konnte. Ein pensionierter Polizist, der in der Nähe wohnte, kam und beobachtete uns, sobald er die ersten Schüsse hörte. Er liebte das. Niemand verlangte jemals einen Waffenschein – und das während des Algerischen Krieges.

Die nächsten sechs Monate experimentierte ich eine Menge. Ich mischte Müll, Schrott und andere Dinge mit Farbe. Ich ließ das mit den Spaghetti und dem Reis sein und konzentrierte mich darauf, die Schießbilder noch spektakulärer zu machen. Ich begann, Spraydosen mit Farbe zu benutzen, die, wenn sie von einer Kugel getroffen wurden, einen besonders raffinierten Effekt ergaben. Ganz so wie bei den Bildern der Abstrakten Expressionisten, die zu der Zeit entstanden.

Ich fand es sehr dramatisch, wenn die Farbe an den Objekten entlanglief. Ich nahm nun auch Rauchgas für das große Finale meiner Schieß-Performances. Damals gab es noch keine Performance-Kunst, aber das war eine Performance.

Der Rauch erweckte den Eindruck von Krieg. Das Bild war das Opfer. WER war das Bild? Daddy? Alle Männer? Kleine Männer? Lange Männer? Große Männer? Fette Männer? Männer? Mein Bruder JOHN? Oder war ICH das Bild?

Schoß ich auf mich selbst in einem RITUAL, das es mir möglich machte, durch meine eigene Hand zu sterben und wiedergeboren zu werden? Ich war unsterblich!

Das Blutbad in Rot, Gelb, Blau spritzte auf das reine weiße Relief. Das Bild wurde zum Tabernakel für TOD UND AUFERSTEHUNG. Ich schoß auf MICH SELBST. Die Gesellschaft mit ihrer UNGERECHTIGKEIT. Ich schoß auf meine eigene Gewalttätigkeit und die GEWALT der Zeit. Indem ich auf meine eigene Gewalt schoß, brauchte ich sie nicht länger mit mir herumzuschleppen wie eine Last. Während der Jahre, in denen ich schoß, war ich keinen einzigen Tag krank. Es war eine großartige Therapie für mich. Das Ritual, ein Relief immer wieder in jungfräulichem Weiß anzumalen, war sehr wichtig für mich. Das Theatralische an der ganzen Vorstellung begeisterte mich sehr.

Es war im späten Frühling 1961, als ich Jasper Johns und Robert Rauschenberg traf. Jean hatte sie schon bei seiner Hommage an New York im Museum of Modern Art kennengelernt. Wir wurden schnell gute Freunde. Ich fand beide prachtvoll und war fasziniert davon, daß sie ein Paar waren. Sie hatten einen besonderen Charme, der von Schönheit und Intelligenz, verbunden mit außergewöhnlichem Talent, kommt. Es war elektrisierend, mit ihnen zusammenzusein.

Ich machte eine Hommage an Jasper. Es war ein Relief mit einer Zielscheibe und einer Glühbirne, das in seinen Farben bemalt war. Ich bat ihn, auf es zu schießen. Es dauerte Stunden, bevor er sich entschließen konnte, wo er die wenigen Schüsse, die er schließlich abgab, plazieren sollte. Bob Rauschenberg dagegen beschoß sein Stück in wenigen Minuten und schrie: »Rot! Rot! Ich will mehr Rot!«

Bob hatte eine ganz spezielle Art, über die Beziehung von Kunst und Leben zu sprechen. Er drückte das mit solcher Leidenschaft und Klarheit aus, daß es noch lange in mir nachklang und schließlich ein Teil von mir wurde.

Jasper und Robert luden Jean Tinguely und mich zu einem Konzert von David Tudor ein, das in der Amerikanischen Botschaft gegeben wurde. Die Musik war von John Cage. Ich war sehr aufgeregt und stolz, an einem Projekt von Künstlern beteiligt zu sein, die ich so sehr bewunderte. Jasper entschied sich nach langem Nachdenken, daß er eine Zielscheibe aus Blumen machen wollte. Bob arbeitete während der ganzen Performance auf der Bühne an einem Gemälde, das das Publikum niemals zu sehen bekam, und als es fertig war, wickelte er es in ein Bettlaken und trug es fort. David Tudor verbrachte die meiste Zeit unter dem Flügel.
Jean machte eine sexy Maschine, die *Striptease* hieß. Im Verlauf des Konzerts warf die Maschine verschiedene Teile ab, bis nur noch der Motor übrig blieb. Ich präparierte ein Schießbild, das von

einem professionellen Schützen beschossen wurde – David hatte Angst, ich könnte ihn aus Versehen erschießen!

Die Zuschauer, außer Leo Castelli und ein paar Freunde, waren nicht halb so begeistert von dem Konzert, wie wir es waren. Sie pfiffen und buhten, und viele gingen vor dem Ende. Wir fanden die Feindseligkeit und die Wut anregend.

Ich glaube, es war im Februar oder März, Pontus, als ich Dir zum ersten Mal begegnet bin. Jean hatte mir schon sehr viel von Dir erzählt, und ich wußte auch, daß Du der Direktor des Moderna Museet in Stockholm warst, deshalb hatte ich ziemliche Ehrfurch davor, Dich zu treffen. Aber Du gabst mir sehr schnell meine Gelassenheit wieder. Wenn irgend etwas zum Fummeln auf dem Tisch lag, etwa ein Stückchen Faden, dann war es für Dich unwiderstehlich, Du nahmst es und spieltest stundenlang damit herum. Ich begriff, Du warst einer von uns.

Deine Begeisterung für die Schießbilder war für mich eine große moralische Unterstützung. Zu der Zeit wurde ich von der Presse ständig attackiert.

Das erste Mal, als Du mein Atelier in der Rue Alfred Durand-Claye besuchtest, verbrachtest Du Stunden damit, meine alten Bilder zu betrachten. Ich hatte sie verleugnet, weil ich dachte, nur was ich jetzt tat, sei von Interesse. Darüber waren wir uns auch einig, aber innerlich war ich hocherfreut, daß Du meine frühen Werke mochtest. Ein paar Jahre später kauftest Du eines für das Museum.

Im Juni 1961 hatte ich meine erste Einzelausstellung in der Galerie J. Am Tag der Vernissage beendete ich noch die Schießgalerie. Besucher sollten von dort aus auf ein Bild schießen. Drei Reliefs waren bereitgestellt und sollten während der Ausstellung beschossen werden. Jean hatte dahinter eine rostige Eisenplatte aufgehängt, um die Wand zu schützen und auch eine Art Regenrinne, die die herunterlaufende Farbe auffangen sollte, damit sie nicht auf den Boden tropfte. Jeannine de Goldschmidt, die Galeristin und Frau von Pierre Restany, blieb bewundernswert ruhig während dieser Vorbereitungen, und es schien ihr nicht das geringste auszumachen, daß nun jeden Tag in ihrer Galerie mit einem Gewehr geschossen werden sollte. (Zu der Zeit hatten wir genügend Geld zusammen, eines zu kaufen.)

Eine Stunde vor der Eröffnung kam ein älterer Mann mit einem verlebten Gesicht herein und fragte: »Wann kann ich schießen?« Ich erklärte ihm, daß er noch ein bißchen warten müßte, bis die Bilder aufgehängt wären.
»Warum kommen Sie nicht etwas später wieder?«

»Nein, ich werde nicht weggehen, ich warte hier, bis ich schießen kann.«
Alle zehn Minuten fragte er: »Kann ich jetzt schießen?« Schließlich war ich verärgert, ging zu Jeannine und fragte sie leise: »Kannst Du nicht einen Weg finden, wie wir ihn loswerden. Er ist eine Nervensäge.« Jeannine sagte: »Machst Du Witze? Das ist Jean Fautrier.«

Ich war ein Fan von Fautriers Arbeiten, obwohl seine Behandlung von Farbe und Raum weit von meiner entfernt waren. So ging ich zurück zu ihm und sagte: »O. k., Sie können anfangen zu schießen.« Später, als die Vernissage-Gäste eintrafen, wollte er das Gewehr nicht wieder hergeben. Er versuchte, aus den Schießbildern eines von seinen eigenen Gemälden zu machen. Immer wenn jemand anderes schoß, rief er: »Die Mitte, die Mitte! Schieß in die Mitte.«

Meine Künstlerfreunde waren fasziniert von der Tatsache, daß man ein Kunstwerk vollenden konnte, indem man es beschoß. Sie waren genauso ergriffen von der fesselnden Dynamik der Schießbilder, einem Gefühl, so unbeschreiblich wie Liebemachen. Robert Rauschenberg kaufte noch während der Eröffnung ein Bild, was mich sehr freute.

Im Herbst 1961 zog Larry Rivers in eines der Ateliers in der Impasse Ronsin. Er wohnte dort mit seiner neuen Braut, Clarice. Ich ging oft hinüber, um mit ihnen zu schwatzen. Jean war mißtrauisch diesen Leuten gegenüber, die er nicht kannte, und lehnte es ab, sich mit ihnen zu treffen. Wenn Jean der Meinung war, ich hätte lange genug mit ihnen geredet, nahm er mein Gewehr und schoß in die Luft. Dann wußte ich, daß es Zeit war, nach Hause zu gehen. Eines Tages konnte er dem Duft von Clarices selbstgemachter Suppe nicht länger widerstehen, und er kam herüber; danach aßen wir jeden Tag mit ihnen zu Mittag. Aber fast hätten wir ihre neugewonnene Freundschaft wieder verloren. Wir vergaßen, sie davor zu warnen, daß wir vor ihrem Haus mein neues Relief mit einer kleinen Kanone beschießen wollten, die Jean gerade gebaut hatte. Irrtümlich mischte Jean etwas zu viel Schießpulver in die Farbe, die wir in die Kanone füllten. Als die Kanone das Bild traf, wackelte das ganze Haus. Larry rannte heraus und schrie: »Wollt ihr uns umbringen?« Nach einer Reihe von Entschuldigungen war unsere Freundschaft gerettet, und wir genossen weiterhin unsere großartigen gemeinsamen Mittagessen.

Warum ich das Schießen nach nur zwei Jahren aufgegeben habe? Ich fühlte mich wie ein Drogenabhängiger. Nach jedem Schießen fühlte ich mich vollkommen stoned. Ich war total süchtig nach diesem makabren und doch freudigen Ritual. Ich kam an den Punkt, an dem ich die Kontrolle verlor. Mein Herz klopfte während des Schießens. Ich zitterte vor und während der ganzen Performance. Ich war wie in Ekstase.
Ich verliere nicht gern die Kontrolle. Das macht mir Angst, und ich hasse den Gedanken, von etwas abhängig zu sein. So gab ich es auf. Es war hart. Ich war versucht, wieder zu schießen,

wenn ich außerordentlich deprimiert war und auch wenn ich so starke Rheuma-Attacken hatte, daß ich kaum gehen konnte. Dann hätte ich mir am liebsten den Weg aus der Krankheit freigeschossen. Ich entschied mich dagegen, weil ich mir keine neue Möglichkeit vorstellen konnte, wieder Schießbilder zu machen, und ich wollte nicht das gleiche noch einmal tun.
ES MUSSTE ETWAS NEUES SEIN ODER GAR NICHTS, so gab ich die Sache auf.

Es war auch hart, auf die ganze Aufmerksamkeit zu verzichten, die ich von den Zeitungen und Wochenschauen durch das Schießen bekam. Für die war ich ein attraktives Mädchen (wenn ich häßlich gewesen wäre, hätten sie wahrscheinlich gesagt, daß ich Komplexe habe und mir keine Beachtung geschenkt), das Männer in Interviews anschrie und mit einem Gewehr schoß. Das war noch vor der Frauenbewegung und sehr skandalös.

Es war nicht überraschend, daß kaum jemand meine Werke kaufte und sie noch heute hauptsächlich mir gehören. Bill Seitz vom Museum of Modern Art behauptete, daß meine Haltung schädlich für die Kunst sei, und daß ich die Entwicklung der modernen Kunst um dreißig Jahre zurückgedreht hätte!

Von der Provokation zog ich mich in eine innere, weiblichere Welt zurück. Ich fing an, Bräute, Herzen, Gebärende, Huren zu machen, verschiedene Rollen, die Frauen in der Gesellschaft haben können.

Ein neues Abenteuer begann.

Autumn 1966
Dear Clarice
PAGAN GODDESS
THE GREAT MOTHER
(THE HON)

Liebe Clarice,

Du hast mich gefragt, wie es war, an HON zu arbeiten, der GRÖSSTEN NANA, die ich jemals gemacht habe. Sie war neunundzwanzig Meter lang, sechs Meter hoch und neun Meter breit.

Pontus Hulten, der Direktor des Moderna Museet in Stockholm, lud im Frühjahr 1966 Claes Oldenburg, Martial Raysse, Jean Tinguely und mich ein, eine monumentale Skulptur für die große Halle des Museums zu bauen. Martial Raysse lehnte die Einladung ab, Claes Oldenburg konnte im letzten Moment doch nicht kommen, und Jean hatte gerade mit einer neuen Arbeit in Soisy begonnen und deshalb keine große Lust. Es sah so aus, als ob das ganze Projekt ins Wasser fallen würde, aber eine innere Stimme sagte mir, ich müsse nach Stockholm fahren, es sei wichtig für mich. Ich hörte auf sie. Mein Enthusiasmus überzeugte Jean, mitzukommen.

Die ersten Tage in Stockholm waren sehr unbefriedigend. Viele Ideen wurden von Jean, Pontus, mir und dem ebenfalls anwesenden schwedischen Künstler Per Olof Ultvedt diskutiert. Pontus meinte, wir sollten alle für ein paar Tage nach Moskau reisen (Jean und ich waren noch nie dort gewesen), entweder würde uns die Stadt oder der Wodka inspirieren. Wir wollten gerade unsere Tickets kaufen, als Pontus einen Geistesblitz hatte. EUREKA! Er schlug vor, eine riesige begehbare Nana zu bauen, so groß, daß sie die gesamte Halle des Museums einnehmen würde. Auf einmal waren wir sehr aufgeregt. Wir wußten, wir waren dabei, das heilige Land Mythos zu betreten. Wir würden eine Göttin schaffen. Eine großartige PAGAN-Gottheit.

Clarice, da Du die erste Nana verkörpert hast, kannst Du Dich auch als Modell für die GROSSE GÖTTIN betrachten.

Jean übernahm die Leitung eines Teams freiwilliger Helfer, die Pontus für uns gefunden hatte. Einer von ihnen war Rico Weber, ein junger Schweizer Künstler, der anschließend für viele Jahre mein Mitarbeiter und auch der von Jean wurde. Rico hatte als Koch in der Snack Bar des Museums gearbeitet. Uns blieben nur sechs Wochen, um unsere Riesin fertigzustellen, und wir arbeiteten mindestens sechzehn Stunden am Tag. Wir nannten unsere Göttin HON, was auf schwedisch SIE heißt. Ich fertigte ein kleines Originalmodell an, das die Göttin ins Leben rief. Jean konnte allein nach Augenmaß das Modell vergrößern und ein eisernes Gerüst konstruieren, das genau wie das Original aussah. Nachdem dieser Unterbau verschweißt war, wurde Hühnerdraht auf der immensen Oberfläche der Gottheit befestigt. Ich kochte auf einer kleinen

Platte massenhaft stinkenden Karnickelhautkleister in riesigen Pötten. Meterlange Stoffbahnen wurden mit dem Leim bestrichen und auf das metallene Skelett geklebt. Es waren mehrere Schichten notwendig, um das Untergestell zu verdecken. Wenn ich den Kleister braute, fühlte ich mich oft wie eine Hexe im Mittelalter. Als der Stoff trocken war und auf dem Eisen haftete, strichen wir den Körper der Göttin weiß an. Anschließend konzipierte ich am kleinen Modell die farbige Version. Assistiert von Rico Weber bemalte ich später die Skulptur. In der Zwischenzeit waren Jean und Per Olof Ultvedt damit beschäftigt, das Innere der Göttin mit allem möglichen Entertainment auszustatten. Jean installierte ein Planetarium in ihrer linken und eine Milchbar in ihrer rechten Brust. In einem Arm wurde der erste Kurzfilm mit Greta Garbo in der Hauptrolle gezeigt, und in einem Bein befand sich eine Ausstellung gefälschter Gemälde (ein falscher Paul Klee, ein falscher Jackson Pollock und so weiter).

Die liegende Nana war schwanger, und über eine Reihe von Treppen gelangte man zu einer Terrasse auf ihrem Bauch, von der man einen Panoramablick auf ankommende Besucher und die fröhlich bunten Beine hatte. Es gab nichts Pornographisches an HON, auch wenn sie durch ihr Geschlechtsteil betreten wurde.

Pontus wußte, daß er mit dieser großen Dame ein gefährliches Unternehmen wagte, und er beschloß, das ganze Projekt geheimzuhalten. Andernfalls hätten die Verantwortlichen verdrehte Gerüchte zu hören bekommen und die Ausstellung geschlossen, bevor sie eröffnet werden konnte. Wir errichteten einen riesigen Vorhang, hinter dem wir arbeiteten. Niemand durfte sehen, was wir machten.

Ich erinnere mich, wie wir mit Pontus lachten, wie er seine letzten Stunden im Museum genoß, bevor er von einem rasenden Kulturminister gefeuert werden würde. Er war bereit, dieses Risiko auf sich zu nehmen, wie er es immer tut, wenn er an etwas glaubt. Pontus Hulten hatte schon viele innovative Künstler nach Stockholm geholt. Er war der erste, der Jasper Johns ausstellte, und 1960 zeigte er Robert Rauschenbergs *Goat*. Für Jackson Pollock arrangierte er eine Schau in Schweden und 1969 für John Cage das erste Konzert, das jedermann entsetzt verließ.

Damals bemalte ich HON wie ein Osterei in leuchtenden, klaren Farben, die ich schon immer benutzt und geliebt habe. Sie war eine große Fruchtbarkeitsgöttin, trotz ihrer immensen Ausmaße bequem zurückgelehnt, großzügig Tausende von Besuchern empfangend, die sie aufsaugte, verschlang und wieder gebar. Es war ein unglaubliches Erlebnis, sie zu schaffen.

Die fröhliche riesige Kreatur verkörperte für viele Besucher und auch für mich selbst den Traum von der Rückkehr zur Urmutter. Ganze Familien mit Kleinkindern strömten herbei, um sie zu sehen.

HON hatte ein kurzes, aber erfülltes Leben. Sie existierte drei Monate und wurde dann zerstört. Sie nahm den ganzen Raum der Museumshalle ein, und es war nie vorgesehen, sie für immer dort zu lassen. Böse Zungen behaupteten, sie sei die größte Hure der Welt, weil sie in drei Monaten 100000 Besucher hatte.

Ein Stockholmer Psychiater prophezeite in einer Zeitung, daß HON noch viele Jahre lang in den Träumen der Menschen auftauchen werde. Die Geburtenrate in Stockholm stieg in jenem Jahr an. Dies wurde ihr zugeschrieben.

HON hatte etwas Magisches an sich. Sie konnte keinem helfen, aber sie konnte den Menschen vermitteln, sich gut zu fühlen. Jeder, der sie sah, lächelte.

Chére
Marina
champagne
suicide
glacier
flower

Liebe Marina,

während der Jahre in St. Moritz verliebte ich mich in einen Gletscher. Ich kann mich nicht mehr an seinen Namen erinnern, aber ich weiß noch genau, wie er aussah. Es gibt viele Gletscher in der Schweiz, aber gerade dieser hatte es mir angetan.
Man mußte ungefähr eine Stunde laufen, um zu ihm zu kommen. Ich bin sicher hundertmal hingegangen. Dann schrieb ich ein Filmscript darüber. Das Thema war ein Künstler und seine Beschäftigung mit Zeit, beschleunigter Zeit – metaphysischer Zeit – verschmelzender Zeit. Am Ende geht der Künstler zum Gletscher in der Gewißheit, daß seine Jugend dort gefangen und ewig bleiben wird.

Ich war fasziniert von der Idee, den perfekten Selbstmord zu begehen. So wie in den Romanen von Agatha Christie jemand fasziniert davon ist, das perfekte Verbrechen zu begehen. Ich würde ein Picknick vorbereiten. Tagelang lief ich herum und phantasierte, was meine letzte Mahlzeit sein könnte. Ich würde darauf achten, warm angezogen zu sein, ich würde Make-up aufgelegt haben und frisch frisiert sein. Ich würde eine Decke mitnehmen, eine Taschenlampe, Rilkes *Duineser Elegien,* und niemand würde etwas herauskriegen. (Mein Vorhaben mußte teuflisch clever sein, sonst würden Eva, Jean oder Du etwas erraten und sich miserabel fühlen.) Es mußte alles sehr schön sein. Ein Kunstwerk.

Mein Plan war, gegen Mitternacht zum Gletscher zu gehen, meine letzte Mahlzeit zu mir zu nehmen (ich hatte mich schließlich für Dom Perignon und Kaviar entschieden), ein paar Schlaftabletten zu schlucken, mit Hilfe der Taschenlampe die vierte Elegie von Rilke zu lesen und die Sterne zu bewundern. Den Rest würde der Gletscher besorgen. Ich würde wunderschön aussehen, wenn sie mich am nächsten Morgen fanden.

Die, die mich liebten, wußten, wie verrückt ich nach dem Gletscher war und würden nur denken: »Niki ist auf einen Mitternachtssnack dorthin gegangen und beim Champagnertrinken eingeschlafen.« Sie wären nicht zu sehr überrascht.

Zwei Tage vor dem LETZTEN TAG bekam ich eine Lungenentzündung und mußte nach Bern ins Krankenhaus gebracht werden. Du kamst mich besuchen. Ich konnte drei Tage lang nicht sprechen und war vollkommen deprimiert. Meine Suche nach Unendlichkeit hatte mich an den Rand des Abgrunds gebracht.

Ich lebte ganz allein hoch in den Bergen des Engadin und las Nietzsche und Bachelard.

Es gab keinen Grund, allein zu sein. Ich wählte dieses spartanische Dasein, das gegen meine recht zugängliche, offene und fröhliche Natur ging. Ich begann, wie Feuer zu brennen. Meine Einsamkeit versetzte mich in Ekstase. Leidenschaft ist mehr als Existenz.

Wie der Phönix, der durch das zerstörende Feuer gehen muß, um wiedergeboren zu werden, so wollte ich bis ans Ende dieser Erfahrung gehen. Nicht nur mein Geist, auch mein Körper fing Feuer. Nur durch Leiden und Opfer kann ich mich frei fühlen.

Ich will wie ein Vogel fliegen und die Unendlichkeit entdecken.

Ich habe Momente großer Intensität anstelle von Dauerhaftigkeit gewählt.

Meine Kunst wie meine Liebe werden auf dem höllischen brennenden Altar geopfert. Erinnerst Du Dich? Deine Haare wurden zu Schlangen.

June 1990
Dearest
Chère,
Marella,
le magicien
the MAGICIEN
le JARDIN DES TAROT
card No. 1
The tarot garden
MIROIRS, VERRE, CERAMIQUE

Liebste Marella,

wer hätte gedacht, daß unser Zusammentreffen und unsere Zuneigung im Jahre 1950, als Du die Assistentin des Photographen Bloomenfeld warst, der heimliche Anfang des TAROT-GARTENS sein würde?

Wir verloren uns aus den Augen und trafen uns 25 Jahre später hoch oben in den Engadiner Bergen wieder. Hier erneuerte sich unsere Freundschaft. Ich kurierte meine Lungen, die von der Arbeit mit Kunststoff geschädigt waren.
Wie gut ich mich an unsere langen Winterspaziergänge durch die Pinienwälder erinnere.
Weißt Du noch, wie wir um fünf Uhr vor dem Kamin russischen Tee tranken, während wir uns gegenseitig Gedichte von Kavafis und Achmatova vorlasen?
Hier erzählte ich Dir eines Tages, als wir auf einen Gletscher zugingen, von meinem LEBENSLANGEN TRAUM, einen Garten anzulegen, der ein Dialog zwischen Skulptur und Natur sein sollte. Ein Ort zum Träumen. Ein Garten der Freude und Phantasie.

Ich wollte ihn in ITALIEN errichten und ich bat Dich, jemanden in der TOSKANA zu suchen, der mich meinen Skulpturgarten auf seinem Grundstück würde bauen lassen. (Natürlich auf meine Kosten!) Wenn ich auf anderer Eigentum BAUEN könnte, wäre meine Arbeit vor Vandalismus geschützt.

Du sagtest mir, daß Deine Brüder, Carlo und Nicola Caracciolo, von der Idee begeistert seien.
Ein paar Wochen später traf ich mit meinem sperrigen Modell am Hauptbahnhof in Rom ein.
Carlo war da und brachte mich in die wundervolle toskanische Landschaft nach Garavicchio.
Da Deine Brüder so enthusiastisch waren, war die Sache schnell entschieden.

DAS GRÖSSTE ABENTEUER IN MEINEM LEBEN HATTE BEGONNEN.

Von 1980 an verbrachte ich die meiste Zeit der darauffolgenden zehn Jahre voller Ergebenheit mit der Realisierung meines Gartens. Wenn ich meine Träume nicht durch Skulpturen hätte wahr werden lassen, wäre ich vielleicht so von ihnen besessen gewesen, daß ich in einer psychiatrischen Klinik gelandet wäre – als Opfer meiner eigenen Visionen.
Endlich würde meine lebenslange Sehnsucht, in einer Skulptur zu leben, Wirklichkeit werden.
In einem fließenden runden Raum ohne Ecken, die mich bedrohen und angreifen würden.

Du hast 1981 bei Deinem letzten Besuch in Garavicchio wunderschöne Photos gemacht, wie Jean Tinguely, Rico Weber und Sepp Imhof das Metallgerüst schweißten, das mein Heim werden sollte. Jean nahm mein Modell in die Hände und absorbierte es mit seiner UNTER SPANNUNG STEHENDEN SEELE. Dann hörten wir ihn schreien, während er in den Himmel zeigte: »Seppi, schweiß da!« Wie ich es liebte, diesen Prozeß zu beobachten! Mein Haus wuchs fast über Nacht wie ein riesiger Pilz nach einem kräftigen Regen, das eiserne Gerüst wurde ein viel größeres Duplikat meines Modells.

Jean hatte nichts abgemessen – er baute nur nach Augenmaß. Er war für mich SUPERMAN und ebenso war ich WONDER WOMAN, weil ich den Mut hatte, ein so verrücktes Abenteuer zu beginnen. Unsere gegenseitige Bewunderung beflügelte uns. Wir wollten jeder den anderen in Staunen versetzen.

Nachdem die eiserne Konstruktion fertig war, wurde Maschendraht darauf befestigt, um den Zement zu halten, der von lärmenden Maschinen daraufgespritzt wurde. Die Sphinx sah grau und traurig aus in ihrem Betonkleid. Ich wußte, daß sie ein neues Gewand brauchte und ich würde ihr eines geben, das wirklich sensationell sein sollte. Nach und nach wurde sie mit bunten Glassteinchen beklebt, die ich extra aus Venedig kommen ließ. Hauptsächlich aber bestand ihr Kleid aus geformter Keramik und Spiegeln.

1967 hatte ich mein erstes NANA-HAUS gemacht. Es war ein Puppenhaus für Erwachsene – gerade groß genug, um darin zu sitzen und zu träumen.

ICH WOLLTE EINE NEUE MUTTER ERFINDEN, EINE MUTTERGÖTTIN, UND IN IHR WIEDERGEBOREN WERDEN.

Eine Brust. Ich schlief in einer Brust. Meine Küche war in der anderen Brust.

Ich befand mich weit weg von meinem Ursprung, weit weg von meiner Familie und meinen Freunden in einer neuen Kultur, belastet von einer Menge technischer und finanzieller Probleme. Diese Sorgen erweiterten meinen Horizont.
Ich mußte lernen, die Arbeiter aus dem Ort anzuleiten, die Elektriker, die Maurer, alle, die an den Skulpturen mitwirkten. Es war nicht wie meine gewohnte Kollaboration mit Künstlern, die ich als Partner empfand.

Die Arbeiter wußten nichts über moderne Kunst. Die Frauen, die ich angeheuert hatte, waren Putzfrauen gewesen. Es dauerte viele Jahre, bis sie sich als Teil dieses Abenteuers empfanden, und ich brauchte eine ganze Weile, bis ich den richtigen Kontakt zu ihnen gefunden hatte. Am Anfang, als Jean die Stahlrahmen für meine Skulpturen baute, konnten mich die Arbeiter beobachten, wie ich in Ekstase geriet vor dem verschweißten Eisen, und sie wunderten sich darüber, was da vorging. Heute sind sie sehr stolz darauf, Teil des Gartens zu sein, und sie sind allesamt sehr geschickte Handwerker.

Um das Macho-Problem zu umgehen (in den ersten Jahren arbeiteten nur Männer für mich) wurde ich instinktiv die MUTTER. Italiener sind daran gewöhnt, von der Mutter Befehle zu erhalten. Ich kochte Kaffee für sie und Tee für mich. Heute sind die meisten von ihnen Teetrinker. Wir machten unsere Frühstückspause im Bauch der Sphinx.

Ich hatte keine Privatsphäre, weil die Arbeiter dauernd Ausreden erfanden, um in die Mutter EINZUDRINGEN. Es gab nur einen höher gelegenen offenen Raum in der Sphinx mit einem Alkoven für mein Bett. Es gab kein Zimmer, in dem ich mich hätte verstecken können, und ich fühlte mich von meiner eigenen Mutter und meinen Kindern, den Arbeitern, aufgefressen. Die Mutter strahlt eine VERHÄNGNISVOLLE ANZIEHUNGSKRAFT aus. Die Sphinx-Mutter hat eine außerordentliche Macht nicht nur über mich, sondern über alle, die in ihr sind. Alle die hereinkommen, wollen bleiben.

Vor zwanzig Jahren hatte ich meine Kinder für meine Kunst verlassen. Hier bemutterte ich meine adoptierten Kinder, die Arbeiter, und lebte selbst in einer Mutterfigur, die ich geschaffen hatte. In diesen Jahren, in denen ich in der Sphinx lebte, kam ich meinen Kindern, Laura und Philip, wieder näher.

Die Einrichtung der Herrscherin (Sphinx) war ziemlich primitiv, als ich 1982 erstmals darin wohnte. Ich brauchte mein ganzes Geld, um noch mehr Skulpturen für den Garten zu schaffen. Ich genoß es, wie ein Mönch zu leben, aber es war nicht immer angenehm. Es gab ein großes Loch im Boden, wo ich meine Lebensmittel aufbewahrte, und ich kochte auf einem winzigen Gaskocher. In jeder heißen Nacht wachte ich auf und war, wie in einem Kinderalptraum, von Hunderten von Insekten aus den Sümpfen umschwirrt. Ich verbrachte Stunden mit dem Versuch, sie mit einem Buch oder einem Schuh TOTZUSCHLAGEN. Ihre blutigen Kadaver ekelten mich an. Manchmal beobachtete ich die Beine der kleinen Spinnen im TODESKAMPF. Ich hatte ANGST, daß sie eines Tages die Herrscherin und mich auffressen würden. Ich wurde von meiner argentinischen Freundin, Sylvia, GERETTET. Sie war über die nächtlichen Besucher so entsetzt, daß sie sofort wieder abreiste, aber vorher gab sie mir einen Scheck, der dafür bestimmt war, mich vor den fürchterlichen Biestern zu schützen. Am gleichen Tag bestellte ich Fliegengitter. Das war mir noch nie passiert, es war ja ganz einfach!

Im nächsten Sommer kam Sylvia wieder. Sie sagte, daß die Hitze in dieser aus Zement bestehenden Skulptur unerträglich sei. Der Zement speicherte die Wärme. Wenig später schickte mir Sylvia einen großen elektrischen Ventilator, der immer noch an der Decke hängt.
Meine ersten Jahre in der Herrscherin waren von SCHMERZEN geprägt. Als ich anfing, am Tarot-Garten zu arbeiten, litt ich an rheumatischer Arthritis, einer extrem schmerzhaften Krankheit. Aus Gründen, die mir heute unverständlich sind, weigerte ich mich zwei Jahre lang, einen Arzt aufzusuchen. Ich wollte den Schmerz erobern. Ich nahm nicht einmal ein Aspirin. Mir gefielen die Theorien von Wunderheilern, und ich war davon überzeugt, daß ich mich allein durch meine WILLENSKRAFT kurieren könne. Die Erfahrung des Schmerzes wurde sehr wichtig.

Ich fing an zu humpeln. Ich konnte kaum etwas in meinen Händen halten. Jean erfand ein System, mit dessen Hilfe ich die Wasserhähne ohne Kraftaufwand aufdrehen konnte. Nachts wachte ich schreiend auf. Jean nannte diesen Abschnitt meines Lebens »MARTYRIUM«.
Ich wollte diese unerträglichen Schmerzen BESIEGEN, ich wollte stärker sein, stärker als der TOD. Diese große Dame Tod, die mich fasziniert und erschreckt. Sie existierte nicht.

Hölle. Die Anziehungskraft der Hölle. Die Schönheit des Entsetzens.

Mein Hände begannen, sich zu deformieren. Ich beobachtete, wie die Krankheit jeden Tag fortschritt. Ich konnte nicht mehr modellieren. Jean weinte, wenn er meine Hände ansah.
Ich verlor 20 Pfund. Ich wurde ein durchsichtiger Schatten meiner selbst. Ich wollte um jeden Preis leben. Die Kosten spielten keine Rolle. Nur leben. Leiden ist auch leben.

Meine Intelligenz blieb mir, dazu meine Phantasie und meine Augen. Ich lernte, andere zu dirigieren, da ich nicht mehr selbst arbeiten konnte.

Eines Tages fand ich mich im Hospital wieder. Die Krankheit hatte mich bezwungen. Ich konnte nicht mehr gehen. Der Schmerz war stärker als ich gewesen. Endlich hatte ich meinen Meister gefunden.

Ich schluckte den Drogencocktail, den mir die Ärzte verordneten.
Während der folgenden Jahre war ich die meiste Zeit STONED von den starken Medikamenten, aber ich konnte an meinem Garten weiterarbeiten. Der Garten profitierte von meinen

Gesundheitsproblemen, weil sie mich am Ort bleiben ließen; ich konnte keine Reisen unternehmen. Die Drogen, vor allem das Cortison, veränderten meinen Charakter. Ich wurde sehr nervös. Normalerweise bin ich ausgeglichen. Meine neue SPEEDY Persönlichkeit ließ mich auf Millionen von Details achten, das war gut für den Garten. Auf jeden Fall waren es schwere Zeiten für meine engeren Mitarbeiter.

Ich lehnte es ab, irgendwoanders hinzugehen. Ich war wie verwachsen. Am Silvesterabend lud mich einer der Arbeiter, Estelvio, ein, mit seiner Familie zu feiern. Ihm gefiel der Gedanke nicht, daß ich ganz allein war. Ich war von seiner Geste sehr gerührt, aber ich war unfähig, die Sphinx zu verlassen. Es waren Jahre großer EINSAMKEIT.

Anfang der 80er Jahre waren Carlo und Nicola, meine Freunde und die Besitzer des Grundstücks, auf dem der Tarot-Garten gebaut wurde, um meine Sicherheit besorgt, weil berüchtigte Einbrecherbanden in der Gegend ihr Unwesen trieben. Sie sprachen darüber mit Jean Tinguely, der sofort seinen Assistenten, Sepp Imhof, schickte. Sepp konstruierte für mich eiserne Türen und Fensterläden, die sich leicht mechanisch öffnen ließen. So war die Sphinx tagsüber offen und gastfreundlich. Nachts wurde sie zum Bunker, zur Festung. Ich schloß mich nicht gern so ein, ich hatte keine Angst. Aber aus Respekt vor Jeans Mühe verriegelte ich die eisernen Türen immer.
In meinem nächtlichen Gefängnis hörte ich Musik bis spät in die Nacht. Die Akustik in der Sphinx ist außergewöhnlich. Die Musik drang in mein Herz wie nirgendwo sonst. Sie erinnerte mich oft an Kathedralen. Meine erste architektonische Liebe.

Ich mußte Geld verdienen, um das enorme Unternehmen zu finanzieren. Ständig befand ich mich in der schwierigen Situation, nur noch so viel Geld zu haben, daß ich die Arbeiter für ein oder zwei weitere Monate bezahlen konnte. Ich sagte es ihnen nie. Warum sollte ich sie beunruhigen?

ICH WURDE EIFERSÜCHTIG AUF MEINEN MEISTER, GAUDI. Er konnte froh sein, seinen Fürsten gehabt zu haben, der ihn beim Bau seines wunderbaren Parks unterstützte. Ich, eine Frau, gestaltete den größten Skulpturenpark seit Gaudí. Vielleicht stieß ich deshalb auf soviel Widerstand.

Einmal sprach eine Frau aus einem nahegelegenen Dorf die Keramikerin Venera an und fragte:
»Arbeitest Du für diese verrückte Französin, die ihr ganzes Geld dafür ausgibt, den Hügel schöner und noch schöner zu machen?«
Constantine Mulgrave, ein Schriftsteller, mit dem ich von 1976 bis 1980 zusammenlebte, hatte heimlich Geld gespart, das er mir gab, um den Garten anzufangen. Die Galerie Gimpel Fils

verkaufte Modelle der Skulpturen für die Tarotkarten, was dazu beitrug, einige Unkosten zu decken.

Wenn die Dinge ganz dick kamen, rettete mich Jean. Er kaufte mir zu Galeriepreisen die Skulpturen ab, die ihm am besten gefielen. Eines Tages schenkte er mir einen großen Keramikofen.

Vor ein paar Jahren hast Du einige Skulpturenmodelle der Tarotfiguren bei der JGM. Galerie in Paris gekauft. Auch dieses Geld floß in den Garten.

Kürzlich gab mir Harry Mathews Geld, um Büsche, Bäume und Blumen zu pflanzen, die den Garten verschönern.

Die ständige Sorge um das Geld zwang mich, neue Quellen in mir selbst zu entdecken. Ich hatte die Idee, Vasen und Möbel zu entwerfen. Meine dekorative Kunst war sehr erfolgreich und ließ sich gut in den Galerien verkaufen.

Ich wurde gebeten, ein Parfum zu kreieren, das in einer kleinen Plastik von mir angeboten werden sollte. Ich entschloß mich zu einem Flakon mit zwei Schlangen. Erinnerst Du Dich, Marella, daß Du einige Monate die letzten beiden Düfte an Dir trugst, die noch getestet werden mußten? Ich wählte den, den Du am meisten mochtest. Das Parfum finanzierte ein Drittel des Gartens!

Die Gesamtkosten meines Parks belaufen sich auf vier bis fünf Millionen Dollar.

MEIN EIGENER MÄZEN ZU SEIN, HATTE VIELE VORTEILE. Ich war der Kapitän auf meinem eigenen Schiff. Ich mußte keinem Herren dienen. Ich konnte auf meine Art, in meinem Rhythmus arbeiten, auch wenn manches nicht immer logisch erschien. Manchmal begann ich zwei oder drei Skulpturen auf einmal. Manchmal änderte ich meine Meinung und fing von vorn an, es gab ja keine zeitlichen Grenzen. Das war die absolute Freiheit.

Heute glaube ich, daß ALL DIESE SCHWIERIGKEITEN UNERLÄSSLICH WAREN. Jedes Märchen erzählt von einer langen Suche, bevor der Schatz gefunden wird.

Der Schatz hier war das Privileg, den Garten realisieren zu dürfen, und mein UNBEIRRBARER GLAUBE an die Notwendigkeit, ihn bauen zu müssen. Es gibt zweiundzwanzig Karten im Tarotspiel. Achtzehn der zweiundzwanzig Karten sind jetzt fertig.

Zur gleichen Zeit wurde genau gegenüber dem Garten ein Atomkraftwerk errichtet.
Ich wünschte mir inständig, daß der Bau gestoppt würde. Vor zwei Jahren hatten die Italiener die Möglichkeit zu wählen, ob sie in ihrem Land Kernkraftwerke haben wollten oder nicht. Sie stimmten dagegen. War das ein Resultat der magischen Kraft des Tarot?

Eine Sache half mir in all diesen Jahren enorm: meine große Liebe zu Italien. Heute ist es meine zweite Heimat.
Während dieser Zeit stand mir mein Mitarbeiter, Ricardo Menon, immer zur Seite; er war mein Koch, mein Chauffeur, Schweißer, Gärtner (er machte einfach alles!). Er hatte ein unglaubliches Gefühl dafür, wenn ich mich in Gefahr befand, und er bewachte mich mit der Eifersucht eines Tigers. Seine Liebe und Hingabe machten mir Mut, den Garten zu beenden.

Ricardo war jung und gutaussehend. Er hatte genügend Charme, um den Erzengel Gabriel zu verführen. Er verließ Paris, das er liebte, um mit mir mitten in einem trockengelegten Sumpf zu arbeiten. Das war nicht leicht für ihn. NIE während der schrecklichen Jahre meiner Arthritis, als meine Freunde mich nicht mehr besuchten (wer will schon jemanden, den er bewundert, als Krüppel sehen?) VERLIESS ER MICH. Ricardo brachte oft seine Freunde mit. Er trug mich sogar auf seinen Armen zu meiner Badewanne, als ich nicht mehr gehen konnte.

Ricardo, der gesündeste Mann der Welt, wurde vor zwei Jahren von AIDS dahingerafft. In der Kapelle der Mäßigkeit, einer der Tarotkarten, steht auf dem Altar der Schwarzen Madonna ein Photo von Ricardo. Ich gehe oft zu ihm, ICH FÜHLE NOCH IMMER SEINEN SCHUTZ.

1983 bat ich Ricardo, eine Keramikerin zu suchen, die mir helfen sollte. Ich wollte mit Keramik experimentieren. Drei Tage später stellte sich Venera Finocchiaro vor, sie sollte sich als unentbehrlich erweisen. Venera war bereit, eine Farbe hundertmal zu probieren, bis sie genau so war, wie ich sie haben wollte. An manchen Tagen schuftete sie sechzehn Stunden lang an fünf Öfen gleichzeitig. Sie arbeitete mit LEIDENSCHAFT UND LIEBE für den Garten und für mich. Venera, die Keramiklehrerin in Rom war, brachte enorme technische Kenntnisse mit und war in der Lage, auch die ungewöhnlichsten Probleme zu lösen. Ihr Verlobter, Giorgio, nennt den Tarot-Garten ihre zweite Liebe.

Anfangs schlief Venera unten in der Sphinx, während Ricardo im Turm zu Babel (ein weiterer bewohnbarer Bau des Gartens – und eine andere Tarotkarte) übernachtete. Ricardo, Venera und ich verbrachten viele Abende zusammen, wir spielten Canasta, Poker oder Rommé; wir lachten viel. An kühlen Herbsttagen verbrannten wir Holz im Kamin, der ganz mit Spiegelmosaiken besetzt ist. Manchmal legte ich beiden die Tarotkarten.

Ich fühlte mich als Teil dieses Raums. Ich konnte sie nicht verlassen, meine wiedergefundene Mutter. Im Bauch meiner Mutter gab es zwei große Bullaugen, und ich verbrachte viele Stunden damit, aus dem Inneren der Mutter in die Außenwelt zu blicken. Ich beobachtete den Wind, der mit den Blättern der Olivenbäume spielte. WAS FÜR EIN LUXUS, IM INNEREN DER MUTTER ZU SEIN UND NACH DRAUSSEN SCHAUEN ZU KÖNNEN!

An diesem magischen Ort verlor ich jedes Zeitgefühl, und die Grenzen des normalen Lebens schienen aufgehoben. Ich war entrückt und zufrieden. Hier war alles möglich. Aber es gab auch eine dunkle Seite.

Ich spürte jede Sekunde der Nacht vorbeiticken und in meinen langen Anfällen von Schlaflosigkeit kam mir der Gedanke, daß Gott mich wirklich liebte und dazu auserkoren hatte, diesen Garten zu schaffen.

Manchmal hatte ich Visionen von Tausenden von kleinen, schwarzgrün glänzenden Teufeln mit schrecklichen Flügeln. Diese ekligen, abscheulichen Teufel krochen aus all meinen Körperöffnungen. Wie konnte ich sie nur loswerden? Ich öffnete mitten in der Nacht die Türen der Sphinx und sie flogen davon. Vorläufig waren die Dämonen gebannt.

Letztes Jahr hatte ich das dringende Bedürfnis, mit meiner Mutter, der Sphinx, alleinzusein.
Ich scheuchte alle meine Kinder, die Arbeiter, hinaus. Ich würde keinen mehr hineinlassen. Ich würde für sie keinen Tee oder Kaffee mehr kochen. Ich kaufte ihnen eine Kaffeemaschine.

ENDLICH HATTE ICH DIE MUTTER FÜR MICH ALLEIN. Und als es soweit war, WAR ES UNERTRÄGLICH.

Ich mußte meine Mutter verlassen! Oder hatte sie sich entschlossen, MICH AUSZUSTOSSEN?

1989 ging ich fort von meiner Mutter, der Sphinx. Friedlich, nicht im Bösen, wie ich meine Familie verlassen hatte, als ich 18 war. Wiedergeboren? Wieviele Male kann man wiedergeboren werden?

Jean war ängstlich, als ich die Sphinx verließ. Würde ich aufhören, am Garten zu arbeiten?
Er spürte auch, daß ich am Rande eines Nervenzusammenbruchs stand. Ich lebte von Tranquilizern. Da schlug er mir eine geniale Lösung vor: ein Atelier unter der Erde. Er merkte, daß ich ein großes Atelier in einem normalen rechtwinkligen Raum zum Arbeiten brauchte. Es sieht heute aus wie ein New Yorker Loft mitten in der Toskana.

Wir gruben ein großes Loch unter der Sphinx, und die eine Wand meines Ateliers war aus Glas und der Rest war von Erde bedeckt. Mein Dach war mein Garten.

Ich bin jetzt quasi ein Maulwurf. Ich lebe zu drei Vierteln unter der Erde.

Für kurze Zeit kehrte in meine künstlerische Hektik Ruhe ein. Wie immer es geschehen sein mag, jedenfalls vergaß ich eine Baugenehmigung einzuholen. DIE BÜROKRATIE verfolgt mich jetzt, das ist ein viel größerer ALPTRAUM als die IRRATIONALITÄT der Mutter.

Marella, ich bin sehr besorgt. Sie drohen mir damit, den ganzen Garten zu schließen. Laß uns hoffen, daß doch noch alles gut wird.

Einen dicken Kuß von
Deiner Niki

DEAR MOTHER
you had great charm
Mother
you believed in womens roles I didn't
marriage children husbands $
I wanted to exist for myself
conquer the world
chère MAMAN
je vous aime
PERFUME
MIRROR MIRROR ON THE WALL WHO IS THE FAIREST OF THEM ALL?
how beautiful you were
think of the poor starving
CHINESE
EAT EVERYthing ON your plate
don't cross your legs

Liebe Mutter,

als ich am 29. Oktober 1930 in Paris geboren wurde, war die Nabelschnur zweimal um meinen Hals gewickelt.
Du hast mir erzählt, daß der Doktor mein Leben gerettet hat, indem er seine Hand zwischen die Nabelschnur und den Hals gleiten ließ. Andernfalls wäre ich stranguliert geboren worden.
Gefahr war also schon vom ersten Moment an gegenwärtig. Ich sollte noch lernen, die GEFAHR, das RISIKO, ACTION zu lieben. Auch sollte ich mein ganzes Leben von Asthma und Atembeschwerden geplagt sein.

Mein Tierkreiszeichen ist Skorpion mit Aszendent Skorpion. Eine Ausrüstung, um alle Hindernisse zu überwinden – Hindernisse zu lieben.

Du hast mir erzählt, daß Du Dein ganzes Geld beim Börsenkrach verloren hast, als ich geboren wurde. Als Du mich erwartetest, fandest Du die erste Untreue meines Vaters heraus.
Ich BRACHTE Ärger.

Nach den ersten drei Monaten wurden wir getrennt. Du brachtest mich zu meinen Großeltern im Nièvre, weil Du pleite warst; und Du gingst nach New York. Ich verbrachte die ersten drei Lebensjahre bei ihnen.

Mutter, Mutter wo bist Du? Warum hast Du mich verlassen?

Wirst Du jemals wiederkommen?

Alles ist meine Schuld.

Jede Frau wurde Du. Mama. Mama.

Ich brauche Dich nicht. Ich werde es ohne Dich schaffen.

Deine schlechte Meinung von mir, Mutter, war sehr schmerzhaft und sehr nützlich für mich. Ich lernte, mich auf mich selbst zu verlassen. Die Ansichten anderer Leute hatten keine Bedeutung für mich. Das gab mir eine enorme FREIHEIT. Die Freiheit, ich selbst zu sein.

Ich würde Dein Werte-System ABLEHNEN und mein eigenes schaffen.

Schon früh entschied ich mich, eine Heldin zu werden. Wer würde ich sein? George Sand? Jeanne d'Arc? Napoleon in Frauenkleidern?

Mit 15 gewann ich einen Poesie-Preis. Vielleicht sollte ich schreiben.

Was ich auch tun würde, es würde schwierig, aufregend und groß sein.

ICH WÜRDE NICHT WIE DU WERDEN, MUTTER. Du hast genommen, was Du von Deinen Eltern bekamst. Deine Religion, männliche und weibliche Rollen, Gedanken über die Gesellschaft und Sicherheit. Ich würde mein Leben lang Fragen stellen. Ich würde mich in ein Fragezeichen verlieben.

Mutter, ich habe die Welt für Dich erobert. Du warst die Mutter, die ich gebraucht habe.
Ich bin ein Kämpfer. Was hätte ich mit einer Mutter gemacht, die mich in Liebe eingebettet hätte?

Wenn Du mich in meinem Atelier besuchtest, als ich 25 war und mit Harry Mathews zusammenlebte, schlugst Du für gewöhnlich die Hände vors Gesicht, um die schrecklichen Bilder nicht ansehen zu müssen.

Wie stimulierend das war!

Du haßtest Harry. Du meintest, er würde mir meine Rolle als Frau wegnehmen, als Du ihn eines Tages dabei antrafst, wie er unsere Wohnung staubsaugte. Du hast nichts verstanden. Es war großartig.

Du warst sehr schön, Mutter. Deine Schönheit und Dein Charme (wenn Du ihn zeigen wolltest) waren zauberhaft.
Du hättest eine große Schauspielerin abgegeben, Mutter. Wie theatralisch Du sein konntest!

Erinnere Dich an das erste Mal, als ich Dir Jean Tinguely vorstellte. Wir gingen ins ›La Coupole‹, um zu Mittag zu essen. Du hast Deine wunderschönen Augen niedergeschlagen und in sehr dramatischem Ton gesagt: »Ich werde nicht mit dem Liebhaber meiner Tochter essen.

Warum kannst du nicht bei deinem Mann bleiben und HEIMLICH einen Geliebten haben, so wie alle anderen auch?«

Jean amüsierte sich köstlich über Dich, aber ich stand wütend vom Tisch auf. Von da an flirtete Jean jedes Mal mit Dir, wenn Ihr Euch saht, und Du liebtest das.

Du warst niemals die große Heilige, die Du vorgabst zu sein. Ich erinnere mich sehr gut an einige Deiner Liebhaber, als ich ein Teenager war. Da gab es einen rothaarigen attraktiven Journalisten, den ich besonders haßte.

Für Dich mußte alles versteckt sein.

Ich wollte zeigen. ICH WOLLTE ALLES ZEIGEN. Mein Herz, meine Gefühle. Grün. Rot. Gelb. Blau. Violett. Haß, Liebe, Lachen, Angst, Zärtlichkeit.

Warum hast Du immer alles so ernst genommen?

Ich wünschte, Du wärst noch da, Mutter, ich würde Dich an die Hand nehmen und Dir den Tarot-Garten zeigen. Vielleicht hättest Du dann heute nicht mehr so eine schlechte Meinung von mir. Wer weiß?

Danke. Was für ein langweiliges Leben hätte ich ohne Dich gehabt. ICH VERMISSE DICH.

Übersetzung Uta Grosenick

Werke 1953–1992

Classe de Ballet
1953/54
80 x 100 cm

La fête
1954/55
125 x 176 cm

Entre la ville et la fleur
1955
161 x 113 cm

The Round Room
1956
200 x 139 cm

Le château
1956
194 x 130 cm

Composition
1956
190 x 130 cm
Moderna Museet
Stockholm

Ohne Titel
1958
55 x 65 cm

Bouche d’incendie
1959
54 x 43 cm

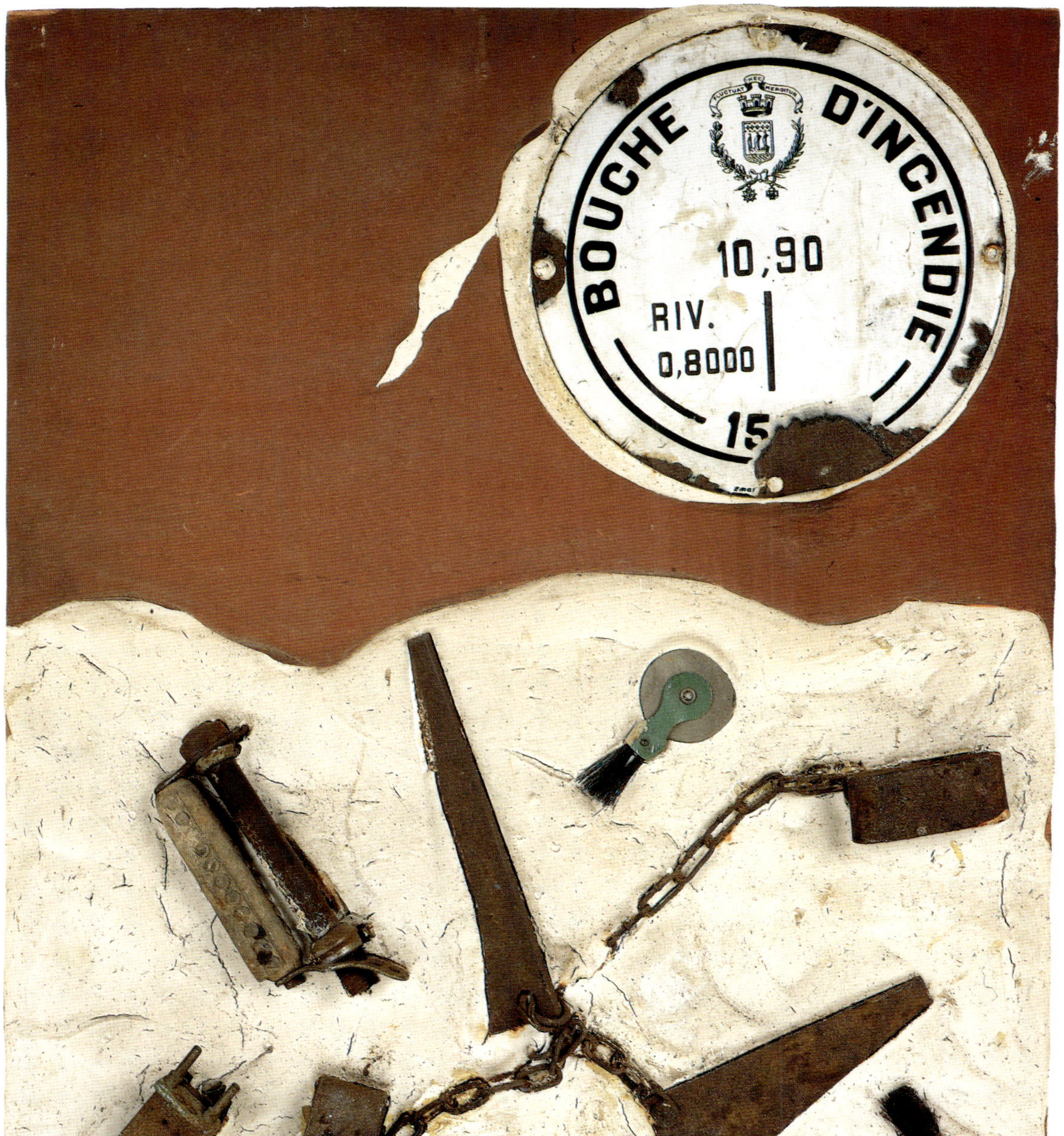

Two guns and
one knife
1960
50 x 60 x 30 cm

Ohne Titel
1960
100 x 160 cm

Le hachoir
1960
65 x 50 cm

Saint-Sébastien or
Portrait of my Lover
1961
72 x 55 x 7 cm

Tir de Bob Rauschenberg
1961
188 x 55 x 36 cm
Galerie de France
Paris

Tir de Jasper Johns
1961
117 x 59 x 26 cm

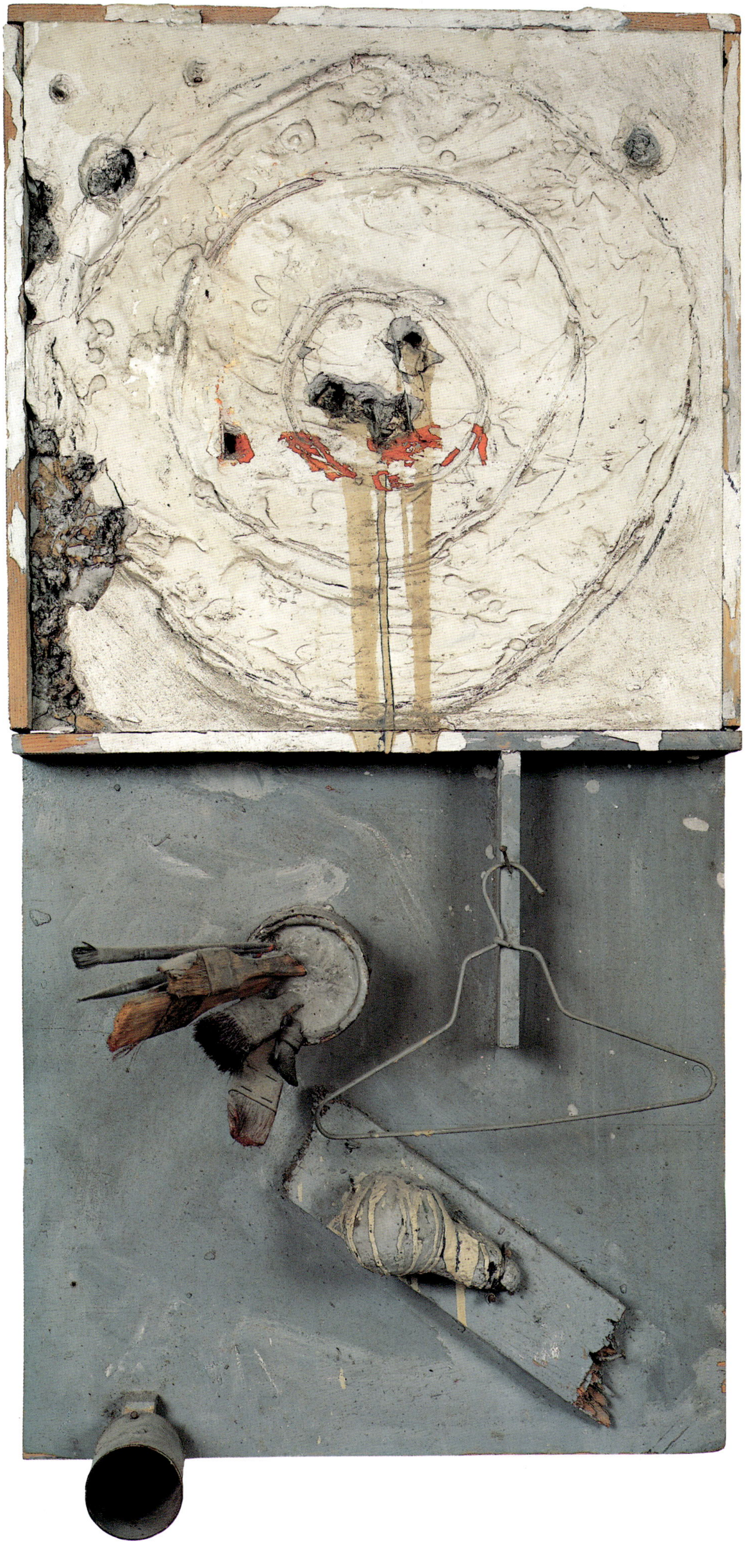

Tir première séance
1961
130 x 73 x 28 cm

Tir de l'Ambassade Américaine
1961
245 x 66 x 22 cm
JGM. Galerie
Paris

My Shoes
1962
85 x 38 x 11 cm
Galerie de France
Paris

Tir dragon
(Tyrannosaurus Rex)
Studie für King Kong
1962
198 x 122 x 23 cm
JGM. Galerie
Paris

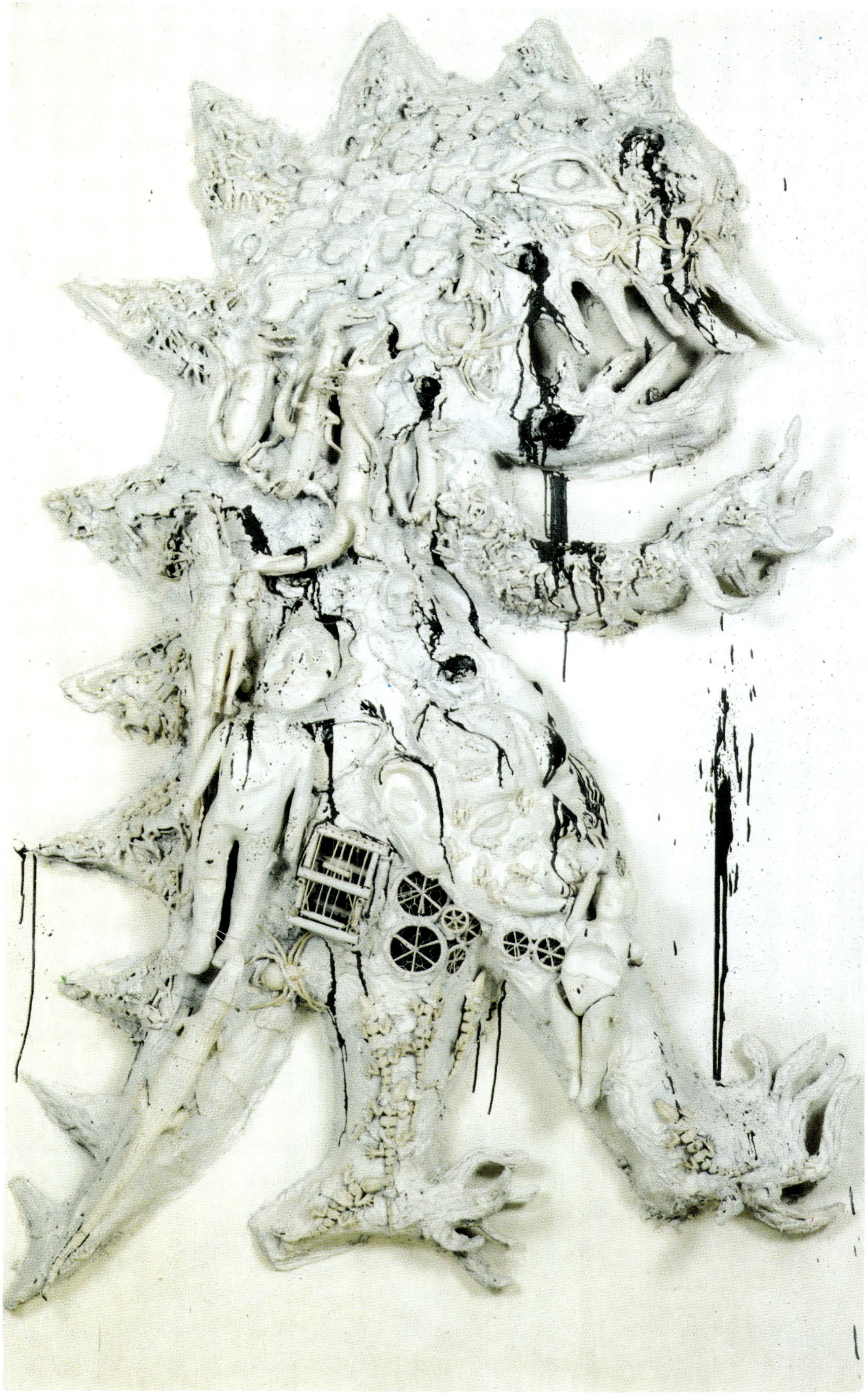

Pirodactyl de New York/
The New York Alp
1962
250 x 310 x 30 cm
Galerie de France
Paris

L'autel des politiques
Studie für King Kong
1962
125 x 250 cm

Autel du chat mort
1962
286 x 250 x 79 cm

O.A.S.
1962
252 x 241 x 41 cm
Galerie de France
Paris

Vénus de Milo
1962
193 x 64 x 64 cm

Le monstre de Soisy
1962/63
253 x 161 x 190 cm

Pink Heart
1962
110 x 123 cm

La mort du patriarche
1962/1972
230 x 110 x 30 cm
JGM. Galerie
Paris

New England Church
1963
200 x 130 cm
JGM. Galerie
Paris

La femme éclatée
ou l'accouchement
du taureau
1963
190 x 122 x 34 cm
Galerie de France
Paris

Tir à la moto
1963
198 x 122 x 23 cm
Laura Condominas
Paris

Autel des femmes
1963
250 x 305 x 37 cm

La mariée sous l'arbre
1963/64
228 x 200 x 240 cm
Galerie de France
Paris

Le cheval et la mariée
1963/64
235 x 300 x 120 cm

Crucifixion
1963/64
245 x 160 x 50 cm
Musée national d'art moderne
Centre Georges Pompidou
Paris

L'accouchement rose
1964
219 x 152 x 40 cm
Moderna Museet
Stockholm

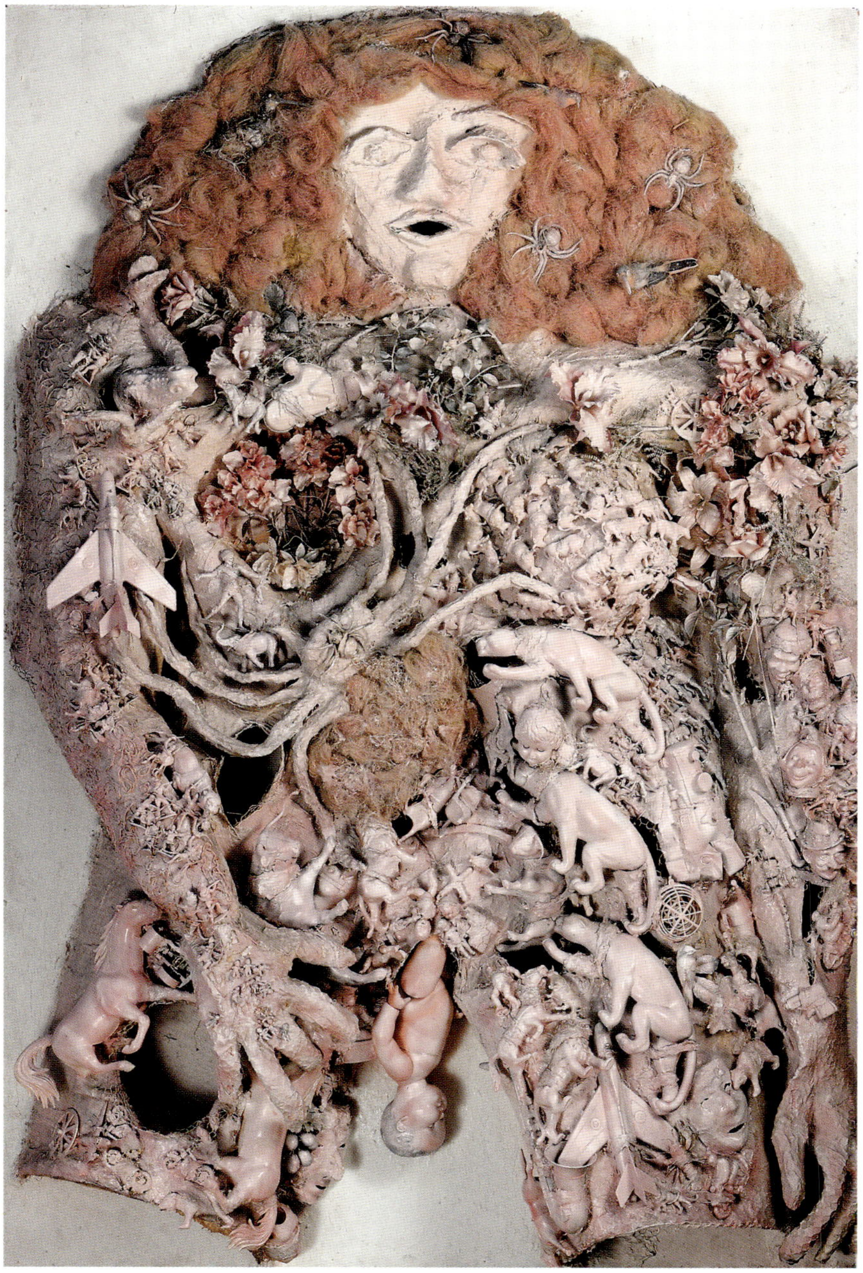

Figure
1963/64
Länge: 62 cm

Cœur rose
1964
65 x 80 x 13 cm
JGM. Galerie
Paris

La tête aux roues
1964
110 x 60 x 35 cm

Gilles de Rais
1964
125 x 80 x 37 cm
JGM. Galerie
Paris

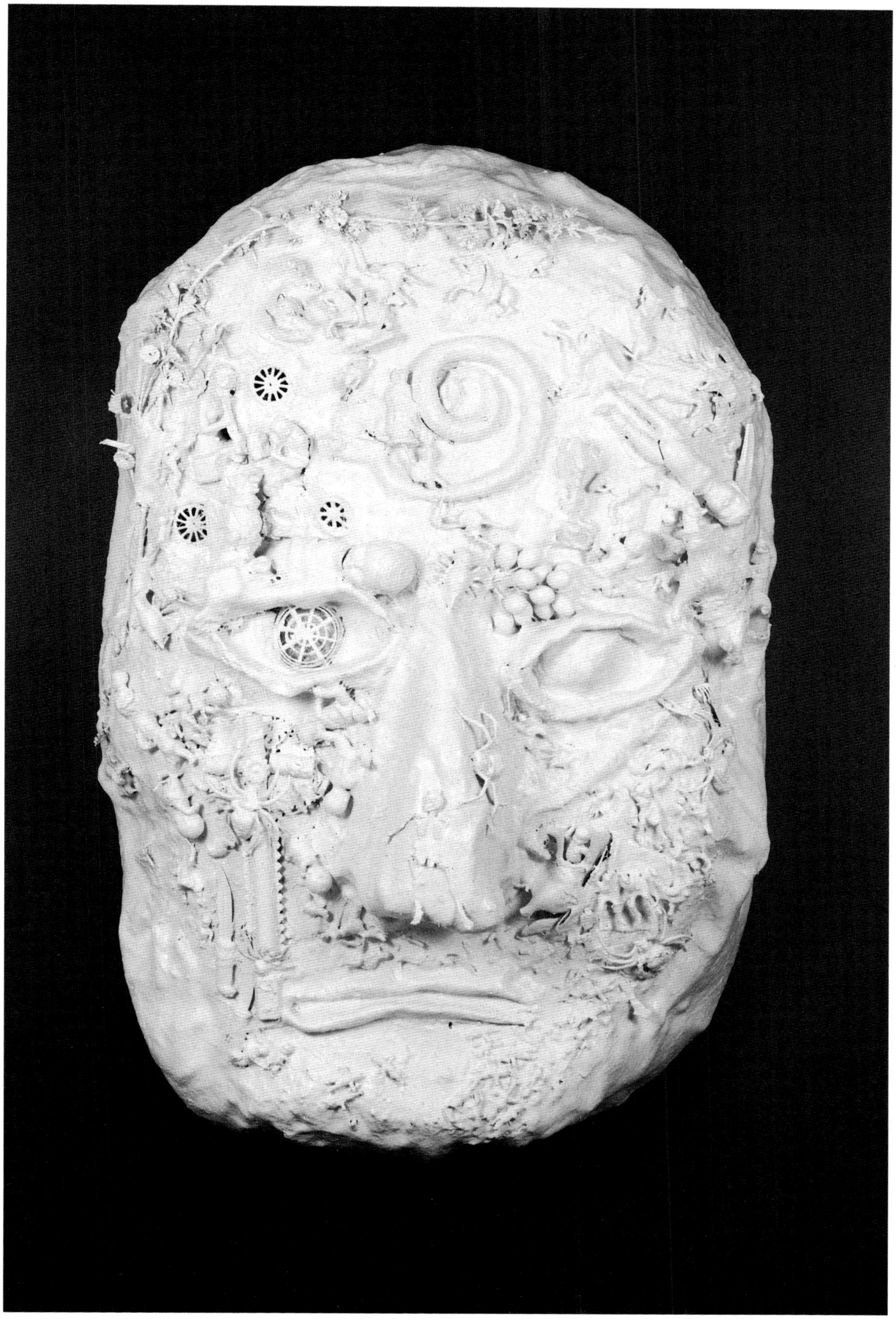

Clarice again
1965/1967
190 x 140 x 125 cm
Philip Mathews
New York

Nana Maison
1967/68
375 x 400 x 300 cm

La Waldaff
1965
268 x 157 x 66 cm
Musée national
d'art moderne
Centre Georges
Pompidou
Paris

Bénédicte
1965
80 x 104 x 87 cm

Black Rosy
1965/66
225 x 150 x 85 cm

Black Venus
1965/1967
280 x 89 x 61 cm
Whitney Museum
of American Art
New York

Dancing Nana »Anna«
1966
Höhe: 123 cm

Gwendolyn
1966/1990
262 x 200 x 125 cm

Upside-down Nana
1967
188 x 128 x 95 cm
Clarice Rivers
New York

Nana verte à sac noir
1969
250 x 150 x 100 cm
Sammlung R. J. Schneider
Paris

Devouring Mothers
1970
Weiße Frau: 90 x 60 x 60 cm
Gelbe Frau: 84 x 78 x 70 cm
Tisch: 22 x 55 x 40 cm

Chien écrasé
1970
84 x 100 x 55 cm

Le rêve de Diane
1970
7 Skulpturen
Maße variabel

Le témoin
1970/71
240 x 255 x 110 cm
Galerie de France
Paris

Grande tête
1970
240 x 200 x 85 cm

Tea Party, ou le thé
chez Angelina
1971
Rote Frau:
173 x 180 x 110 cm
Grüne Frau:
194 x 120 x 100 cm
Tisch, Höhe: 130 cm
Durchmesser: 125 cm
Stiftung Ludwig
Wien

Les funérailles du père
1971
Frau: 230 x 180 x 100 cm
Sarg: 70 x 200 x 120 cm
Kreuz: 250 x 160 x 40 cm

L'aveugle dans la prairie
1974
Kuh: 184 x 307 x 107 cm
Mann: 120 x 118 x 117 cm
Musée national d'art moderne
Centre Georges Pompidou
Paris

Grand oiseau amoureux
1974
310 x 295 x 105 cm
Sammlung Linda
und Guy Pieters
St.-Martens-Latem
Belgien

Nana fontaine
1974/1991
Durchmesser: 225 cm
Höhe: 55 cm
Sammlung Mylène und
Francis de Puydt

Arche de Noé
(Modell)
1978
39 x 60 x 27 cm
The Jerusalem
Foundation

Le fil du discours
1979
128 x 50 x 35 cm
JGM. Galerie
Paris

La déesse de la lumière
1980
163 x 85 x 31 cm

Bon appétit
1980
Frau: 180 x 120 x 70 cm
Tisch: 80 x 120 x 125 cm
Hund: 75 x 35 x 50 cm

Charley chaise homme
1981/82
135 x 120 x 80 cm
Sammlung Micheline
und Charley Szwajcer
Antwerpen

Clarice chaise femme
1981/82
120 x 114 x 74 cm
Sammlung Micheline
und Charley Szwajcer
Antwerpen

La main
1983
94 x 48 x 30 cm

Le rossignol
1983
203 x 252 x 146 cm

New man is coming
1980
216 x 174 x 12 cm
Bloum Condominas
New York

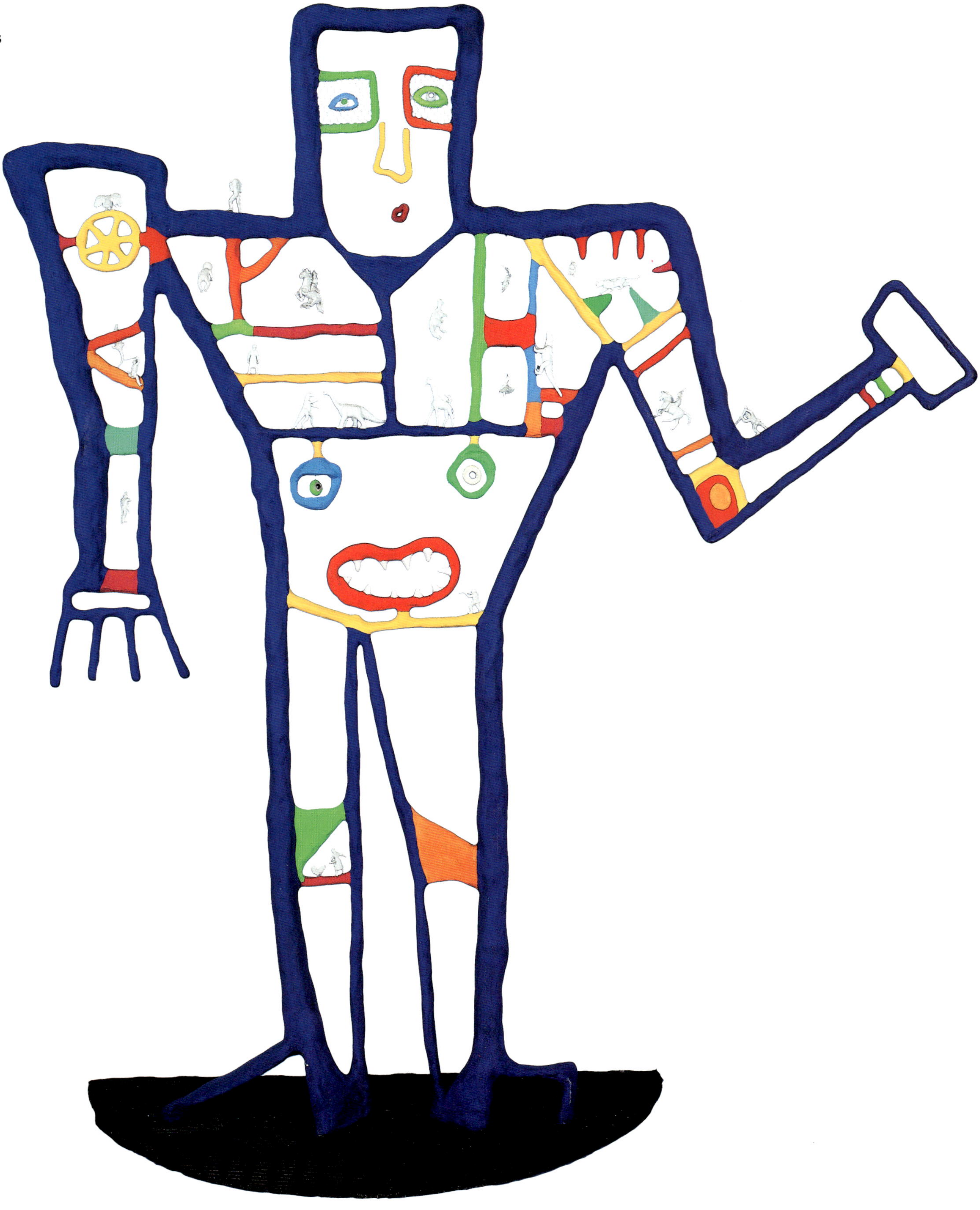

Femme bleue
1984
208 x 127 x 5 cm
Gimpel Fils
London

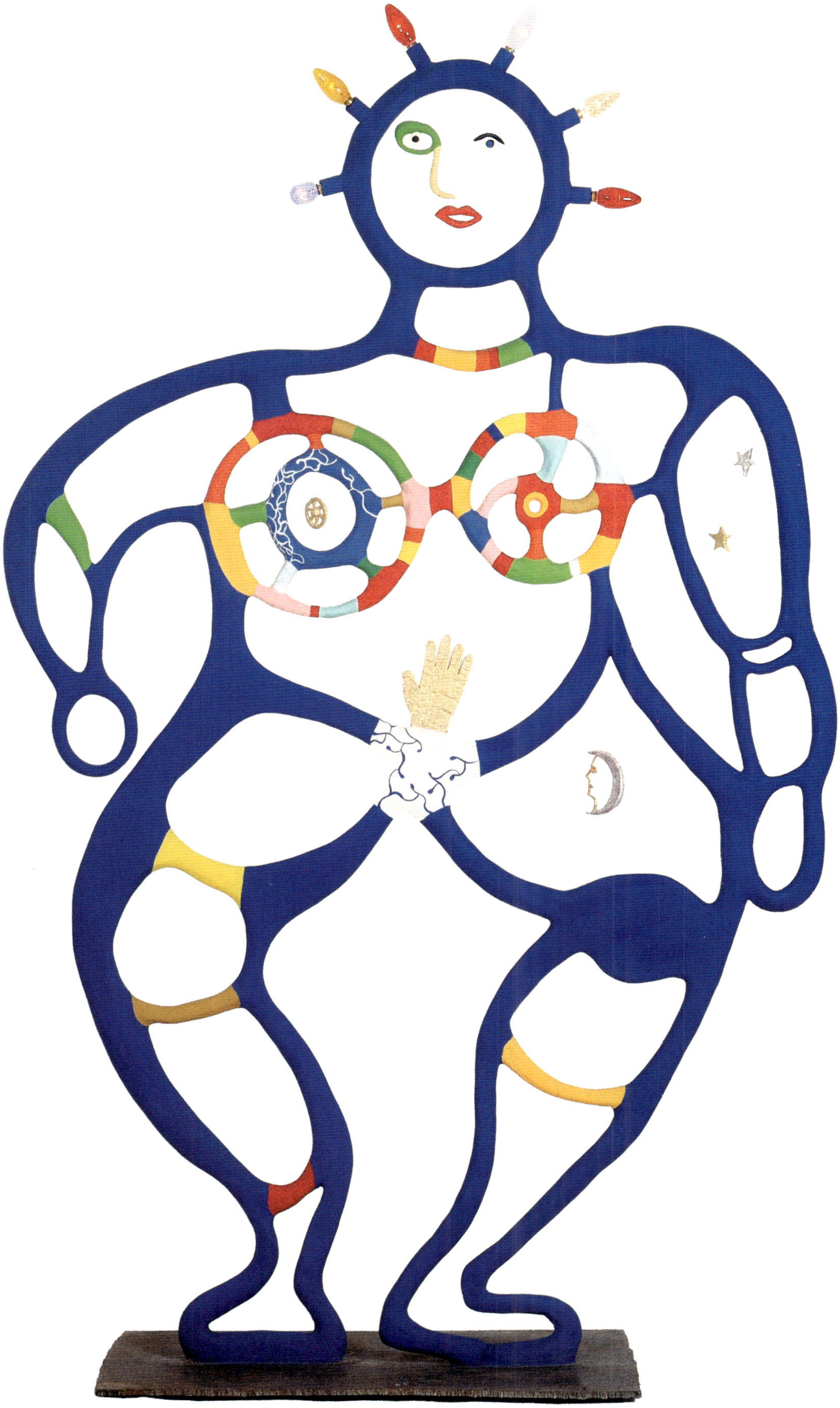

La tempérance
1984
240 x 155 x 65 cm

La lune
1985/1992
300 x 121 x 103 cm

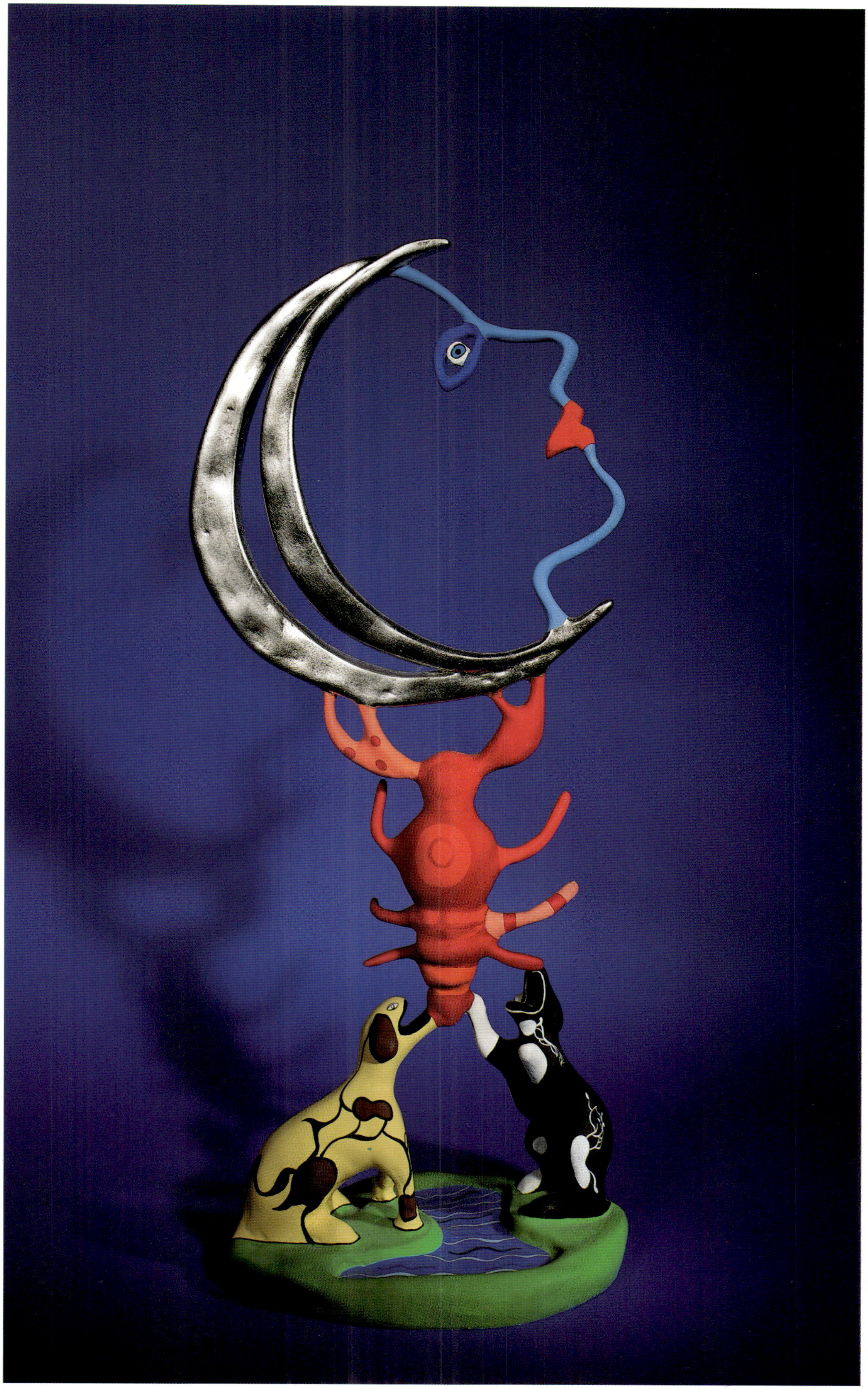

Le grand diable
1985
250 x 150 x 96 cm

Adam et Eve
1985/1989
170 x 200 x 150 cm

La mort
1985
34 x 43 x 28 cm
Gimpel & Weitzenhoffer
New York

La grande tête
1988
255 x 225 x 140 cm
Galerie de France
Paris

L'arbre fontaine
1987/1989
260 x 295 x 200 cm
Gimpel & Weitzenhoffer
New York

L'ermite
1988
233 x 110 x 85 cm
Gimpel Fils
London

Le pendu
1988
250 x 100 x 10 cm
Galerie de France
Paris

Le banc
1989
161 x 140 x 110 cm

Le champignon magique
1989
300 x 210 x 170 cm
Galerie de France
Paris

Le sphinx
1989
28 x 43 x 32 cm

Le monde
1989
425 x 140 x 160 cm

Tête de mort
(Meditiationsraum)
1990
230 x 310 x 210 cm

Blue Goddess
1990
90 x 31 x 37 cm
JGM. Galerie
Paris

Green Goddess
1990
90 x 31 x 37 cm
JGM. Galerie
Paris

Horus
1990
230 x 140 x 160 cm
Sammlung Yoko Masuda
Tokio

Anubis
1990
245 x 100 x 160 cm
JGM. Galerie
Paris

Thoëris
1990
225 x 100 x 145 cm
JGM. Galerie
Paris

Le fou
1990
218 x 165 x 150 cm
Gimpel Fils
London

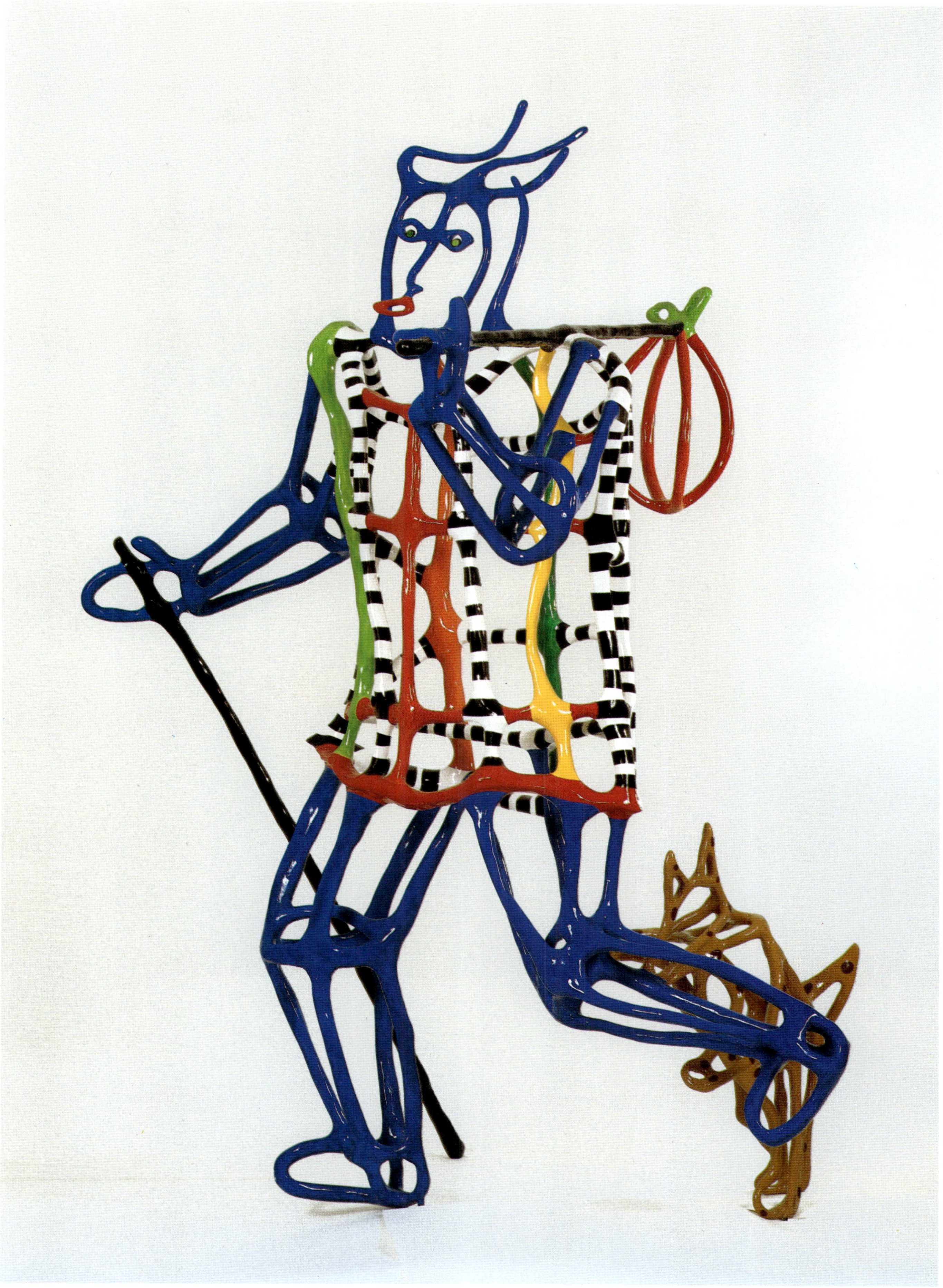

Le prophète
1990
270 x 70 x 70 cm
Galerie de France
Paris

Le temple idéal
(Kirche für
alle Religionen)
1991
400 x 380 x 340 cm
Sammlung der
Künstlerin

Gilgamesch
1991
240 x 155 x 10 cm
JGM. Galerie
Paris

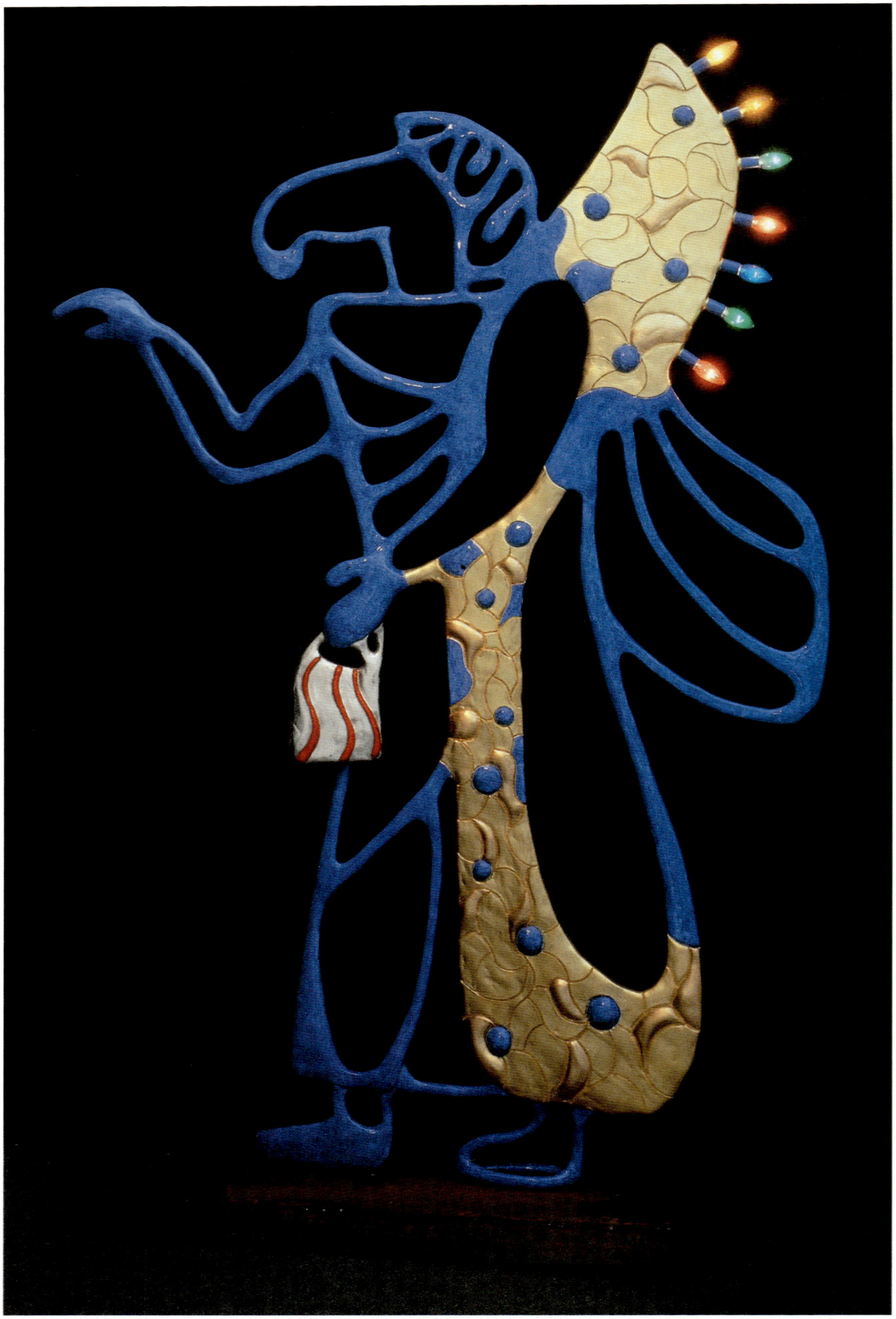

Lampe angulaire
1991
185 x 124 x 30 cm
JGM. Galerie
Paris

The wise man
1991/92
500 x 190 x 150 cm
Sammlung der
Künstlerin

Obélisque
1992
Höhe: 400 cm
Sammlung der
Künstlerin

Méta-Tinguely
1992
155 x 125 x 40 cm
Sammlung der
Künstlerin

Verzeichnis der abgebildeten Werke

Seite 188
Classe de Ballet
1953/54
Öl auf Leinwand
80 x 100 cm

Seite 189
La fête
1954/55
Öl auf Leinwand
125 x 176 cm

Seite 190
Entre la ville et la fleur
1955
Öl auf Leinwand
161 x 113 cm

Seite 191
The Round Room
1956
Öl auf Leinwand
200 x 139 cm

Seite 192
Le château
1956
Öl auf Leinwand
194 x 130 cm

Seite 193
Composition
1956
Öl auf Leinwand
190 x 130 cm
Moderna Museet
Stockholm

Seite 194
Ohne Titel
1958
Holz, Gips, Scherben
diverse Objekte
55 x 65 cm

Seite 195
Bouche d'incendie
1959
Holz, Gips, Farbe
diverse Objekte
54 x 43 cm

Seite 196
Two guns and one knife
1960
Holz, Gips
diverse Objekte
50 x 60 x 30 cm

Seite 197
Ohne Titel
1960
Holz, Gips
diverse Objekte
100 x 160 cm

Seite 198
Le hachoir
1960
Holz, Gips
diverse Objekte
65 x 50 cm

Seite 199
Saint-Sébastien or Portrait of my Lover
1961
Holz, Hemd, Krawatte
Zielscheibe, Pfeile, Farbe
72 x 55 x 7 cm

Seite 200
Tir de Bob Rauschenberg
1961
Holz, diverse Objekte
Gips, Farbe
188 x 55 x 36 cm
Galerie de France
Paris

Seite 201
Tir de Jasper Johns
1961
Holz, diverse Objekte
Gips, Farbe
117 x 59 x 26 cm

Seite 202
Tir première séance
1961
Holz, diverse Objekte
Gips, Farbe
130 x 73 x 28 cm

Seite 203
Tir de l'Ambassade Américaine
1961
Holz, diverse Objekte
Gips, Farbe
245 x 66 x 22 cm
JGM. Galerie
Paris

Seite 204
My Shoes
1962
Holz, diverse Objekte
Gips, Farbe
85 x 38 x 11 cm
Galerie de France
Paris

Seite 205
Tir dragon (Tyrannosaurus Rex)
Studie für King Kong
1962
Holz, diverse Objekte
Gips, Farbe
198 x 122 x 23 cm
JGM. Galerie
Paris

Seite 206
Pirodactyl de New York/ The New York Alp
1962
Holz, diverse Objekte
Gips, Farbe
250 x 310 x 30 cm
Galerie de France
Paris

Seite 207
L'autel des politiques
Studie für King Kong
1962
Holz, Masken
Gips, Farbe
125 x 250 cm

Seite 208
Autel du chat mort
1962
Holz, diverse Objekte
Gips, Farbe
286 x 250 x 79 cm

Seite 209
O.A.S.
1962
Katalog: Holz, diverse Objekte, Goldbronze
Ausstellung: Bronzeguß
252 x 241 x 41 cm
Galerie de France
Paris

Seite 210
Vénus de Milo
1962
Gips auf Draht-konstruktion, Farbe
193 x 64 x 64 cm

Seite 211
Le monstre de Soisy
1962/63
Papier auf Draht-konstruktion, Farbe
diverse Objekte
233 x 161 x 190 cm

Seite 212
Pink Heart
1962
Holz, Farbe, diverse Materialien
110 x 123 cm

Seite 213
La mort du patriarche
1962/1972
Holz, diverse Objekte
Gips, Farbe
230 x 110 x 30 cm
JGM. Galerie
Paris

Seite 214
New England Church
1963
Holz, Garn, Gips, Farbe
200 x 130 cm
JGM. Galerie
Paris

Seite 215
La femme éclatée ou l'accouchement du taureau
1963
Holz, Farbe
diverse Objekte
190 x 122 x 34 cm
Galerie de France
Paris

Seite 216
Tir à la moto
1963
Holz, diverse Objekte
Gips, Farbe
198 x 122 x 23 cm
Laura Condominas
Paris

Seite 217
Autel des femmes
1963
Holz, Farbe
diverse Objekte
250 x 305 x 37 cm

Seite 218
La mariée sous l'arbre
1963/64
Diverse Objekte und Stoff auf Drahtkonstruktion, Farbe
228 x 200 x 240 cm
Galerie de France
Paris

Seite 219
Le cheval et la mariée
1963/64
Diverse Objekte und Stoff auf Drahtkonstruktion, Farbe
235 x 300 x 120 cm

Seite 220
Crucifixion
1963/64
Diverse Objekte auf Drahtkonstruktion, Farbe
245 x 160 x 50 cm
Musée national d'art moderne
Centre Georges Pompidou
Paris

Seite 221
L'accouchement rose
1964
Diverse Objekte auf Drahtkonstruktion, Farbe
219 x 152 x 40 cm
Moderna Museet
Stockholm

Seite 222
Figure
1963/64
Garn auf Draht-konstruktion
Länge: 62 cm

Seite 223
Cœur rose
1964
Holz, Farbe
diverse Objekte
65 x 80 x 13 cm
JGM. Galerie
Paris

Seite 224
La tête aux roues
1964

Diverse Objekte und Garn auf
Drahtkonstruktion, Farbe
110 x 60 x 35 cm

Seite 225
Gilles de Rais
1964
Diverse Objekte auf
Drahtkonstruktion, Farbe
125 x 80 x 37 cm
JGM. Galerie
Paris

Seite 226
Clarice again
1965/1967
Polyester, bemalt
190 x 140 x 125 cm
Philip Mathews
New York

Seite 227
Nana Maison
1967/68
Polyester, bemalt
375 x 400 x 300 cm

Seite 228
La Waldaff
1965
Stoff und Wolle auf Bambus-
und Drahtkonstruktion
268 x 157 x 66 cm
Musée national d'art moderne
Centre Georges Pompidou
Paris

Seite 229
Bénédicte
1965
Stoff und Wolle auf
Drahtkonstruktion
80 x 104 x 87 cm

Seite 230
Black Rosy
1965/66
Stoff und Wolle auf Bambus-
und Drahtkonstruktion
225 x 150 x 85 cm

Seite 231
Black Venus
1965/1967
Polyester, bemalt
280 x 89 x 61 cm
Whitney Museum
of American Art
New York

Seite 232
Dancing Nana »Anna«
1966
Papiermaché, bemalt
Höhe: 125 cm

Seite 233
Gwendolyn
1966/1990
Polyester, bemalt
262 x 200 x 125 cm

Seite 234
Upside-down Nana
1967
Polyester, bemalt
188 x 128 x 95 cm
Clarice Rivers
New York

Seite 235
Nana verte à sac noir
1969
Polyester, bemalt
250 x 150 x 100 cm
Sammlung R. J. Schneider
Paris

Seite 236
Devouring Mothers
1970
Papiermaché, bemalt
Weiße Frau: 90 x 60 x 60 cm
Gelbe Frau: 84 x 78 x 70 cm
Tisch: 22 x 55 x 40 cm

Seite 237
Chien écrasé
1970
Polyester, bemalt
84 x 100 x 55 cm

Seite 238
Le rêve de Diane
1970
Polyester, bemalt
7 Skulpturen
Maße variabel

Seite 239
Le témoin
1970/71
Polyester, bemalt
240 x 255 x 110 cm
Galerie de France
Paris

Seite 240
Grande tête
1970
Polyester, bemalt
240 x 200 x 85 cm

Seite 241
*Tea Party, ou le thé
chez Angelina*
1971
Polyester, bemalt
Rote Frau: 175 x 180 x 100 cm
Grüne Frau: 194 x 120 x 100 cm
Tisch mit Objekten, Höhe: 130 cm
Durchmesser: 125 cm
Polyester, bemalt
Museum moderner Kunst
Stiftung Ludwig
Wien

Seite 242
Les funérailles du père
1971
Polyester, bemalt
Frau: 230 x 180 x 100 cm
Sarg: 70 x 200 x 120 cm
Kreuz: 250 x 160 x 40 cm

Seite 243
L'aveugle dans la prairie
1974
Polyester, bemalt
Kuh: 184 x 307 x 107 cm
Mann: 120 x 118 x 117 cm
Musée national d'art moderne
Centre Georges Pompidou
Paris

Seite 244
Grand oiseau amoureux
1974
Polyester, bemalt
310 x 295 x 105 cm
Sammlung Linda
und Guy Pieters
St.-Martens-Latem
Belgien

Seite 245
Nana fontaine
1974/1991
Durchmesser: 225 cm
Höhe: 55 cm
Brunnen: Polyester, bemalt
Sammlung Mylène und
Francis de Puydt
Gent

Seite 246
Arche de Noé
(Modell)
1978
Polyester, bemalt
39 x 60 x 27 cm
The Jerusalem Foundation

Seite 247
Le fil du discours
1979
Polyester, bemalt
Glühbirnen
128 x 50 x 35 cm
JGM. Galerie
Paris

Seite 248
La déesse de la lumière
1980
Polyester, bemalt
165 x 85 x 51 cm

Seite 249
Bon appétit
1980
Polyester, bemalt
Frau: 180 x 120 x 70 cm
Tisch: 80 x 120 x 125 cm
Hund: 75 x 35 x 50 cm

Seite 250
Charley chaise homme
1981/82
Polyester, bemalt
135 x 120 x 80 cm
Sammlung Micheline
und Charley Szwajcer
Antwerpen

Seite 251
Clarice chaise femme
1981/82
Polyester, bemalt
120 x 114 x 74 cm
Sammlung Micheline
und Charley Szwajcer
Antwerpen

Seite 252
La main
1983
Polyester, bemalt
Schmiedeeiserner Sockel
94 x 48 x 30 cm

Seite 253
Le rossignol
1983
Polyester, bemalt
Eisensockel
203 x 252 x 146 cm
Courtesy Galerie Bonnier
Genf

Seite 254
New man is coming
1980
Polyester, bemalt
216 x 174 x 12 cm
Bloum Condominas

Seite 255
Femme bleue
1984
Polyester, bemalt
Glühbirnen
208 x 127 x 5 cm
Gimpel Fils
London

Seite 256
La tempérance
1984
Polyester, bemalt
240 x 155 x 65 cm
Courtesy Galerie
Hans Mayer
Düsseldorf

Seite 257
La lune
1985/1992
Polyester, bemalt
300 x 121 x 105 cm

Seite 258
Le grand diable
1985
Polyester, bemalt
250 x 150 x 96 cm

Seite 259
Adam et Eve
1985/1989
Polyester, bemalt
170 x 200 x 150 cm

Seite 260
La mort
1985
Polyester, bemalt
34 x 43 x 28 cm
Gimpel & Weitzenhoffer
New York

Seite 261
La grande tête
1988
Polyester, bemalt
Glühbirnen, Eisensockel von
Jean Tinguely
255 x 225 x 140 cm
Galerie de France
Paris

Seite 262
L'arbre fontaine
1987/1989
Brunnen: Polyester, bemalt
260 x 295 x 200 cm
Gimpel & Weitzenhoffer
New York

Seite 263
L'ermite
1988
Polyester, bemalt
Glühbirne
233 x 110 x 85 cm
Gimpel Fils
London

Seite 264
Le pendu
1988
Polyester, bemalt
250 x 100 x 10 cm
Galerie de France
Paris

Seite 265
Le banc
1989
Polyester, bemalt
Spiegelmosaik
161 x 140 x 110 cm

Seite 266
Le champignon magique
1989
Polyester, Eisen
Spiegelmosaik
300 x 210 x 170 cm
Galerie de France
Paris

Seite 267
Le sphinx
1989
Polyester, bemalt
28 x 43 x 32 cm

Seite 268
Le monde
1989
Polyester, bemalt
Eisensockel von
Jean Tinguely
425 x 140 x 160 cm

Seite 269
Tête de mort
(Meditationsraum)
1990
Glas- und Spiegelmosaik
Keramik
230 x 310 x 210 cm

Seite 270
Blue Goddess
1990
Polyester, bemalt
Glühbirnen
90 x 31 x 37 cm
JGM. Galerie
Paris

Seite 271
Green Goddess
1990
Polyester, bemalt
Glühbirnen
90 x 31 x 37 cm
JGM. Galerie
Paris

Seite 272
Horus
1990
Bronze, bemalt
Eisensockel
230 x 140 x 160 cm
Sammlung Yoko Masuda
Tokio

Seite 273
Anubis
1990
Bronze, bemalt
Eisensockel
245 x 100 x 160 cm
JGM. Galerie
Paris

Seite 274
Thoëris
1990
Bronze, bemalt, Glühbirnen, Eisensockel
225 x 100 x 145 cm
JGM. Galerie
Paris

Seite 275
Le fou
1990
Polyester, bemalt
218 x 165 x 150 cm
Gimpel Fils
London

Seite 276
Le prophète
1990
Polyester, bemalt
Blattgold
270 x 70 x 70 cm
Galerie de France
Paris

Seite 277
Le temple idéal
(Kirche für alle Religionen)
1991
Polyester, bemalt
400 x 380 x 340 cm
Sammlung der
Künstlerin

Seite 278
Gilgamesch
1991
Polyester, bemalt
240 x 155 x 10 cm
JGM. Galerie
Paris

Seite 279
Lampe angulaire
1991
Polyester, bemalt
Glühbirnen
185 x 124 x 30 cm
JGM. Galerie
Paris

Seite 280
The wise man
1991/92
Spiegelmosaik
300 x 190 x 150 cm
Sammlung der
Künstlerin

Seite 281
Obélisque
1992
Glas- und Spiegelmosaik
Höhe: 400 cm
Sammlung der
Künstlerin

Seite 282
Méta-Tinguely
1992
Holz, Metall, Elektromotoren, Farbe
155 x 125 x 40 cm
Sammlung der
Künstlerin

Werke ohne Nennung
des Leihgebers
stammen aus
Privatbesitz

Anhang

1930
Catherine Marie-Agnès Fal de Saint Phalle wird am 29. Oktober um 6 Uhr 40 in Neuilly-sur-Seine unter dem Sternzeichen des Skorpions (Aszendent Skorpion) geboren. Sie ist das zweite der fünf Kinder von Jeanne Jacqueline, geborene Harper, und André Marie Fal de Saint Phalle.
Ihr Vater, als einer von sieben Brüdern Teilhaber des gemeinsamen Bankhauses, wird 1927 Leiter der New Yorker Filiale. Beim Börsenkrach 1930 verliert er das Unternehmen und sein gesamtes Vermögen. Marie-Agnès und ihr Bruder John werden zu den Großeltern väterlicherseits nach Frankreich geschickt und verbringen die folgenden drei Jahre im Nièvre.

1933
Marie-Agnès und John gehen zu den Eltern nach Greenwich / Connecticut zurück. Die Sommermonate verbringen sie alljährlich auf dem von Le Nôtre erbauten Schloß Filerval, das ihrem amerikanischen Großvater gehört.

1937
Die Familie bezieht ein Apartment an der East 88th Street in New York. Marie-Agnès, nun genannt Niki, besucht die Klosterschule ›Sacred Heart‹ in der East 91st Street.

1941
Niki de Saint Phalle wird von der Klosterschule gewiesen. Sie zieht daraufhin zu ihren Großeltern, die Frankreich wegen des zweiten Weltkrieges verlassen haben, nach Princeton/New Jersey. Dort besucht sie die Public School.

1942
Niki de Saint Phalle kommt zurück zu ihren Eltern und besucht die Brearley School in New York. Sie liest Edgar Allan Poe, Shakespeare und griechische Tragödien. Sie nimmt an Schulaufführungen teil und schreibt erste Gedichte und Stücke.

1944
Nach Meinung der Schuldirektorin sollte Niki de Saint Phalle sich wegen ihres Verhaltens entweder in psychiatrische Behandlung begeben oder die Schule verlassen. Ihre Eltern schicken sie auf eine Klosterschule in Suffren/New York.

1947
Niki de Saint Phalle macht an der Oldfield School in Maryland ihr Abitur.

1948-1949
Sie arbeitet als Photomodell. Ihr Foto erscheint in *Vogue*, *Harper's Bazaar* und auf der Titelseite des *Life Magazine*. Im Juni brennt Niki de Saint Phalle, 18, mit Harry Mathews, 19, durch; er ist Angehöriger der US-Marine.

1950
Im Februar heiraten Niki de Saint Phalle und Harry Mathews. Sie lassen sich in Cambridge/Massachusetts nieder. Er studiert Musik an der Harvard University, sie beginnt zu malen. Es entstehen erste Ölbilder und Gouachen.

1951
Im April kommt in Boston ihre Tochter Laura zur Welt.

1952
Niki, Harry und Laura Mathews verlassen Boston und beziehen in Paris eine Wohnung in der Rue Jean Dolent. Harry Mathews studiert Musik, um Dirigent zu werden, Niki Mathews besucht eine Schauspielschule. Der Erziehung ihrer Tochter widmen sie sich gemeinsam. Die Sommermonate verbringt die Familie in Südfrankreich, Spanien und Italien.

1953
Niki de Saint Phalle erleidet einen schweren Nervenzusammenbruch und wird in Nizza stationär behandelt.
Da ihr das Malen über die Krise hinweghilft, faßt sie den Entschluß, die Schauspielerei aufzugeben und Künstlerin zu werden. Zur selben Zeit bricht Harry Mathews das Musikstudium ab und schreibt seinen ersten Roman.

1954
Im März kaufen Niki und Harry Mathews in Nizza ihr erstes Auto. Sie fahren zurück nach Paris, wo sie zusammen mit Anthony Bonner, einem amerikanischen Jazzmusiker und Komponisten, ein Haus bewohnen. Niki Mathews wird dem amerikanischen Maler Hugh Weiss vorgestellt, der fünf Jahre lang ihr Mentor ist und sie dazu ermutigt, ihren autodidaktischen Stil beizubehalten. Im September ziehen Niki, Harry und Laura Mathews von Paris nach Deyá/Mallorca.

1955
Im März kommt der Sohn Philip zur Welt. Sie besucht Madrid und Barcelona, wo sie Gaudí für sich entdeckt.
Im August kehrt die Familie nach Paris zurück und bezieht ein Appartement in der Rue Alfred Durand-Claye. In diesem Jahr begegnet Niki zum erstenmal Jean Tinguely und seiner Frau Eva Aeppli.
Niki Mathews besucht häufig den Louvre. Sie lernt die Werke von Paul Klee, Henri Matisse, Pablo Picasso und Henri Rousseau kennen. Sie besichtigt Joseph Ferdinand Chevals phantastische Architektur *Le Palais Idéal* in Hauterives.

1956/1958
Die Familie Mathews lebt in Lens-en-Vercors in den französischen Alpen. Niki Mathews malt eine Reihe von Ölbildern, die sie 1956 zum erstenmal in St. Gallen ausstellt. Durch ihren Mann trifft sie viele zeitgenössische Autoren, darunter John Ashbery und Kenneth Koch.

1959
Im Musée d'Art Moderne de la Ville de Paris sieht Niki Mathews erstmals die Arbeiten der amerikanischen Künstler Jasper Johns, Willem de Kooning, Jackson Pollock und Robert Rauschenberg.

1960
Sie trennt sich von Harry Mathews; er zieht mit den Kindern in die Rue de Varenne, während Niki in der Rue Alfred Durand-Claye bleibt. Sie setzt ihre künstlerischen Experimente fort. Es entstehen Assemblagen in Gips und ›Target‹-Bilder. Ende 1960 zieht Niki de Saint Phalle mit Jean Tinguely in die Impasse Ronsin, wo sich beide ein Atelier teilen. Durch Jean Tinguely lernt sie Pontus Hulten, den Direktor des Moderna Museet kennen. Er ermöglicht Niki de Saint Phalle die Teilnahme an wichtigen Ausstellungen, die zu dieser Zeit stattfinden, und kauft einige ihrer Werke für das Moderna Museet an.

1961
Im Februar findet im Musée d'Art Moderne de la Ville de Paris die Gruppenausstellung *Comparaisons: Peinture Sculpture* statt. Niki de Saint Phalle stellt ihr erstes Werk – eine ›Target‹-Montage mit dem Titel *Portrait of my Lover* aus. Am 12. Februar organisiert sie die erste von mehr als 12 Schießaktionen, die 1961 und 1962 stattfinden. Dabei wird mit einem Gewehr auf präparierte Reliefs geschossen, wodurch unter dem Gips verborgene Farbbeutel ihren Inhalt über das Bild verspritzen. Das fertige Bild wird auch ›tir‹ genannt. Unter den Besuchern des ersten ›tir‹ sind Mitglieder der Künstlergruppe Nouveaux Réalistes. Pierre Restany lädt Niki de Saint Phalle ein, der Gruppe, zu der Arman, César, Christo, Gérard Deschamps, François Dufrêne, Raymond Hains, Yves Klein, Martial Raysse, Mimmo Rotella, Daniel Spoerri, Jean Tinguely und Jacques de la Villeglé gehören, beizutreten. Im März nimmt Niki de Saint Phalle an der von Pontus Hulten organisierten Ausstellung *Bewogen Beweging* im Stedelijk Museum in Amsterdam teil. Sie wird später im Moderna Museet in Stockholm und im Louisiana Museum im dänischen Humlebaek gezeigt.
Im Juni hat Niki de Saint Phalle ihre erste Einzelausstellung in der von Jeannine Restany betriebenen Galerie J. Leo Castelli, Robert Rauschenberg und alle Nouveaux Réalistes besuchen die Vernissage. Rauschenberg kauft ein Tir.
Am 20. Juni beteiligen sich Jasper Johns, Robert Rauschenberg, Niki de Saint Phalle und Jean Tinguely an einem Konzert in der Amerikanischen Botschaft in Paris. Während David Tudor die Musik von John Cage auf dem Flügel spielt, entstehen auf der Bühne die Kunstwerke.
Pierre Restany veranstaltet in der Galerie Muratore in Nizza das *Festival des Nouveaux Réalistes*. Zur Eröffnung am Abend des 13. Juli veranstaltet Niki de Saint Phalle eine Schießaktion in der Abbaye Roseland, an der alle Nouveaux Réalistes beteiligt sind. Von Marcel Duchamp werden Niki de Saint Phalle und Jean Tinguely Salvador Dalí vorgestellt. Während einer Spanienreise im August werden beide aufgefordert, an einem Fest zu Ehren von Salvador Dalí teilzunehmen. Aus Gips und Papier stellen sie einen lebensgroßen Stier her, der in der Arena von Figueras mit einem Feuerwerk explodiert.
Im Oktober nimmt Niki de Saint Phalle an der Ausstellung *The Art of Assemblage* im Museum of Modern Art in New York teil, die anschließend vom Dallas Museum for Contemporary Art und vom San Francisco Museum of Art übernommen wird.
Von Juni bis September des Jahres wird weltweit in über 50 Zeitschriften über Niki de Saint Phalle berichtet.

1962
Im Februar reisen Niki de Saint Phalle und Jean Tinguely nach Kalifornien und besuchen in Watts Simon Rodias *Tower*. Im März stellt Jean Tinguely in der Everett Ellin Gallery in Los Angeles aus. Unter Mithilfe von Niki de Saint Phalle organisiert er das Happening *Study for the end of the world No. 2* in der Wüste von Nevada. Niki de Saint Phalle inszeniert ihre ersten beiden Schießaktionen in den USA: die erste findet am Strandhaus von Virginia Dwan in Malibu, die zweite, assistiert von Edward Kienholz, in den Hügeln von Malibu statt. Niki de Saint Phalle und Jean Tinguely reisen nach Mexiko. Im Mai wirken Niki de Saint Phalle, Jean Tinguely und zahlreiche andere Künstler in Kenneth Kochs Stück »Construction of Boston« mit. Bei der Aufführung im Maidman Playhouse in New York entsteht die Tir-Skulptur *Vénus de Milo*.
Nach ihrer Rückkehr zeigt sie in einer Einzelausstellung der Pariser Galerie Rive Droite zehn Altar- und Kathedral-Assemblagen. Alexander Iolas, der zu den Besuchern gehört, bietet Niki de Saint Phalle für den Oktober eine Ausstellung in New York an. Er unterstützt Niki de Saint Phalle jahrelang finanziell und veranstaltet für sie zahlreiche Ausstellungen, obwohl nur wenige Exponate verkauft werden. Durch ihn trifft Niki de Saint Phalle mit den surrealistischen Malern Victor Brauner, Max Ernst und René Magritte zusammen.
Plötzlicher Tod von Yves Klein im Juni.
Im August beteiligt sich Niki de Saint Phalle an *Dylaby* (Dynamic Labyrinth), einer großen Installation am Stedelijk Museum in Amsterdam. Auch Robert Rauschenberg, Martial Raysse, Jean Tinguely und Per Olof Ultvedt wirken mit.
Im Oktober eröffnet Niki de Saint Phalle

ihre erste New Yorker Einzelausstellung in der Galerie Alexander Iolas. Neben zehn weiteren Arbeiten zeigt sie *Homage to Le Facteur Cheval.*

1963
Im Mai organisiert Virginia Dwan eine Schießaktion in Los Angeles, bei der Niki de Saint Phalle auf ihr monumentales Werk *King Kong* schießt. Niki de Saint Phalle und Jean Tinguely leben von nun an in dem ehemaligen Landgasthof ›Auberge du cheval blanc‹ in Soisy-sur-Ecole bei Essonne. Niki de Saint Phalle setzt sich mit den verschiedenen Rollen der Frau auseinander und so entstehen Gebärende, verschlingende Mütter, Hexen und Huren.

1964
Auf der ersten Londoner Einzelausstellung in der Hanover Gallery werden Bräute, Wollköpfe und Drachen gezeigt. Im Oktober beginnen Niki de Saint Phalle und Jean Tinguely im New Yorker Chelsea Hotel, einem damaligen Treffpunkt für Künstler, zu arbeiten.

1965
Sie verbringt den Sommer in den Hamptons, Long Island, wo aus Wolle, Garn, Papiermaché und Drahtgerüsten die ersten Nanas entstehen. Im September zeigt Niki de Saint Phalle ihre Nanas auf einer Einzelausstellung der Pariser Galerie Alexandre Iolas. Auf Anregung des Galeristen beginnt Niki de Saint Phalle Siebdrucke zu machen.

1966
In Zusammenarbeit mit Martial Raysse und Jean Tinguely entwirft Niki de Saint Phalle das Bühnenbild und die Kostüme zu Roland Petits Ballett *Eloge de la folie*, das im März am Pariser Théâtre des Champs Elysées aufgeführt wird.
Im Juni werden Niki de Saint Phalle, Jean Tinguely and Per Olof Ultvedt von Pontus Hulten eingeladen, in der großen Eingangshalle des Moderna Museet in Stockholm eine Skulptur zu installieren. Sie entschließen sich zu einer monumentalen, liegenden Nana von 28 Metern Länge, 9 Metern Breite und 6 Metern Höhe. Das Werk trägt den Titel *Hon* (sie).
Während der Arbeit in Stockholm lernen Niki de Saint Phalle und Jean Tinguely den jungen Schweizer Künstler Rico Weber kennen. Er arbeitet mit ihnen an *Hon* und bleibt zehn Jahre lang Assistent und Mitarbeiter beider Künstler.
Im Oktober entwirft Niki de Saint Phalle das Bühnenbild und die Kostüme zu der Komödie *Lysistrata* von Aristophanes, die von Rainer von Diez am Staatstheater Kassel inszeniert wird.

1967
Niki de Saint Phalle und Jean Tinguely entwerfen *Le paradis fantastique*, ein Auftragswerk der französischen Regierung für den französischen Pavillon auf der Expo '67 in Montreal. Das Werk besteht aus neun bemalten Skulpturen von Niki de Saint Phalle und sechs schwarzen kinetischen Maschinen von Jean Tinguely. Sie werden anschließend in Buffalo in der Albright-Knox Art Gallery, dann ein Jahr lang im New Yorker Central Park gezeigt. Heute befindet sich das Werk in Stockholm, in der Nähe des Moderna Museet.
Im August findet Niki de Saint Phalles erste Retrospektive im Stedelijk Museum in Amsterdam statt: *Les Nanas au pouvoir*. Für diese Ausstellung entstehen aus Polyester, einem Material, mit dem sie seit kurzem arbeitet, das erste Nana-Traumhaus, der erste Nana-Brunnen und der Plan zu einer Nana-Stadt.

1968
Im Juni wird am Staatstheater Kassel das erste Stück von Niki de Saint Phalle – *ICH (all about ME)* – aufgeführt. Co-Autor ist Rainer von Diez. Bühnenbild und Kostüme stammen von Niki de Saint Phalle.
Im Oktober zeigt Niki de Saint Phalle in der Pariser Galerie Alexandre Iolas ihr achtzehnteiliges Wandrelief *Last night I had a dream*.
Niki de Saint Phalle entwirft aufblasbare Nanas, die in New York vertrieben werden.
Ende des Jahres leidet Niki de Saint Phalle an ernsthaften Atembeschwerden, verursacht durch Einatmen von Polyesterdämpfen und von Polyesterstaub.

1969
Reise nach Indien.
Niki de Saint Phalle beginnt mit der Arbeit an ihrem ersten Architekturprojekt: drei Häuser in Südfrankreich für Rainer von Diez. Das Whitney Museum of American Art in New York erwirbt die Skulptur *Black Venus* und zeigt sie im April in der Ausstellung *Contemporary American Sculpture, Selection 2*. Beginn von *La tête* (*Le Cyclope*), einem Gemeinschaftsprojekt zahlreicher Künstler im Wald von Fontainebleau. Initiator ist Jean Tinguely.

1970
In Mailand findet zum zehnjährigen Jubiläum der Nouveaux Réalistes ein Festival statt, bei dessen Eröffnung Niki de Saint Phalle auf eine Altar-Assemblage schießt. Unter dem Titel *Nana Power* erscheint in Paris eine Reihe von 17 Serigraphien.
Erste Ägyptenreise zusammen mit Jean Tinguely.

1971
Am 13. Juli heiraten Niki de Saint Phalle und Jean Tinguely in Soisy.
Sie reisen nach Marokko.
Auf Bali kommt die Enkelin Bloum zur Welt. Sie ist die Tochter von Laura und Laurent Condominas.
Niki de Saint Phalle entwirft erstmals Schmuck.
Ende des Jahres beginnt sie im Rabinovitch Park in Jerusalem mit dem Bau des *Golem*, einer Architektur für Kinder.

1972
Um großformatige Skulpturen und Editionen herzustellen, arbeitet Niki de Saint Phalle von nun an mit dem Polyesterfabrikanten Haligon zusammen. Im Juli mietet Niki de Saint Phalle das Château de Mons bei Grasse in Südfrankreich: Beginn der Dreharbeiten zu der ersten Version des Films *Daddy*, der in Kooperation mit Peter Whitehead entsteht und im November im Londoner Hammer Cinema gezeigt wird.
Niki de Saint Phalle besucht Griechenland.

1973
Im Januar entsteht in Soisy und New York eine überarbeitete Fassung von *Daddy* mit Mia Martin, Clarice Rivers und Rainer von Diez. Die Weltpremiere der überarbeiteten Fassung des Films *Daddy* findet im April im Rahmen des 11. New Yorker Film Festivals im Lincoln Center statt.
Niki de Saint Phalle entwirft einen Swimming Pool für Georges Plouvier aus Saint-Tropez. Im belgischen Knokke-le-Zoute baut sie *Le Dragon*, ein komplett ausgestattetes Spielhaus für die Kinder von Fabienne und Roger Nellens.

1974
Für die Stadt Hannover installiert Niki de Saint Phalle drei riesige Nanas.
In der Alexandre Iolas Galerie in Paris werden die Modelle von realisierten und nicht-realisierten Architekturprojekten ausgestellt. Infolge jahrelangen Umgangs mit Polyester leidet Niki de Saint Phalle an einem Lungenabszeß. Nach einem Krankenhausaufenthalt zieht sie nach Sankt Moritz, um sich zu erholen. Zu dieser Zeit begegnet sie Marella Caracciola, einer alten Freundin aus New York. Sie erfährt von Niki de Saint Phalles Traum, einen Skulpturengarten zu errichten, und ihre Brüder stellen zur Verwirklichung ein Stück Land in der Toskana zur Verfügung.

1975
Niki de Saint Phalle schreibt das Drehbuch zu dem Film *Un rêve plus long que la nuit*. An den Dreharbeiten zu dem Märchen beteiligen sich viele Künstlerfreunde. Für die Ausstattung entwirft Niki de Saint Phalle einige Möbelstücke.

1976
Niki de Saint Phalle verbringt das ganze Jahr in den Schweizer Bergen, wo sie an der Planung des Skulpturengartens arbeitet.

1977
Niki de Saint Phalle entwirft in Zusammenarbeit mit Constantin Mulgrave die Ausstattung zu dem Film *The Travelling Companion*, der auf einer Erzählung von Hans Christian Andersen basiert. Sie reist nach Mexiko und New Mexico. Ricardo Menon wird für die nächsten zehn Jahre ihr Assistent und Mitarbeiter.

1978
Niki de Saint Phalle beginnt in Garavicchio in der Toskana auf dem Grundstück von Carlo und Nicola Caracciolo mit der Anlage des *Giardino dei Tarocchi*. Sie skizziert Modelle zu den Tarotkarten, die später als Grundlage für den Bau gigantischer Skulpturen dienen.

1979
Niki de Saint Phalle verbringt die meiste Zeit des Jahres in der Toskana, wo die Fundamente zum Tarot-Garten gelegt werden. Sie erfindet neue Skulpturen, die Skinnies. Im März bekommt Niki in der Galerie Watari in Tokio ihre erste Ausstellung in Japan. Die Galerie Gimpel & Weitzenhoffer in New York stellt mit *Monumental Projects* Modelle und Photographien ihrer architektonischen Entwürfe vor. Die Ausstellung wandert durch die Vereinigten Staaten.

1980
Im April beginnt die Arbeit an den ersten Skulpturen für den Tarot-Garten, *Magier* und *Hohepriesterin*.
In Ulm wird auf dem Gelände der Universität ihre Skulptur *Le poète et sa muse* aufgestellt. Gleichzeitig findet von Mai bis Juli eine Ausstellung zu ihren graphischen Werken statt.
Von Juli bis September widmet das Centre Georges Pompidou in Paris Niki de Saint Phalle eine Retrospektive.
Yoko Masuda organisiert in Tokio die erste Ausstellung für Space Niki.
Die erste Auflage von Möbeln von Niki de Saint Phalle wird produziert.

1981
Niki de Saint Phalle mietet ein Häuschen in der Nähe des Tarot-Gartens. Auf den umliegenden Bauernhöfen werden Hilfskräfte angeheuert, die an dem Projekt mitarbeiten. Jean Tinguely und sein All Star Swiss Team mit Sepp Imhof und Rico Weber übernehmen das Schweißen der Tarot-Skulpturen.
Im Frühjahr bemalt sie für die Peter Stuyvesant Foundation in Amsterdam das Chassis für ein neues zweimotoriges Flugzeug, den *Piper aerostar 602 P*.

1982
Auf Anregung eines amerikanischen Unternehmens kreiert Niki de Saint Phalle ein Parfum. Die Einnahmen hieraus dienen der Finanzierung des Tarot-Gartens.
Jean Tinguely erhält von der Stadt Paris den Auftrag zu einem Brunnen neben dem Centre Pompidou. Als Mitarbeiterin wählt er Niki de Saint Phalle, da er seine Maschinen mit bunten Skulpturen kombinieren möchte.
Die Galerien Gimpel & Weitzenhoffer in New York und Gimpel Fils in London zeigen Niki de Saint Phalles Skinnies.
Die Arbeiten am Tarot-Garten gehen weiter.
Der niederländische Künstler Doc Winsen übernimmt Tinguelys Part und arbeitet an der Stahlkonstruktion der Skulpturen.
Ende des Jahres kann mit dem Auftragen von Zement begonnen werden.
Niki de Saint Phalle wird erstmals von rheumatischer Arthritis befallen, die ihr viele Jahre zu schaffen macht.

1983
Die Stuart Foundation bestellt für das Gelände der University of California in San Diego die Skulptur *Sun God*.
Im Tarot-Garten bezieht Niki de Saint Phalle das Gebäude *Herrscherin*, das in Form einer Sphinx angelegt ist. Sie beschließt, für die Skulpturen neben Spiegeln und Glas auch Keramik zu verwenden. Ricardo Menon entdeckt die römische Keramiklehrerin Venera Finocchiaro, die von nun an sämtliche Keramiken herstellt.

1984
Niki de Saint Phalle arbeitet permanent am Tarot-Garten.

1985
Die Gebäude *Magier*, *Turm*, *Herrscherin* und *Hohepriesterin* werden vollendet. Jean Tinguely baut eine Maschine für den *Turm zu Babel*.

1986
Niki de Saint Phalle verbringt die meiste Zeit des Jahres in Garavicchio, wo weitere Skulpturen ihres Tarot-Garten installiert werden.
In Zusammenarbeit mit Prof. Silvio Barandun schreibt und illustriert Niki de Saint Phalle das Buch *AIDS: You can't catch it holding hands*. Es wird veröffentlicht und anschließend in fünf Sprachen übersetzt.
Ricardo Menon geht zurück nach Paris, um eine Schauspielschule zu besuchen. Er bringt Niki de Saint Phalle mit Marcelo Zitelli zusammen, der ihr Mitarbeiter wird. Es entsteht eine Serie Polyestervasen in Tierform.

1987
Im März eröffnet die Kunsthalle der Hypo-Kulturstiftung in München die große Ausstellung *Niki de Saint Phalle - Bilder - Figuren - Phantastische Gärten*.
Im Nassau County Museum of Fine Art in Roslyn/Long Island findet unter dem Titel *Fantastic Visions: Works by Niki de Saint Phalle* die erste Retrospektive in Amerika statt.

1988
Niki de Saint Phalle und Jean Tinguely erhalten vom französischen Präsidenten François Mitterrand den Auftrag zu einem Brunnen in Château-Chinon, wo dieser viele Jahre Bürgermeister war. Im März wird der Brunnen, der sich vor dem Rathaus befindet, von Mitterrand eingeweiht.
Für das Schneider Children's Hospital auf Long Island gibt Helen Schneider einen Brunnen in Auftrag. Niki de Saint Phalle entwirft einen 5,50 Meter hohen Schlangenbaum.

1989
Niki de Saint Phalle bekommt eine Doppelausstellung in der JGM. Galerie und der Galerie de France: *Œuvres des années '80*.
Zum erstenmal arbeitet sie mit Bronze und entwirft eine Serie ägyptischer Gottheiten, die gegossen werden sollen.
Ricardo Menon stirbt an AIDS.
In Zusammenarbeit mit ihrem Sohn Philip Mathews entsteht ein Zeichentrickfilm, der an ihr Buch »AIDS: You can't catch it holding hands« anknüpft.

1990
Im Juni stellt Niki de Saint Phalle in Paris gleichzeitig in der Galerie de France und der JGM. Galerie aus. Gezeigt werden Arbeiten aus den sechziger Jahren: *Tirs... et autres révoltes 1961-1964*.
Im November stellt Niki de Saint Phalle am Pariser Musée des Arts Décoratifs ihren Film über AIDS vor. Parallel dazu werden Zeichnungen zum Film und zur überarbeiteten Fassung des Buches gezeigt. *Le sida, tu ne l'attraperas pas...* wird von der Agence française de lutte contre le sida veröffentlicht und in ganz Frankreich an Schüler verteilt.

1991
Niki de Saint Phalle vergrößert ein 1972 entstandenes Modell des *Temple Idéal* (eine Kirche für alle Religionen) im Maßstab 1:4. Die Originalarchitektur (16 Meter hoch) soll im Herbst 1992 unter der Schirmherrschaft des Bürgermeisters Jean Bousquet in Nîmes errichtet werden.
Im August stirbt Jean Tinguely. Niki de Saint Phalle stellt ihre erste kinetische Skulptur her und nennt sie *Méta-Tinguely*.

1956
St. Gallen, Galerie Restaurant Gotthard. *Niki Mathews New York Gemälde, Gouachen.* 28. April–19. Mai. Erste Ausstellung.

1961
Paris, Galerie J. *Feu à Volonté.* 30. Juni–12. Juli. Organisation Pierre Restany. Broschüre mit einem Essay von Pierre Restany. Erste Einzelausstellung mit Schießbildern.
Kopenhagen, Galerie Køpcke. *Niki de Saint-Phalle.* Eröffnung 15. September.

1962
Los Angeles, Everett Ellin Gallery unterstützt Niki de Saint Phalles Schießaktion – Schußweite 6 m, Sonntag, 4. März, 16.00 Uhr. Jean Tinguely und Ed Kienholz assistieren. Erste öffentliche Schießaktion in den USA.
Malibu Hills, Kalifornien. Schießaktion – ein 2,4 m hoch gesetzter Schuß auf 5 m Entfernung, daneben ein kleinerer Schuß, Sonntagnachmittag, Ende März oder Anfang April, in Südkalifornien.
Paris, Galerie Rive Droite. *Niki de Saint-Phalle.* 15. Juni–15. Juli. Katalog.
New York, Alexander Iolas Gallery in Zusammenarbeit mit Jean Larcade, Paris. *Niki de Saint Phalle.* 15. Oktober–3. November. Broschüren. Mechanisches Werk für eine Schieß-Galerie *Homage to Le Facteur Cheval* von Jean Tinguely.

1963
Los Angeles, Dwan Gallery sponsert im Sommer *King Kong,* ein großes Schießbild.

1964
Los Angeles, Dwan Gallery in Zusammenarbeit mit der Alexander Iolas Gallery. *Niki de Saint Phalle.* 5.–31. Januar.
Genf, Galerie Alexandre Iolas. *Niki de Saint-Phalle.* 1.–22. April. Broschüre mit einem Text von Georges Peillex.
London, Hanover Gallery. *Niki de Saint Phalle: You are my Dragon.* 23. September–17. Oktober.

1965
New York, Alexander Iolas Gallery. *Niki de Saint Phalle.* 16. April–1. Mai.
Paris, Galerie Alexandre Iolas. *Niki de Saint Phalle.* 30. September–30. Oktober. Künstlerbuch. Die ersten Nanas werden gezeigt.

1966
New York, Alexander Iolas Gallery. *Niki de Saint Phalle.* 29. März–23. April. Künstlerbuch. Die Nanas werden erstmals in New York gezeigt.

1967
Amsterdam, Stedelijk Museum. *Niki de Saint Phalle: Les Nanas au Pouvoir.* 26. August–15. Oktober. Betreut von Ad Petersen. Katalog. Anläßlich dieser Retrospektive entsteht das erste *Nana Dream House.* Erweitert geht die Ausstellung an den Kunstverein für die Rheinlande und Westfalen in Düsseldorf: *Niki de Saint Phalle: Werke 1962–1968.* 19. November 1968–1. Januar 1969. Katalog.
New York, Alexander Iolas Gallery (Papiermaché – Tiere in einem Zoo). März
Amsterdam, Galerie Espace. *Niki de Saint Phalle: voir les mini-nanas en plâtre peint et aussi des dessins.* 26. August–16. September.

1968
London, Hanover Gallery. *Niki de Saint Phalle.* 2. Oktober–1. November. Künstlerbuch.
Paris, Galerie Alexandre Iolas. *Flash Niki de Saint Phalle: Hier soir j'ai fait un rêve.* 24. Oktober–6. November.
Zürich, Gimpel & Hanover Galerie. *Niki de Saint Phalle.* 18. Mai–6. Juli. Broschüre.

1969
Hannover, Kunstverein Hannover, Künstlerhaus. *Niki de Saint Phalle: Werke 1962–1968.* 2. März–2. April. Katalog.
München, Galerie Stangl. *Plastiken, Zeichnungen und Graphiken von Niki de Saint Phalle.* 6. Mai–21. Juni. Broschüre.
Luzern, Kunstmuseum Luzern. *Niki de Saint Phalle.* 27. Juli–14. September.
Beverly Hills, Kalifornien, Frank Perls Gallery. *Neue Lithographien und Skulpturen.* Juli–August.
Genf, Galerie Alexandre Iolas. *Niki de Saint Phalle: nana fontaine.* September.
Amsterdam, Galerie Seriaal. *Niki de Saint Phalle: grafieken en reliefs in Seriaal.* 20.–29. September.

1969/1970
London, Hanover Gallery. *Niki de Saint Phalle.* 10. Dezember–10. Januar.

1970
Paris, Galerie Alexandre Iolas. *Niki de Saint Phalle: Le Rêve de Diane,* 5.–28. Februar.
Mailand, Galerie Alexandre Iolas. *La machine à rêver.* Oktober. Künstlerbuch.
Paris, La Hune. *Niki de Saint Phalle: Nana Power.* 20. November–4. Dezember.
Basel, Galerie Felix Handschin. März

1970/1971
Zürich, Gimpel & Hanover Galerie. *Niki de Saint Phalle zeigt neue Objekte und Serigraphien.* 3. Dezember–12. Januar.

1971
Bern, Kammerkunsthalle Bern. *Niki de Saint Phalle: Serigrafien und kleine Skulpturen.* 27. Februar–4. Mai.
Rom, La Galleria, Cavalieri Hilton. *Niki de Saint Phalle: Serigrafie – Sculture.* 26. März–17. April. Broschüre mit Wiederabdruck eines Textes von Pierre Descargues.
Stockholm, Svensk-Franska Konstgallerier. *Niki de Saint Phalle: Nana Power polykroma skulpturer.* Eröffnung 6. Mai.
Amsterdam, Galerie Espace. *Niki de Saint Phalle: ›the devouring mothers‹ and other sculptures.* 6. September–16. Oktober.
Amsterdam, Galerie Seriaal. *Niki de Saint Phalle: new multiples & graphics.* 4.–25. September.

1972
Paris, Galerie Alexandre Iolas. *Niki de Saint Phalle: Les Funérailles du Père.* 23. Februar–25. März.
Genf, Galerie Bonnier. *Niki de Saint-Phalle: Niki avant les Nanas, œuvres de 1963 et 1964.* 19. Oktober–16. November.

1972/1973
London, Gimpel Fils. *Niki de Saint Phalle: The Devouring Mothers.* 4. Dezember–27. Januar. Künstlerbuch.

1973
New York, Gimpel & Weitzenhoffer Gallery. *Niki de Saint Phalle: The Devouring Mothers.* 10. April–5. Mai.

1974
Paris, Galerie Alexandre Iolas. *Niki de Saint Phalle: Projets & Réalisations d'Architecture.* 5. Februar–2. März. Künstlerbuch.
Baden-Baden, Galerie Dr. Ernst Hauswedell. *Niki de Saint Phalle: Skulpturen, Zeichnungen, Graphik, Ballon-Nanas.* 12. Juni–14. Juli.

1975
Arles, Veranstaltung anläßlich des Festival d'Arles '75 im romanischen Kloster Saint-Trophime. *Niki de Saint-Phalle.* 9. Juli–30. September. Broschüre.
Brüssel, Palais des Beaux-Arts. *Festival Europalia-France 1975.* Die Fassade des Ausstellungsgebäudes ist mit Teilen von *Hier soir j'ai fait un rêve* dekoriert.

1976
Rotterdam, Museum Boymans-van Beuningen. *Beelden, modellen en maquettes van Niki de Saint Phalle.* 21. Juli–5. September. Künstlerbuch.
Aalborg, Nordjyllands Kunstmuseum. *Niki de Saint-Phalles sculpturer.* 16. September–24. Oktober. Katalog.
Genf, Galerie Bonnier. *Niki de Saint Phalle.* Eröffnung am 23. September.

1977/1978
New York, Gimpel & Weitzenhoffer Gallery. *Niki de Saint Phalle: Sculptures and Graphics.* 29. November–21. Januar.

1979
Tokio, Galerie Watari. *Niki de Saint Phalle.* 13. März–4. April. Katalog.
New York, Gimpel & Weitzenhoffer Gallery. *Niki de Saint Phalle: Monumental Projects, Maquettes and Photographs.* 3. April–23. Mai. Broschüre. Übernahmen: Columbus Museum of Art, Columbus, Ohio, 17. Mai–22. Juni 1980; Laumeier Sculpture Park, St. Louis, Missouri, 25. Februar–5. April 1981; Mandeville Art Gallery, University of California at San Diego, La Jolla, 16. Oktober–25. November 1981; Palm Springs Desert Museum, Palm Springs, Kalifornien.

1980
Zürich, Galerie Bischofberger. *Niki de St. Phalle: Werke 1960–80.* 22. März–15. April.
Ulm, Ulmer Museum. *Niki de Saint Phalle: Das graphische Werk 1968–1980 Figuren.* 18. Mai–6. Juli. Katalog.
Paris, Musée national d'art moderne, Centre Georges Pompidou. *L'Exposition Retrospective de Niki de Saint Phalle.* 3. Juli–1. September. Betreut von Pontus Hulten und Jean-Yves Mock. Katalog. Übernahmen: Wilhelm-Lehmbruck-Museum der Stadt Duisburg, 19. Oktober–30. November 1980; Neue Galerie der Stadt Linz, 11. Dezember 1980–31. Januar 1981; Kunsthalle Nürnberg, 20. Februar–19. April 1981; Haus am Waldsee, Berlin, 3. Mai–14. Juni 1981; Kunstmuseum Hannover mit Sammlung Sprengel, 28. Juni–23. August 1981; Moderna Museet, Stockholm, 12. September–25. Oktober 1981.

1980/1981
Tokio, Space Niki (Eröffnungsausstellung). *Niki de Saint Phalle (Space Niki Collection), Part 1 – Prints ›Nana Power‹,* 13. Dezember–15. Februar; *Part 2 – Posters and Film ›Daddy‹,* 21. März–19. April, Katalog; *Part 3 – Prints ›Ich‹ etc.,* 28. April–28. Juni; *Part 4 – Newly Imported Prints,* 28. August–18. Oktober; *Part 5 – Portraits & Film ›Daddy‹,* 23. Oktober–15. November; *Part 6 – Sculptures,* 20. November–20. Dezember.

1981
Paris, Galerie Samy Kinge. *Niki de Saint Phalle.* 19. Februar–21. März.

1982
Tokio, Galerie Watari. *Niki de Saint Phalle: Nana Objet.* 18. Januar–20. Februar.
New York, Gimpel & Weitzenhoffer Gallery. *Niki de Saint Phalle: New Works (My Skinnies).* 11. Mai–5. Juni. Katalog.
London, Gimpel Fils. *My Skinnies.* 15. Juni–31. Juli. Katalog.

1982/1983
Tokio, Space Niki. *Niki de Saint Phalle.* 11. Dezember–28. Februar.

1983
Montreal, Galerie Esperanza (Eröffnungsausstellung), *Niki de Saint Phalle: Sculptures et Lithographies.* 12. April–14. Mai. Broschüre.

1985
Basel, Galerie Littmann. *Niki de Saint Phalle 1962–1980: Retrospektive.* 30. Mai–3. August. Katalog.
Knokke-le-Zoute, Casino Knokke. *Niki de Saint Phalle.* 30. Juni–1. September. Broschüre mit einem Text von Pierre Restany.
London, Gimpel Fils. *Niki de Saint Phalle: The Tarot.* 2. Juli–14. September. Künstlerbuch.
New York, Gimpel & Weitzenhoffer Gallery. *Niki de Saint Phalle: New Sculptures Based on ›The Tarot‹.* 3. September–5. Oktober.

1986
Tokio, Space Niki and Sagacho Exhibit Space. *Niki de Saint Phalle (Space Niki Collection): sculptures prints drawings films video performance talk-session.* 1. April–28. Juni und 1.–24. April. Kataloge.
Tokio, Space Niki. *Niki de Saint Phalle (Space Niki Collection), Prints.* 2.–15. Juli.
Ohtsu, Japan, Ausstellung des Space Niki im Seibu Department Store. *Niki de Saint Phalle (Space Niki Collection).* 30. Oktober–24. November. Broschüre.
Paris, Galerie Colette Creuzevault. *5 Vases par Niki de St. Phalle.* 3.–31. Dezember. Katalog.

1986/1987
Helsinki, Galerie Kaj Forsblom. *Niki de Saint Phalle: Veistoksja ja reliefejä-sculptures et reliefs.* 27. November–4. Januar. Broschüre.

1987
München, Kunsthalle der Hypo-Kulturstiftung. *Niki de Saint Phalle: Bilder – Figuren – Phantastische Gärten.* 26. März–5. Juli. Buch.
Genf, Galerie Bonnier. *Niki de Saint Phalle: Œuvres Récentes.* 29. September–Oktober. Katalog.

1987/1988
Roslyn, New York, Nassau County Museum of Fine Art. *Fantastic Vision: Works by Niki de Saint Phalle.* 27. September–3. Januar. Betreut von Phyllis Stigliano und Janice Parente. Katalog.

1988
London, Gimpel Fils. *Niki de Saint Phalle: The Wounded Animals.* 7. Juni–10. September. Künstlerbuch.
Canterbury, The Canterbury Theatre and Festival Trust, Ausstellung im Dominikanerkloster (Blackfriars). *Sculptures by Niki de Saint Phalle.* 2.–22. Oktober.

1989
Paris, Galerie de France und JGM. Galerie. *Niki de Saint Phalle: Œuvres des Années 80.* 12. Mai–17. Juni beziehungsweise 12. Mai–24. Juni. Eingerichtet von Jean Tinguely. Katalog. Übernahme: Palais Bénédictine, Fécamp, 1. Juli–10. September. Katalog.
Athen, Zoumboulakis Galleries. *Niki de Saint Phalle.* Eröffnung 19. Oktober.

1990
Paris, JGM. Galerie und Galerie de France. *Niki de Saint Phalle: Tirs… et autres révoltes 1961–1964.* 26. Juni–28. Juli. Text von Pierre Restany. Katalog.
Knokke-le-Zoute, Guy Pieters Gallery. *Niki de Saint Phalle: Last night I had a dream.* 8. September–22. Oktober. Broschüre.
New York, Gimpel & Weitzenhoffer Gallery. *Niki de Saint Phalle: New Sculptures.* 3. Oktober–10. November. Broschüre.

1990/1991
Paris, Musée des Arts Décoratifs. *Niki de Saint Phalle: lutte contre le sida.* 30. November–28. Januar. Künstlerbuch.

1991
München, Galerie Artcuriel. *Niki de Saint Phalle: Skulpturen und Grafik.* 29. Mai–30. Juni.
Margaux, Château d'Arsac. *Niki de Saint Phalle au Château d'Arsac.* 7. Juni–30. September.
London, Gimpel Fils. *Gods.* 19. Juni–7. September. Katalog.
Knokke-le-Zoute, Guy Pieters Gallery. *Niki de Saint Phalle: Œuvres Récentes.* August. Katalog.
Winterthur, Galerie Hochwacht. *Niki de Saint Phalle: Signierte Original-Serigraphien.* 9. September–12. Oktober.

1961

Paris, Musée d'Art Moderne de la Ville de Paris. *Comparaisons: Peinture Sculpture.* 6. Februar–6. März. Katalog.
Amsterdam, Stedelijk Museum. *Bewogen Beweging.* 10. März–17. April. Organisation: Willem Sandberg und Pontus Hulten. Katalog. Übernahmen: Stockholm, Moderna Museet. *Rörelse i konsten.* 17. Mai–3. September, Humlebaek, Louisiana Museum of Modern Art. *Bevaegelse i kunsten.* 22. September–22. Oktober.
Stockholm, Galerie Samlaren. *Nouveaux Réalistes.* Juni. Organisiert von Daniel Spoerri. Katalog. Künstler: Arman, César, Deschamps, Dufrêne, Hains, Klein, Nordenström, Raysse, Restany, Spoerri, Tinguely, Ultvedt, de la Villeglé.
Paris, Galerie Rive Droite. *Le Nouveau Réalisme à Paris et à New York.* Juli–15. September. Organisiert von Pierre Restany. Broschüre mit einem Aufsatz von Pierre Restany. Künstler: Arman, Lee Bontecou, César, John Chamberlain, Varden M. Chryssa, Raymond Hains, Jasper Johns, Yves Klein, Robert Rauschenberg, Richard Stankiewicz, Jean Tinguely.
Nizza, Galerie Muratore. *Festival du Nouveau Réalisme 1961.* 13. Juli–13. September. Organisiert von Pierre Restany. Broschüre mit einer Einführung von Pierre Restany. Eröffnungsschau unter der Leitung von Jean Larcade in der Abbaye Roseland.
Thun, Kunstsammlung der Stadt Thun (Thunerhof). *Der Surrealismus und verwandte Strömungen in der Schweiz.* 16. September–22. Oktober.
New York, The Museum of Modern Art. *The Art of Assemblage.* 2. Oktober–12. November. Kurator: William C. Seitz. Katalog. Übernahmen: Dallas, Texas, The Dallas Museum of Contemporary Arts, 9. Januar–11. Februar 1962; San Francisco, San Francisco Museum of Art, 5. März–15. April 1962.

1962

Paris, Musée d'Art Moderne de la Ville de Paris. *Comparaisons: Peinture Sculpture.* 12. März–2. April. Katalog.
Rom, Galleria La Sallita: *Oggetto-Pittura.* Eröffnung 28. April. Broschüre mit einem Aufsatz von Cesare Vivaldi.
Paris, Galerie Creuze. *Donner à voir no. 1.* 15. Mai–8. Juni. Katalog. Künstler: Arman, Lee Bontecou, César, Gérard Deschamps, François Dufrêne, Raymond Hains, Yves Klein, Martial Raysse, Mimmo Rotella, Daniel Spoerri, Jean Tinguely, Jacques de la Villeglé.
Amsterdam, Stedelijk Museum. *DYLABY – dynamisch labyrint.* 30. August–30. September. Organisation: Pontus Hulten und Willem Sandberg. Katalog. Niki de Saint Phalle errichtet in Zusammenarbeit mit Daniel Spoerri, Per Olof Ultvedt, Martial Raysse, Robert Rauschenberg und Jean Tinguely ein großes Labyrinth aus neun miteinander verbundenen Räumen.

1963

München, Neue Galerie im Künstlerhaus. *Les Nouveaux Réalistes.* 8. Februar–Mitte März. Katalog. Künstler: Arman, César, Christo, Gérard Deschamps, François Dufrêne, Raymond Hains, Yves Klein, Jacques de la Villeglé, Rotella, Daniel Spoerri, Jean Tinguely.
Houston, Texas, The Museum of Fine Arts. *Some Recent Accessions 1961–1963.* 4. Mai–2. Juni.
Paris, Musée d'Art Moderne de la Ville de Paris. *Troisième Biennale de Paris: Manifestation Biennale et Internationale des Jeunes Artistes.* 28. September–3. November. Katalog.

1964

Paris, Musée d'Art Moderne de la Ville de Paris. *Mythologies Quotidiennes.* Juli–Oktober. Katalog.
Basel, Galerie Felix Handschin. *Perspektiven.* 24. Oktober–30. November.

1965

Lund, Schweden, Lunds Konsthall. *Le Merveilleux Moderne: Det Underbara Moderna, Det Underbara Idag.* 19. März–25. April. Katalog.
Paris, Musée d'Art Moderne de la Ville de Paris. *XXIe Salon de Mai,* 3.–23. Mai. Katalog.
Paris, Jean Larcade, Art Contemporain. *Pop por, pop corn, corny.* 29. Juni–14. August. Katalog. Künstler: Marcel Duchamp, Francis Picabia, Man Ray, Salvador Dalí, Max Ernst, Miró, Lucio Fontana, Larry Rivers, Victor Brauner, Robert Rauschenberg, Arman, Jean Tinguely, Raynaud, Raymond Hains, Yves Klein, John Wesley, René Magritte, Camille Boyen.
Paris, Galerie Creuze (Salle Balzac). *La figuration narrative: dans l'art contemporain.* 1.–29. Oktober. Organisiert von Gérald Gassiot-Talabot. Katalog.

1966

Chicago, Illinois, The Art Institute of Chicago. *Four European Artists and the Figure.* 5. Februar–6. März. Broschüre. Künstler: Karel Appel, Dado, Horst Antes.
Houston, Texas, The Museum of Fine Arts. *Contemporary Art from the Museum Collections with New Accessions.* 10. Februar–26. März.
Boston, Massachusetts, War Memorial Auditorium. *Winterfest 1966,* 18.–27. Februar.
Minneapolis, Minnesota, Walker Art Center. *Editions MAT 1964.* 17. März–17. April.
Bern, Kunsthalle Bern. *Weiss auf Weiss.* 25. Mai–3. Juli. Katalog.
Stockholm, Moderna Museet. *Hon-en katedral,* 3. Juni–4. September. Organisiert von Pontus Hulten. Katalog. Niki de Saint Phalle errichtet in Zusammenarbeit mit Jean Tinguely und Per Olof Ultvedt eine riesige liegende Nana – mit einer Länge von 28,7 Metern. Die Besucher treten durch die Vagina in ein inneres Labyrinth von Räumen ein.
Genf, Galerie Bonnier. *Mat: edition* 15. September–15. Oktober.

1967

Pittsburgh, Pennsylvania, Museum of Art, The Carnegie Institute. *Alcoa Collection of Contemporary Art: An Exhibition of Works Acquired from the G. David Thompson Collection.* 12. Januar–5. Februar. Katalog.
Paris, Animation Recherche Confrontation – Musée d'Art Moderne de la Ville de Paris. *La fureur poétique.* 15. März–23. April. Organisiert von José Pierre. Katalog. Künstler: Eugenio Barbieri, Jorge Camacho, Augustin Lesage, Roberto Echauren, Matta, Jean- Claude Silbermann, Hervé Télémaque, Toyen, Ursula, Adolf Wölfli.
Montreal, *Expo '67.* 28. April–27. Oktober. Niki de Saint Phalle vertritt, zusammen mit Jean Tinguely, Frankreich. Sie errichtet *Le Paradis fantastique,* installiert auf dem Dachgarten des französischen Pavillons. Diese Gemeinschaftsskulptur besteht aus neun großen Polyesterfiguren, von Niki de Saint Phalle mit Neonfarben bemalt, die mit sechs massiven Kinetikmaschinen von Tinguely kombiniert werden. Übernahmen: Buffalo, New York, Albright-Knox Art Gallery, 21. November 1967–7. Januar 1968; New York, Conservatory Garden, Central Park, unterstützt vom Department of Cultural Affairs, New York, eröffnet am 1. Mai 1968. Ständige Installation in Stockholm, Moderna Museet.
Hamburg, Kunsthaus Hamburg. *Französische Malerei der Gegenwart – Tendances de la Peinture Française Contemporaine,* 7. November–10. Dezember. Katalog.
Paris, Galerie Henri Creuzevault. *Table d'orientation pour une sculpture d'aujourd'hui.* Dezember. Katalog.

1968

New York, The Museum of Modern Art. *Dada, Surrealism, and Their Heritage.* 27. März–9. Juni. Kurator: William S. Rubin. Katalog. Übernahmen: Los Angeles, Los Angeles County Museum of Art, 16. Juli–8. September; Chicago Art Institute of Chicago, 19. Oktober–8. Dezember.
London, ICA. *The Obsessive Image 1960–1968.* 10. April–29. Mai. Katalog.
Paris, Musée Galliéra. *Le décor quotidien de la vie en 1968: expansions et environnements.* 10. April–Mai. Katalog. Künstler: Arnal, César, Marc de Rosny, Jean-Michel Sandejouand, Jean Tinguely, Constantin Xenakis.
Saint-Paul-de-Vence, Fondation Maeght. *L'Art Vivant 1965–1968.* 13. April–30. Juni. Katalog.
Chicago, Museum of Contemporary Art. *Selections from the Collection of Mr. and Mrs. Robert B. Mayer.* 13. Juli–8. September.

1969

New York, Whitney Museum of American Art. *Contemporary American Sculpture Selection 2.* 14. April–5. Mai.
Antwerpen, Galerie Ad Libitum. *Niki de Saint Phalle & Jean Tinguely.* Eröffnung 6. Juni.

1969/1970

Chicago, Museum of Contemporary Art. *Selections from the Joseph Randall Shapiro Collection.* 20. Dezember–1. Februar. Katalog.
Frankfurt a. M., Frankfurter Kunstverein. *Figuren Gestalten Personen/Personen Gestalten Figuren.* 30. Dezember–1. Februar. Katalog.

1970

Middlesex, Gimpel Fils at Syon Park. *Open Air Sculpture II: Syon Park Summer 1970.* Mai–September. Katalog. Ausstellung organisiert von Gimpel Fils, London.
Knokke-le-Zoute, Casino Knokke. *Pop Art.* 27. Juni–9. September.
Paris, Galerie Mathias Fels. *Nouveau Réalisme 1960–1970.* 27. Oktober–27. November. Katalog. Künstler: Arman, César, Christo, Gérard Deschamps, François Dufrêne, Raymond Hains, Yves Klein, Martial Raysse, Rotella, Daniel Spoerri, Jean Tinguely, Jacques de la Villeglé.
Mailand, Rotonda della Besana. *10th Anniversary of the Nouveaux Réalistes.* 27. November–25. Januar. Organisiert von Pierre Restany und Guido Le Noci. Katalog. Am Abend des 29. November fand im Freien eine Schieß-Aktion auf eine Altar-Assemblage von Niki de Saint Phalle statt.

1970/1971

London, Whitechapel Art Gallery. *3 → new multiple art.* Gesponsert vom Arts Council of Great Britain. 19. November–2. Januar. Katalog.

1971

Södertälje, Schweden. Södertälje Konsthall. *Multiplication.* 18. Februar–14. März. Katalog.
Dublin, Royal Dublin Society. *ROSC '71: the poetry of vision.* 24. Oktober–29. Dezember. Katalog.

1972

Houston, The Museum of Fine Arts. *A Salute to the Contemporary Arts Museum: Twen-*

tieth Century Art from The Museum of Fine Arts. 17. März–16. April.
Paris, Galerie Henri Creuzevault. *Études et Épures.* 17. Mai–30. Juni. Katalog. Künstler: Arman, Enrico Baj, César, Christo, Dado, Jean Dewasne, Fred Deux, Lalanne, Georges Mathieu, Roberto Echauren, Matta, Pons, Jean Tinguely.

1973
Hannover, Kunstverein Hannover. *Jahresgaben 1973.* 25. September–14. Oktober. Katalog.

1977
Marseille, Musée Cantini. *3 villes, 3 collections: Grenoble... Marseille... Saint Étienne l'Avant-Garde 1960–1976.* Februar–März. Organisiert von Marie-Claude Beaud, Jacques Beauffet, Marie-Christine Bouille, Bernard Ceysson, Marielle Latour. Katalog. Übernahmen: Grenoble, Musée de peinture et de sculpture, April–Mai; Saint Étienne, Musée d'Art et d'Industrie, Sommer 1977; Paris, Musée national d'art moderne, Centre Georges Pompidou, Herbst 1977.
Rotterdam, Museum Boymans-van Beuningen. *De Fiets.* 7. April–12. Juni. Katalog.
Paris, Musée national d'art moderne, Centre Georges Pompidou. *Paris–New York: Un album.* 1. Juni–19. September.

1978
Athen, Zoumboulakis Galleries. *Nouveaux Réalistes.* Eröffnung 19. Januar. Organisiert von Pierre Restany. Katalog.
Tokio, The Seibu Museum of Art. *Biennale de Paris '59 – '73.* 3.–29. März. Katalog.
Beaulieu-en-Rouergue, Abbaye de Beaulieu-en-Rouergue, Centre d'Art Contemporain. *Réel? Réalisme? Réalité? Du Pop-art au Néo-réalisme 1958–1978.* 25. Juni–13. September. Katalog.
Basel, Hammerstraße 158. *Hammer Ausstellung.* 23. September–29. Oktober. Katalog.

1980
New York, Whitney Museum of American Art. *American Sculpture: Gifts of Howard and Jean Lipman.* 15. April–15. Juni.
Basel, Wenkenpark. *Skulptur im 20. Jahrhundert.* 10. Mai–14. September. Katalog.
New York, Whitney Museum of American Art. *The Figurative Tradition and the Whitney Museum of American Art.* 25. Juni–28. September.
Ulm, Hochbauamt der Stadt Ulm und Ulmer Museum. *Skulpturen zur Landesgartenschau.* Katalog.

1981
Amsterdam, Stedelijk Museum. *Fantastic Architecture.* 26. Februar–12. April. Organisiert von Joost Eiffers und Michael Schuyt.

1982
Genf, Galerie Bonnier. *L'empreinte du Nouveau Réalisme.* Eröffnung 20. April.
Hannover, Kestner-Museum. *Rosenthal: Hundert Jahre Porzellan.* 29. April–13. Juni. Katalog. Übernahmen: Bremen, Focke-Museum, 20. Juni–15. August; Köln, Kunstgewerbemuseum, 10. September–31. Oktober; Nürnberg, Germanisches Nationalmuseum; München, Münchner Stadtmuseum.
Zürich, Museum Bellerive. *Heiter bis aggressiv.* 26. Mai–15. August. Katalog.

1983
Paris, Musée d'Art Moderne de la Ville de Paris. *Autour de la Fontaine Stravinsky de Niki de Saint Phalle et Jean Tinguely.* 25. Juni–25. September.

1984
Washington, D. C., Hirshhorn Museum and Sculpture Garden, Smithsonian Institution. *Artistic Collaboration in the Twentieth Century.* 9. Juni–19. August. Kurator: Cynthia Jaffee McCabe. Katalog. Übernahmen: Wisconsin, Milwaukee Art Museum, 18. November 1984–13. Januar 1985; Louisville, Kentucky, J. B. Speed Art Museum, 21. Februar–21. April 1985.
St. Louis, Missouri, Laumeier Sculpture Park. *Olga Hirshhorn Collection: A Collector's Eye.* 19. August–September.

1985
Chicago, Museum of Contemporary Art. *Permanent Collection: Selected Gifts from The Joseph and Jory Shapiro Collection.* 30. Januar–April. Katalog.
New York, Gimpel & Weitzenhoffer. *Sixteen Sculptors.* 14. Februar–9. März.
Chicago, Illinois, The Art Institute of Chicago. *Mr. and Mrs. Joseph Randall Shapiro Collection.* 23. Februar–14. April.
Huntington, New York, Heckscher Museum. *Sights for Small Eyes.* 28. April–16. Juni.
Chicago, Museum of Contemporary Art. *Nouveau Réalisme and Pop Art: Selections from the Permanent Collection.* 6. September–12. November. Broschüre.
Paris, Galerie Colette Creuzevault. *Œuvre Unique.* 2. Oktober–15. November.

1985/1986
Birmingham, Michigan, Robert L. Kidd Associates/Gallery. *Animals: Contemporary Visions.* 6. Dezember–31. Januar.

1986
Fitchburg, Massachusetts, Fitchburg Art Museum. *New Works in Plastic.* 26. Januar–30. März. Kurator: Ursula Pitman.
Paris, Musée d'Art Moderne de la Ville de Paris. *1960: Les Nouveaux Réalistes.* 15. Mai–7. September. Kurator: Sylvain Lecombre. Katalog.

1987
Syracuse, New York, Everson Museum of Art. *Sacred Spaces.* 22. Januar–23. März. Kurator: Dominique Nahas. Katalog.
Winterthur, Kunstmuseum Winterthur. *1960: Les Nouveaux Réalistes.* 25. Januar–22. März. Katalog.
New York, Urban Gallery. *The World Through ›Naive‹ Eyes.* 10. März–11. April. Katalog.
Paris, Galerie Colette Creuzevault. *Trois femmes sculpteurs: Germaine Richier, Niki de St. Phalle, Alicia Panalba.* 21. Mai–28. Juni. Broschüre.

1988
New York, Zabriskie Gallery. *Nouveaux Réalistes: Works from 1957 to 1963.* 17. Mai–8. Juli. Katalog.
Paris, JGM. Galerie. *Sculptures du vingtième siècle: de Rodin aux années soixantes.* 16. Juni–24. September. Katalog.
Venedig, *XLIII Esposizione Internazionale d'Arte la Biennale.* Ambiente Italia. 26. Juni–25. September. Katalog.
Prag, Zentralbibliothek Prag. *Présence de l'Art Contemporain Français.* 5. Juli–25. September.

1988/1989
New York, The Jewish Museum. *Golem! Danger, Deliverance and Art.* 20. November–2. April. Kurator: Emily D. Bilski. Katalog.

1988/1992
Osaka, *Art Kites,* organisiert vom Goethe-Institut. Künstler werden eingeladen, einen Drachen in einem der acht traditionellen japanischen Regionalstile zu entwerfen. Katalog. Wanderausstellung, gezeigt in sieben Museen in Japan und anschließend in zahlreichen Museen in Europa und Nordamerika.

1989
Paris, Artcurial. *Corps-Figures: La figuration humaine dans la sculpture du XX siècle.* April–Juni. Katalog.
London, Gimpel Fils. *Sculpture Reliefs & Drawings.* 8. Juni–9. September. Katalog.
Paris, Galerie Colette Creuzevault. *Sculptures Dessins Reliefs.* 3. Oktober–30. November.
Lausanne, Musée Cantonal des Beaux-Arts. *Dimension: Petit, l'art suisse entre petite sculpture et objet d'Alberto Giacometti à nos jours.* 7. Oktober–24. Dezember. Katalog.

1990
Columbus, Ohio, Wexner Center for the Visual Arts, The Ohio State University. *Art in Europe and America: The 1950s and 1960s.* 17. Februar–22. April. Katalog. Künstler: Willem de Kooning, Lucio Fontana, Eva Hesse, Jasper Johns, Yves Klein, Piero Manzoni, Louise Nevelson, Claes Oldenburg, Robert Rauschenberg, Frank Stella, Jean Tinguely, Andy Warhol.
Paris, JGM. Galerie. *Années 60: l'objet-sculpture.* Mai–Juni. Katalog.
St. Petersburg, Russisches Museum. *Le Territoire de l'Art.* 31. Mai–16. Juli. Ausstellungsorganisation in Kooperation mit dem Institut des Hautes Etudes en Arts Plastiques, Paris. Katalog.
Albi, Moulins Albigeois. *Vénus: Prénom d'un rendez-vous artistique et archéologique.* 6. Juli–31. August. Katalog. Übernahmen: Saint-Denis, Musée d'Art et d'Histoire Saint-Denis, 26. Oktober–31. Dezember; Evreux, Musée de l'Evêché,15. Januar–30. März 1991;Paris, Galerie Enrico Navarra, 27. September–19. November 1991.
Florenz, Galleria Vivita 1. *Eva Aeppli – Guillaume Bijl – Bernhard Johannes Blume – Katharina Duwen – Niki de Saint Phalle – Meret Oppenheim – Dieter Roth – Daniel Spoerri – Jean Tinguely.* 13. Oktober–1. Dezember.
Paris, Galerie Montaigne. *Virginia Dwan et les Nouveaux Réalistes: Los Angeles, les années 60: Arman, Klein, Raysse, Niki de Saint-Phalle, Tinguely.* 23. Oktober–29. Dezember. Katalog.
Rijeka, Museum of Modern Art. *12th International Biennale of Drawings.* 20. Dezember–17. Februar. Kurator: Pontus Hulten. Katalog.

1991
Genf, Galerie Bonnier au Pont de la Machine. *Une touche Suisse: Trente ans d'activité.* 27. April–1. Juni. Katalog.
Paris, JGM. Galerie. *Choix de l'atelier.* 4. September–12. Oktober.
Morlaix, Musée des Jacobines-Morlaix. Pierre Restany: *Le cœur et la raison.* 12. Juli–10. November. Katalog.
London. The Royal Academy of Arts. *The Pop Art Show.* 13. September–15. Oktober. Katalog. Übernahmen: Köln, Museum Ludwig. Madrid, Reina Sofia.

Kataloge zu Einzelausstellungen

Im Abschnitt ›Künstlerbücher‹ finden sich ergänzende Publikationen, die begleitend zu Einzelausstellungen erschienen sind.

Niki de Saint Phalle. Galerie Rive Droite, Paris 1962. Texte von John Ashbery und Pierre Restany.

Les Nanas au pouvoir. Stedelijk Museum, Amsterdam 1967. Text von Pierre Descargues.

Niki de Saint Phalle: Werke 1962–1968. Kunstverein für die Rheinlande und Westfalen, Düsseldorf 1968. Texte von Karl-Heinz Hering, Pierre Restany und Hans Strelow.

Niki avant les Nanas: Œuvres de 1963 et 1964. Galerie Bonnier, Genf 1972.

Niki de Saint-Phalles sculpturer. Nordjyllands Kunstmuseum, Aalborg 1976. Texte von Lars Rostrup Bøyesen, Jørn Otto Hansen und Pierre Restany.

Niki de Saint Phalle. Galerie Watari, Tokio 1979. Texte von K. Michishita und Y. Tono.

Niki de Saint Phalle: Das graphische Werk 1968–1980 Figuren. Ulmer Museum, Ulm 1980. Texte von Karl Heinz Reisert, Hans Strelow und Erwin Treu.

Niki de Saint Phalle: Exposition retrospective. Musée national d'art moderne, Centre Georges Pompidou, Paris 1980. Texte von John Ashbery, Pontus Hulten, Jean-Yves Mock, Pierre Restany, Larry Rivers und Niki de Saint Phalle.

Niki de Saint Phalle: Retrospektive 1954–80. Wilhelm-Lehmbruck-Museum der Stadt Duisburg, 1980. Texte von Michael Hesse, Pontus Hulten, Siegfried Salzmann und anderen.

Niki de Saint Phalle in DADDY. Space Niki, Tokio 1981.

Niki de Saint Phalle 1962–1980. Galerie Klaus Littmann, Basel 1985. Text von Jean-Christophe Ammann.

Space Niki Collection: Niki de Saint Phalle Exhibition. Space Niki, Tokio 1986. Texte von Yoko Shizue Masuda, Pierre Restany, Yoshiaki Tono und anderen.

5 Vases par Niki de St.-Phalle. Galerie Colette Creuzevault, Paris 1986.

Niki de Saint Phalle: Bilder – Figuren – Phantastische Gärten. Kunsthalle der Hypo-Kulturstiftung, München. Prestel-Verlag, München 1987. Texte von Pierre Descargues, Pontus Hulten, Pierre Restany, Carla Schulz-Hoffmann, Daniel Spoerri, Jean Tinguely und Niki de Saint Phalle.

Niki de Saint Phalle: Œuvres Récentes. Galerie Bonnier, Genf 1987.

Fantastic Vision: Works by Niki de Saint Phalle. Nassau County Museum of Fine Art, Roslyn, New York 1987. Texte von David Bourdon, John Cage, Harry Mathews, Janice Parente und Phyllis Stigliano.

Niki de Saint Phalle: Œuvres des années 80. Galerie de France und JGM. Galerie, Paris 1989. Texte von Pontus Hulten, Pierre Restany, Jean Tinguely und Niki de Saint Phalle. (Dieser Katalog wurde mit anderem Umschlag vom Palais Bénédictine, Fécamp 1989, veröffentlicht.)

Niki de Saint Phalle: Tirs… et autres révoltes 1961–1964. Galerie de France, Paris 1990 (zur Ausstellung in der Galerie de France und der JGM. Galerie, Paris). Photographien von Laurent Condominas.

Gods. Gimpel Fils, London 1991.

Niki de Saint Phalle: Œuvres Récentes. Guy Pieters Gallery, Knokke 1991.

Kataloge zu Gruppenausstellungen

Comparaisons: Peinture Sculpture. Musée d'Art Moderne de la Ville de Paris 1961. Texte von Hubert Deschamps und Waldemar George.

Bewogen Beweging. Stedelijk Museum, Amsterdam 1961. Texte von Pontus Hulten und Willem Sandberg.

Rörelse i konsten. Moderna Museet, Stockholm 1961. Texte von Pontus Hulten, Daniel Spoerri und anderen.

Louisiana Revy (Bevaegelse i kunsten). 2. Jahrgang, Nr. 1, Louisiana Museum of Modern Art, Humlebaek, Dänemark, September 1961. Texte von Pontus Hulten, Ulf Linde, George Rickey und anderen.

NR (Nouveaux Réalistes). Galerie Samlaren, Stockholm 1961. Text von Pierre Restany.

The Art of Assemblage. The Museum of Modern Art, New York 1961. Text von William C. Seitz.

Comparaisons: Peinture Sculpture. Musée d'Art Moderne de la Ville de Paris 1962. Texte von Denys Chevalier und Raymond Cogniat.

Donner à voir no. 1. Galerie Creuze, Paris 1962. Texte von Pierre Restany und anderen.

Dylaby – dynamisch labyrint. Stedelijk Museum, Amsterdam 1962. Photographien von Ed van der Elsken.

Les Nouveaux Réalistes. Neue Galerie im Künstlerhaus, München 1962. Text von Pierre Restany.

Troisième Biennale de Paris: Manifestation Biennale et Internationale des Jeunes Artistes. Musée d'Art Moderne de la Ville de Paris 1963. Texte von Raymond Cogniat und anderen.

XXe Salon de Mai. Musée d'Art Moderne de la Ville de Paris 1963. Texte von Gaston Diehl, Yvon Taillandier und anderen.

Mythologies Quotidiennes. Musée d'Art Moderne de la Ville de Paris 1964. Text von Gérald Gassiot-Talabot.

Perspektiven. Galerie Handschin, Basel 1964.

Le Merveilleux Moderne, Det Underbara Moderna, Det Underbara Idag. Lunds Konsthall, Lund 1965. Texte von Eje Högestätt und Jean-Jacques Lévêque.

XXIe Salon de Mai. Musée d'Art Moderne de la Ville de Paris 1965. Text von Gaston Diehl.

La figuration narrative: Dans l'art contemporain. Galerie Creuze, Paris 1965. Text von Gérald Gassiot-Talabot.

Weiss auf Weiss. Kunsthalle Bern 1966. Text von Udo Kultermann.

Hon – en katedral, historia. Moderna Museet, Stockholm 1966. Texte von Pontus Hulten, Ulf Linde, Niki de Saint Phalle, Jean Tinguely, Per Olof Ultvedt und anderen.

Alcoa Collection of Contemporary Art. An Exhibition of Works Acquired from the G. David Thompson Collection. The Alcoa Collection, Museum of Art, Carnegie Institute, Pittsburgh 1967. Texte von David Rockefeller und anderen.

La fureur poétique. Musée d'Art Moderne de la Ville de Paris 1967. Texte von Pierre Descargues, José Pierre und anderen.

Französische Malerei der Gegenwart – Tendances de la peinture française contemporaine. Kunsthaus Hamburg 1967. Text von Bernard Dorivae.

Table d'orientation pour une sculpture d'aujourd'hui. Galerie Henri Creuzevault, Paris 1967. Text von Jean-Jacques Lévêque.

Dada, Surrealism, and Their Heritage. The Museum of Modern Art, New York 1968. Text von William S. Rubin.

The Obsessive Image 1960–1968. Institute of Contemporary Art, London 1968. Texte von Mario Amaya, Robert Melville und Roland Penrose.

Le décor quotidien de la vie en 1968: expansions et environments. Musée Galliéra, Paris 1968. Text von Pierre Restany.

L'Art Vivant 1965–1968. Fondation Maeght, Saint-Paul-de-Vence 1968. Text von François Wehrlin.

Selections from the Collection of Mr. and Mrs. Robert B. Mayer. Museum of Contemporary Art, Chicago 1968, Text von David H. Katzive, Jan van der Marck.

Selections from the Joseph Randall Shapiro Collection. Museum of Contemporary Art, Chicago 1961. Text von Jan van der Marck.

Figuren Gestalten Personen/Personen Gestalten Figuren. Frankfurter Kunstverein, Frankfurt a. M. 1969. Text von Ewald Rathke.

Open Air Sculpture II: Syon Park Summer 1970. Gimpel Fils, London 1970.

Pop Art: Nieuwe Figuratie/Nouveau Realistie. Casino, Knokke 1970. Text von Gert Bekaert, Pierre Restany und John Russell.

Nouveau Réalisme 1960–1970. Galerie Mathias Fels, Paris 1970. Text von Pierre Restany.

3 → 00: new multiple art. Arts Council of Great Britain, London 1970. Texte von Janet Daley, Karl Gerstner und anderen.

Multiplication. Södertälje Konsthall, Schweden 1971. Text von Eje Högestätt.

ROSC '71: the poetry of vision. Royal Dublin Society, Dublin 1971. Texte von Pontus Hulten, Werner Schmalenbach und James Johnson Sweeney.

Douze ans d'art contemporain en France. Grand Palais, Paris 1972. Text von Daniel Cordier, Maurice Eschapasse, François Mathey und anderen.

Études et Épures. Galerie Henri Creuzevault, Paris 1972. Text von Colette Creuzevault.

100 acquisitions récentes cantini 1969–1972. Musée Cantini, Marseille 1972.

Jahresgaben 1973. Kunstverein Hannover, 1973.

3 villes, 3 collections: Grenoble … Marseille … Saint Étienne l'Avant Garde 1960–1976. Musée Cantini, Marseille 1977. Texte von Marie-Claude Beaud, Bernard Ceysson und Marielle Latour.

De Fiets. Museum Bomans-van Beuningen, Rotterdam 1977. Texte von J. M. Fuchs und W. J. Simons, E. Langui und Bob den Uyl.

Paris – New York: Un album. Musée national d'art, Centre Georges Pompidou, Paris 1977. Text von Pontus Hulten.

Nouveaux Réalistes. Zoumboulakis Galleries, Athen 1978. Texte von Pierre Restany.

Biennale de Paris '59 – '73. The Seibu Museum of Art and Yomiuri Shimbun Sha, Tokio 1978. Texte von Georges Boudaille und anderen.

Réel? Réalisme? Réalite? Du Pop-art au Néoréalisme 1958–1978. Association Culturelle de l'Abbaye de Beaulieu, Beaulieu-en-Rouerque 1978. Text von Geneviève Bonnefoi.

Hammer Ausstellung. Hammerstraße 158, Basel 1978. Texte von Felix Handschin und Werner Jehle.

Skulptur im 20. Jahrhundert. Wenkenpark, Basel 1980.

Skulpturen zur Landesgartenschau. Hochbauamt der Stadt Ulm und Ulmer Museum, 1980. Texte von Jürgen Morschel und Norbert Nobis.

Rosenthal: Hundert Jahre Porzellan. Kestner-Museum, Hannover 1982.

Heiter bis aggressiv. Museum Bellerive, Zürich 1982. Text von Sigrid Barten.

Artistic Collaboration in the Twentieth Century. Hirshhorn Museum und Sculpture Garden, Smithsonian Institution Press, Washington, D.C. 1984. Texte von Robert C. Hobbs, Cynthia Jaffee Mc Cabe und David Shapiro.

Permanent Collection: Selected Gifts from The Joseph and Jory Shapiro Collection. Museum of Contemporary Art, Chicago 1985.

The Mr. and Mrs. Randall Shapiro Collection. The Art Institute of Chicago 1985. Texte von Dennis Adrian, Katharine Kuh, Joseph Randall Shapiro, James N. Wood.

1960: Les Nouveaux Réalistes. Musée d'Art Moderne de la Ville de Paris, 1986. Texte von Aude Bodet und Sylvain Lecombre, Bernadette Contensou und Pierre Restany.

1960: Les Nouveaux Réalistes, Kunsthalle Mannheim, Kunstmuseum Winterthur 1986.

Sacred Spaces. Everson Museum of Art, Syracuse, New York 1987. Texte von David L. Miller und Dominique Nahas.

The World Through »Naive« Eyes. Urban Gallery, New York 1987.

Nouveaux Réalistes. Zabriskie Gallery, New York 1988. Texte von Allan Kaprow und Pierre Restany.

XLIII Esposizione Internazionale d'Arte la Biennale di Venezia. La Biennale di Venezia, 1988. Texte von Pontus Hulten und anderen.

Golem! Danger, Deliverance and Art. The Jewish Museum, New York 1988. Texte von Emily D. Bilski, Moshe Idel, Elfi Ledig und Isaac Bashevis Singer.

Bilder für den Himmel, Kunstdrachen. Goethe-Institut, Osaka 1988. Texte von Paul Eubel und anderen.

Corps-Figures: La figuration humaine dans la sculpture du XXe siècle. Artcurial, Paris 1989. Text von Dominique Le Buhan.

Sculptures Reliefs & Drawings. Gimpel Fils, London 1989.

Dimension. Petit. L'art suisse entre petite sculpture et objet d'Alberto Giacometti à nos jours. Musée cantonal des Beaux-Arts, Lausanne 1989. Texte von Erika Billeter, Reinhold Hohl, Dieter Honisch und anderen.

The Evidence of Magic. Galerie de Séoul 1989. Text von Pontus Hulten.

Art in Europe and America: The 1950s and 1960s. Wexner Center for the Visual Arts, The Ohio State University, Columbus, Ohio 1990. Texte von Dore Ashton, David Bourdon, Pierre Restany und anderen.

Europäische Skulptur der 2. Moderne. Wilhelm-Lehmbruck-Museum, Duisburg 1990. Texte von Christoph Brockhaus, Gottlieb Leinz, Dieter Ronte.

Années 60: l'objet-sculpture. JGM. Galerie, Paris 1990. Text von Pierre Restany.

Le Territoire de l'Art. Russisches Museum, St. Petersburg 1990. Text von Pontus Hulten.

L'art en France 1945–1990. Fondation Daniel Templon, Paris 1990. Texte von Jean-Louis Andral, Michel Ragon, Daniel Templon und anderen.

Vénus. Moulins Albigeois, Albi 1990. Texte von Daniel Dobbels, Gilbert Lascault und anderen.

Virginia Dwan et les Nouveaux Réalistes: Los Angeles, les années 60. Galerie Montaigne, Paris 1990. Texte von Virginia Dwan und Pierre Restany.

Au Rendez-vous des amis. Galerie Enrico Navarra, Paris 1990. Text von Pierre Alechinski, Pierre Hebey, Jorge Semprun, Werner Spies.

12th International Biennale of Drawings. Museum of Modern Art, Rijeka 1990/91. Texte von Jerko Denegri, Pontus Hulten, Želimir Koščevic, Željko Lužavec und anderen.

Une touche Suisse: Trente ans d'activité 1961–1991. Galerie Bonnier, Genf 1991. Texte von Dagny und Jan Runnqvist.

Pierre Restany: Le Cœur et la Raison. Musée de Morlaix 1991. Texte von José Arthur, César, Maria Eugenia Le Noci, Thomas M. Messer, Pierre Restany und anderen.

The Pop Art Show. The Royal Academy of Arts, London 1991. Texte von Marco Livingstone, Sarat Maharaj, Alfred Pacquement und anderen.

1961

Nimmt mit Jean Tinguely, Robert Rauschenberg und Jasper Johns an dem Konzert/der Performance *Variations II* von John Cage teil; Interpret ist David Tudor, die Aufführung findet am Dienstag, dem 20. Juni 1961, um 21.00 Uhr im Théâtre de l'Ambassade des États-Unis in Paris statt. Werke der genannten Künstler (darunter ein Schießbild von Niki de Saint Phalle) dienen als wandelbares Bühnenbild.

Jean Tinguely und Niki de Saint Phalle werden von Marcel Duchamp zur Teilnahme an einer Feier für Salvador Dalí eingeladen. Anläßlich dieser *Homenaje a Salvador Dalí* bauen sie den 2,80 m hohen Stier *Toro de fuego* aus Gips und Papier, der in der Arena von Figueras während der Veranstaltung explodiert (12. August).

1962

Assistiert Jean Tinguely am 21. März in der Wüste von Nevada beim Bau der dritten sich selbst zerstörenden Maschine: *Étude pour une fin du monde n°2.* Das Ereignis wird durch David Brinkleys Journal/NBC television gefilmt.

Teilnahme an Kenneth Kochs Stück *Construction of Boston,* bei dem Merce Cunningham Regie führt. Ihre Rolle besteht darin, Kunst nach Boston zu bringen; mit einem Gewehr Kaliber 22 schießt sie auf der Bühne auf ihre Gipsskulptur *Vénus de Milo* (und kreiert damit ein Schießbild). Die Performance findet am Freitag, dem 4. Mai, abends im New Yorker Maidman Playhouse, 416 West 42 Street, statt. Weitere Teilnehmer sind unter anderem Jean Tinguely, Robert Rauschenberg, Henry Geldzahler, Öyvind Fahlström, Billy Kluver.

1965

Am 13. März Teilnahme an der Lotterie des *Artists' Key Club* in New York, die von ›The American Theater for Poets‹ gesponsert wird. Bei einem Einsatz von 10 Dollar kann man das Werk eines der 13 teilnehmenden Künstler gewinnen – Arman, Ayo, George Brecht, Christo, William Copley, Niki de Saint Phalle, Robert Filliou, Greko, Allan Kaprow, Roy Lichtenstein, Diter Rot, Daniel Spoerri, Andy Warhol. Spielregel: Kauf einen Schlüssel zu einem Schließfach in der Penn Station. Suche nach dem entsprechenden Fach, in dem sich dann ein signiertes Kunstwerk oder ein kleines Geschenk befindet.

Spielt bei der Aufführung von Kenneth Kochs Stück *The Tinguely Machine Mystery or The Love Suicides at Kaluka* am 22. Dezember im Jüdischen Museum von New York die Rolle des ›Spirit of the Night‹. Regie Remy Charlip und Kenneth Koch; Musik von Morton Feldman, Ausführende Michael Zwerin, Richard Davis, Larry Rivers, Howard Kanovitz; Maschinen von Jean Tinguely; weitere Darsteller Clarice Rivers, Syd Solomon, Jane Freilicher, Larry Rivers, Alexander Iolas, John Ashbery und andere.

1966

Entwirft gemeinsam mit Jean Tinguely und Martial Raysse die Bühnenbilder für Roland Petits Ballett *Eloge de la Folie.* Aufführung im März am Pariser Théâtre des Champs-Elysées.

Bei der Eröffnung der ersten Boutique von Yves Saint Laurent auf der Rive Gauche dienen Papiermaché-Nanas als Schaufensterpuppen.

Entwirft Bühnenbilder und Kostüme zur *Lysistrata* des Aristophanes, Regie Rainer von Diez. Für das Bühnenbild entsteht eine Variation von *Hon,* ein bemalter Nana-Torso aus Gips, der auf dem Rücken liegt und über die Vagina zugänglich ist. 10 Meter Länge. Aufführungen im Oktober am Kasseler Staatstheater.

1967

Beteiligt sich mit Zeichnungen an der Publikation *Frank O'Hara: In Memory of My Feelings.* Die limitierte Gedenk-Ausgabe mit Gedichten von Frank O'Hara, die vom New Yorker Museum of Modern Art herausgegeben wird, enthält Zeichnungen befreundeter Künstler – unter anderem von Willem de Kooning, Helen Frankenthaler, Jasper Johns, Lee Krasner, Larry Rivers, Robert Rauschenberg, Claes Oldenburg.

1967/1968

Schreibt 1967 die Geschichte *MOI,* die in Zusammenarbeit mit Rainer von Diez zu dem Stück *ICH* umgeschrieben wird. Entwirft die entsprechenden Bühnenbilder. Uraufführung während der *documenta 4* am 28. Juni 1968 am Kasseler Staatstheater.

1968

Entwirft aufblasbare Kunststoff-Nanas, die von Elizabeth de Saint Phalle in New York vertrieben werden. Es gibt sie in drei Größen und drei Farben – gelb, blau, pink. Um 1968–1970 werden die aufblasbaren Skulpturen von Multiples in New York vertrieben.

Entwirft eine Nana-Weihnachtskarte, die vom New Yorker Museum of Modern Art herausgegeben wird.

1970

Stellt die Mappe *Nana Power* mit 17 Farb-Serigraphien zusammen; herausgegeben von Editions Essellier, Paris. Jeder Druck ist signiert und numeriert. Von Hand auf feines Bütten gedruckt, 56x76 cm, 115 numerierte Exemplare sowie 15 römisch numerierte Exemplare für die Künstlerin.

Entwirft für das Théâtre de France an der Place de l'Odéon ein Plakat, das Merce Cunningham und seine Dance Company (3.–16. Juni) sowie die Paul Taylor Dance Company (17.–30. Juni) ankündigt und eine tanzende Nana zeigt.

1971–heute

Entwirft Schmuck in limitierter Auflage, darunter Nana-Broschen, Schlangen-Nadeln und -Manschettenknöpfe, Vogel-Halsketten und anderes.

1973

Entwirft den Programmtitel für das *11th New York Film Festival,* das The Film Society of Lincoln Center vom 28. September bis zum 13. Oktober in New York veranstaltet. Unter der Rubrik ›New Directions/New Films – 1973‹ wird dort auch der Film *Daddy* von Niki de Saint Phalle und Peter Whitehead uraufgeführt.

1981

Gestaltet das Äußere des neuartigen, zweimotorigen Flugzeugs *Le Piper aerostar 602 P* (1909) für die Peter Stuyvesant Foundation in Amsterdam. Das Flugzeug nimmt am ersten Transatlantischen Flugzeugrennen Paris – New York – Paris teil, das unter der Schirmherrschaft der Peter Stuyvesant Foundation steht. Das Rennen findet in der Nacht vom 8. auf den 9. August am Pariser Flughafen Le Bourget statt.

1983

Entwirft im September einzigartige Flakons in Form von Schlangen und eine Verpackung für das Parfum *Niki de Saint Phalle* von Jacqueline Cochran, New York. Das Parfüm wird im April 1984 in Paris vorgestellt.

1980–heute

Aktive Teilnahme an Kampagnen gegen Aids durch zahlreiche internationale Projekte:

Konzipiert die Publikation *Aids: You Can't Catch It Holding Hands,* 1987. Überarbeitete Fassung *Le sida, tu ne l'attrapperas pas...,* 1990 (siehe Künstlerbücher).

Entwirft eine limitierte Serigraphie *Le sida est là, préservons-nous,* 1987.

Entwirft ein aufblasbares Kondom *Stop Aids,* 1987.

Entwirft limitierte Serigraphie *Attention Dragueurs!,* 1990. Der Verkaufserlös fließt der ›Agence française de lutte contre le sida‹ zu.

Entwirft eine Email-Anstecknadel mit einem verzierten Kondom, 1990. Verkauf ebenfalls zugunsten der ›Agence française de lutte contre le sida‹.

1966
Hon, in Zusammenarbeit mit Jean Tinguely und Per Olof Ultvedt. Eine riesige, auf dem Rücken liegende Nana mit gespreizten Beinen; Zugang über die Vagina. Ein Labyrinth aus Spielzimmern: ein Kino, eine beschallte ›Banc des amoureux‹, Milchbar und ein Flaschenzerkleinerer; Galerie der Fälschungen; eine Postkarten-›Piennale‹ nach Gemälden aus dem Moderna Museet; Aussichtsterrasse auf dem Bauch; Für die Ausstellung im Großen Saal des Moderna Museet in Stockholm. 28,70 m lang, 6,10 m hoch und 9,15 m breit; Gewicht 6 Tonnen. Zerstört, nur der Kopf von *Hon* ist erhalten.
Le Paradis fantastique, in Zusammenarbeit mit Jean Tinguely. Neun große Polyesterfiguren von Niki de Saint Phalle und sechs schwere kinetische Maschinen von Jean Tinguely. Ursprünglich für die *Expo '67* in Montreal. Seit 1971 permanente Aufstellung im Moderna Museet in Stockholm.

1967
Nana Dream House, das erste Nana-Haus, ein Puppenhaus für Erwachsene zur Ausstellung im Stedelijk Museum, Amsterdam, 1967. Das zweite Nana-Haus, *Nana-Maison*, für die Ausstellung der Fondation Maeght in Saint-Paul-de-Vence, 1968. Jeweils 4 × 3,75 × 3 m. Noch erhalten.

1969–1971
Erstes Architekturprojekt im Maßstab 1:1; drei Häuser auf einer südfranzösischen Hügelkette für Rainer von Diez. Jedes Haus übernimmt die Funktion eines bestimmten Raums: *Le rêve de l'oiseau* (Küche), *Big Clarice* (Wohnzimmer) und *La sorcière* (Badezimmer). Fester Standort.

1970–heute
Mitarbeiterin an Jean Tinguelys Monumentalskulptur *La Tête (oder Le Cyclope)* oder *Le Monstre dans la forêt* in Milly-la-Forêt. Benutzt für die Fassadengestaltung Spiegelmosaiken. Die Skulptur wird zum Denkmal für Frankreich erklärt. 22,5 m hoch. In Arbeit. Geplante Eröffnung September 1992.

1972
Golem, erste Architektur für Kinder in Form eines großen, schwarz-weißen Kopfes mit drei roten Zungen, die als Rutschbahnen dienen; das Innere ist als Spielhaus angelegt. Technische Assistenz und Unterbau Jean Tinguely in Zusammenarbeit mit Rico Weber und Paul Wiedemer. Distrikt Kiryat Hayovel, Jerusalem. 6 m hoch. Fester Standort.

1973
Dragon (von Knokke), ein vollständig ausgestattetes ›Haus für Kinder‹ mit einer Zunge als Rutschbahn; gebaut für die Kinder von Roger und Fabienne Nellens. Technische Assistenz und Unterbau Jean Tinguely in Zusammenarbeit mit Rico Weber. Knokke-le-Zoute, Belgien. 6,4 m hoch, 33,4 m lang. Fester Standort.

1973/1974
Nana-Piscine, Hallenschwimmbecken für eine Privatwohnung in Saint Tropez. Fester Standort.

1974
Caroline, Charlotte, Sophie, drei riesige Freiluft-Nanas, für die Stadt Hannover. Fester Standort.
Le Poète et sa Muse, Freiplastik für den Kunstpfad der Universität Ulm. 3,50 m hoch. Fester Standort.

1979–heute
The Tarot garden oder *Giardino dei Tarocchi*, ein Phantasiegarten auf der Grundlage der 22 Karten der großen Arkana. Benutzt Spiegel, Keramik und Glasmosaiken. Der Garten stellt die Verwirklichung des Lebenstraums dar. *The Falling Tower* und *La Maison-Dieu* entstehen in Zusammenarbeit mit Jean Tinguely. *The Wheel of Fortune* ist ein Brunnen von Jean Tinguely. Niki de Saint Phalle betrachtet das Projekt als eine gemeinsame Leistung aller Beteiligten. Garavicchio, Toskana. In Arbeit.

1983
La Fontaine Stravinsky, Gemeinschaftsarbeit mit Jean Tinguely. Bestehend aus sechzehn Skulpturen. Place Igor Stravinsky beim Centre Georges Pompidou in Paris. Brunnenbecken 0,35 × 16,5 × 36 m. Fester Standort.
Sun God, erstes Auftragswerk für die Stuart Foundation zur Aufstellung auf dem Gelände der University of California in San Diego. Erster wichtiger Auftrag in den USA. 10,5 m hoch. Fester Standort.

1988
La Fontaine Château-Chinon, Gemeinschaftsarbeit mit Jean Tinguely, bestehend aus acht Skulpturen. Place de la Mairie, Château-Chinon. Brunnenbekken 5 m Durchmesser. Fester Standort.

1988/1989
La Fontaine à Têtes de Serpent, Freiplastik für das Schneider Children's Hospital am Long Island Jewish Medical Center, New Hyde Park, Long Island, New York. 5,5 m hoch. Fester Standort.

1990
Grabsteinskulptur einer Katze für das Grab eines Freundes, des Künstlers und Mitarbeiters Ricardo Menon, auf dem Cimetière de Montparnasse in Paris.
Le temple idéal (Kirche für alle Religionen) befindet sich in der Planungsphase und soll in Nîmes errichtet werden.

1991
Yoko Masuda, Direktorin von Space Niki in Tokio schlägt die Einrichtung eines *Niki Art Museums* in Nasu, Präfektur Tochigi, vor.

1965
Niki de Saint Phalle
22 Seiten und 4 lose Bögen
Format 21 × 17 cm
8 Schwarz-Weiß-Photographien, 4 farbige Zeichnungen von Niki de Saint Phalle auf losen Bögen. Französische Bildkommentare von der Künstlerin. Französischer Text von Pierre Descargues: »les nanas, c'est mieux que les gonzesses, les pépées…«. Biographie der Künstlerin. Erschien anläßlich der ersten Ausstellung der Nanas in der Galerie Alexandre Iolas, Paris (30. September–30. Oktober 1965).

1966
Niki nanas
Herausgegeben von der Galerie Alexandre Iolas
Druck: Mourlot (Frankreich)
6 Seiten und 4 farbige Zeichnungen auf losen Bögen (*Jane, Samuela, Black Clarice, My Heart belongs to Rosy*)
Format 21 × 16,5 cm
Text von Pierre Descargues, ins Englische übertragen von France Frank. Erschien anläßlich der ersten Ausstellung der Nanas in der Galerie Alexander Iolas, New York
(29. März–23. April 1966).

1968
Niki de Saint Phalle
Druck: Sergio Tosi, Mailand, mit Genehmigung von Alexandre Iolas
16 Seiten
Format 20,5 × 16,5 cm
11 farbige Zeichnungen auf schwarzem Grund von Niki de Saint Phalle. Kein Begleittext.
Erschien anläßlich einer Ausstellung der Künstlerin in der Hanover Gallery, London (2. Oktober–1. November 1968).

1970
Please, give me a few minutes of your eternity
Herausgegeben von der Galerie Alexandre Iolas
Druck: Sergio Tosi, Mailand
Auflagenhöhe 800 Exemplare, davon 100 mit 4 numerierten und signierten Originallithographien der Künstlerin.
38 Bögen, Fadenheftung
Umschlag aus plastiküberzogenem Karton
Format 15 × 21 cm
22 farbige Zeichnungen der Künstlerin. Handschriftlicher englischer Text von Niki de Saint Phalle.
Erschien anläßlich einer Ausstellung der Künstlerin in der Galerie Alexandre Iolas, Mailand (Oktober 1970).

1971
My Love
Herausgegeben vom Moderna Museet, Stockholm, unter der Direktion von Pontus Hulten
Lithographien: Litografisk AB
Druck: Skaneoffset AB, Malmö Schweden
50 Seiten
Faltprospekt
Format 18 × 18 cm
50 farbige und Schwarz-Weiß-Zeichnungen von Niki de Saint Phalle. Englischer Text von der Künstlerin.
My Love ist die erste von Niki de Saint Phalle realisierte Sammlung von Zeichnungen. Sie geht auf das Jahr 1964 zurück, wurde jedoch erst um 1971 veröffentlicht.

1972
The Devouring Mothers. Story Book by Niki de Saint Phalle
Herausgegeben von der Gimpel Fils Gallery, London
Druck: Sergio Tosi, Mailand
28 Bögen in kartoniertem Umschlag, Fadenheftung
Format 14 × 16,5 cm
28 farbige Zeichnungen von Niki de Saint Phalle mit handschriftlichen englischen Begleittexten der Künstlerin.
Erschien anläßlich einer Ausstellung von Niki de Saint Phalle in der Gimpel Fils Gallery, London (5. Dezember 1972–27. Januar 1973).

1974
Réalisations et projets d'architecture de Niki de Saint Phalle
Herausgegeben von der Galerie Alexandre Iolas, Paris
Druck: Graphic Olympia, Mailand
24 Seiten
Umschlag aus festem Karton
Format 16 × 24 cm
5 farbige und Schwarz-Weiß-Zeichnungen von Niki de Saint Phalle. 19 Schwarz-Weiß-, 6 Farbphotographien.
Handschriftliche englische Begleittexte zu den Illustrationen von der Künstlerin.
Erschien anläßlich einer Ausstellung der Künstlerin in der Galerie Alexandre Iolas, Paris (5. Februar–2. März 1974).
Das Buch behandelt *Hon*, das *Paradis Fantastique*, die Bühnenbilder zu *Lysistrata*, die drei Wohnskulpturen für Rainer von Diez, den *Golem* in Jerusalem, den *Drachen* in Knokke-le-Zoute, den *Kopf* in Milly-la-Forêt, ein Nana-Schwimmbecken, ein Modell für eine Kapelle für Alexandre Iolas und das Projekt für einen Kindergarten in Form einer Schlange.

1976
Niki de Saint Phalle… (two architectures for children)
Herausgegeben vom Museum Boymans-van Beuningen, Rotterdam
Druck: Gemeentedrukkerij, Rotterdam
33 Seiten
Faltprospekt
Format 15 × 10,5 cm
17 Schwarz-Weiß- und 3 Farbphotographien von Leonardo Bezzola. Handschriftlicher englischer Text von Niki de Saint Phalle. Am Ende des Buches holländische Übersetzung des Textes. Liste der 33 ausgestellten Werke. Niederländischer Text von R. Hammacher-van der Brande. Biographie der Künstlerin. Das Buch behandelt den *Drachen* von Knokke-le-Zoute und den *Golem* von Jerusalem.
Erschien anläßlich einer Ausstellung der Künstlerin im Museum Boymans-van Beuningen, Rotterdam (22. Juli–5. September 1976).

1985
Tarot Cards in Sculpture by Niki de Saint Phalle
Druck: Giuseppe Ponsio, Mailand
Graphik und Maquette: Fausta Squatritti
Auflagenhöhe 9500 Exemplare
Zusätzlich 1000 Probedrucke, hergestellt für die Fondation Niki de Saint Phalle in Capalbio, Italien
40 Seiten
Einband mit Schutzumschlag
Format 22 × 24 cm
12 farbige Zeichnungen von Niki de Saint Phalle. Photographien von Leonardo Bezzola, Laurent Condominas, François Hatte und Giulio Pietromarchi.
24 Farb-, 5 Schwarz-Weiß-Aufnahmen. Handschriftliche englische Begleittexte zu den Abbildungen von Niki de Saint Phalle.
Erschien anläßlich der ersten Ausstellung von Arbeiten zu den Tarot-Karten von Niki de Saint Phalle in der Galerie Gimpel Fils, London, anschließend in der Galerie Gimpel & Weitzenhoffer, New York (3. September–5. Oktober 1985).

1986
Portrait of Niki de Saint Phalle
Zweisprachige Ausgabe französisch/japanisch
Verlag: Parco Co. Ltd., Tokio
Hergestellt in Zusammenarbeit mit Madame Yoko Shizue Masuda von Space Niki
Maquette und künstlerische Leitung: Fausta Squatritti
60 Seiten
Transparenter Plastik-Schutzumschlag
Format 23,5 × 21 cm
10 farbige und Schwarz-Weiß-Zeichnungen von Niki de Saint Phalle. Photographien von Michiko Matsumo (33 Schwarz-Weiß-, 16 Farbaufnahmen).
Text von Pierre Restany (Februar 1986).
Übersetzung von Kasuko Shiraishi.

1986–1987
AIDS, you can't catch it holding hands
Verlag: C. J. Bucher GmbH, München und Luzern, für die englische und deutsche Ausgabe (*Aids, vom Händchenhalten kriegt man's nicht*), 1986
Neuausgaben durch Franco Muzzio und c. editore spa, Mailand 1987; Flammarion, Paris 1987; The Lapis Press, San Francisco und Santa Monica 1987
52 Seiten
Format 25 × 20 cm
39 farbige Zeichnungen von Niki de Saint Phalle. Der handschriftliche Begleittext der Künstlerin entstand in Zusammenarbeit mit Dr. Silvio Barandun, Professor für Immunologie in Bern.

1988
The Wounded Animals
Druck: Giuseppe Ponsio, Mailand
Photolithographie: Domino, Mailand
Graphik und Maquette: Fausta Squatritti
Auflagenhöhe 5000 Exemplare
40 Seiten
Einband mit Schutzumschlag
Format 22 × 23 cm
5 farbige Zeichnungen von Niki de Saint Phalle. 30 Farbphotographien von Laurent Condominas und Piero Orsi. Der englische Begleittext stammt von der Künstlerin. Biographie Niki de Saint Phalles von Harry Mathews.
Erschien anläßlich einer Ausstellung von Niki de Saint Phalle in der Galerie Gimpel Fils, London (7. Juni–10. September 1988), anschließend in der Galerie Gimpel & Weitzenhoffer, New York.

1989
Meany Meany and the stolen Toys
Herausgegeben von Niki de Saint Phalle und Laurent Condominas
Beschränkte, nicht für den Handel bestimmte Auflage, finanziert von Jean Tinguely
Auflagenhöhe 1500 Exemplare
32 Seiten
Einband aus Glanzkarton
Format 26,5 × 21,5 cm
Kinderbuch. 24 farbige Zeichnungen und Text von Niki de Saint Phalle und Laurent Condominas. Handschriftlicher englischer Text.

1990
Le sida, tu ne l'attraperas pas…
Realisiert von Niki de Saint Phalle in Zusammenarbeit mit Philip Mathews
Herausgegeben von Agence française de lutte contre le sida
Druck: UFI, Pessac/Gironde
Auflagenhöhe 25 000 Exemplare
54 Seiten
Format 22 × 16 cm
Erschien anläßlich des Internationalen Tages gegen AIDS am 1. Dezember 1990. Der Erlös aus dem Verkauf des Buches und des ebenfalls von Niki konzipierten Stickers floß einer Hilfsorganisation für Aidskranke zu.
Zur selben Zeit fand im Foyer des Musée des Arts Décoratifs in Paris eine Ausstellung der Originalzeichnungen zu dem Buch und einiger Skulpturen (Obelisken) statt (30. November 1990–28. Januar 1991).
Philip Mathews dienten die Zeichnungen als Vorlage für einen Trickfilm.

Bibliographie in Auswahl

Agnelli, Marella. *Gardens of the Italian Villas.* Weidenfeld and Nicolson, London 1987.

Arthaud, Claude. *Les palais de rêve.* B. Arthaud et Paris-Match, Paris 1970.

Ashbery, John. *Reported Sightings: Art Chronicles 1957–1987.* Harvard University Press, Cambridge, Massachusetts 1991.

Bablet, Denis. *Les révolutions scéniques du XXème siècle.* Société internationale d'art du XXème siècle, Paris 1975.

Baker, Elizabeth C. und Hess, Thomas B. *Art and Sexual Politics.* Collier Books, New York 1971.

Bernard, Edina. *Les hauts lieux de l'art moderne en France.* Bordas, Paris 1991.

Bezzola, Leonard und de Saint Phalle, Niki. *The Birth of a Monster.* Niki de Saint Phalle, Leonard Bezzola und die weiteren Bildautoren, Zürich 1991.

Bony, Anne. *Les années 60.* Editions du Regard, Paris 1983.

Bordaz, Jean-Pierre. *Les nouveaux réalistes et leur temps.* Maîtrise d'histoire sous la direction de Mme. M. Perrot, Université de Paris VII, Paris 1976.

Boulez, Pierre; Hulten, Pontus; Meyer, Franz und Poley, Stephanie. *Jean Tinguely, Niki de Saint Phalle, Stravinsky Brunnen.* Benteli Verlag, Bern 1985.

Breteau, Gisèle. *Abécédaire des films sur l'art moderne et contemporain 1905–1984.* Musée national d'art moderne, Centre Georges Pompidou, Paris 1985.

Burnham, Jack. *Beyond Modern Sculpture.* George Braziller, New York 1969.

Cabanne, Pierre und Restany, Pierre. *L'Avant-Garde au XXe siècle.* André Balland, Paris 1969.

Castelman, Riva. *Prints of the Twentieth Century. A History.* Thames and Hudson, London 1976. Durchgesehene und veränderte Neuauflage 1988.

Celant, Germano. *Ambiante/Arte dal Futurismo alla Body Art.* Editions Biennale de Venise, Venedig 1977.

Ceysson, Bernard; Lemoine, Serge; Abadie, Daniel; Pradel, Jean-Louis; Pacquement, Alfred; Gintz, Claude; Tronche, Anne; Bernard, Christian; Strasser, Catherine und Bloch, Dany. *Vingt-cinq ans d'art vivant en France, 1960–1985.* Jacques Legrand S. A., Paris 1986.

Chadwick, Whitney. *Women, Art and Society:* Thames and Hudson, London 1990.

Chalumeau, Jean-Luc. *Lectures de l'art. Réflexion esthétique et création plastique en France aujourd'hui.* Société nouvelle des Editions du Chêne, Paris 1981.

La Collection du Musée national d'art moderne. Catalogue établi sous la direction d'Agnès de la Beaumelle et de Nadine Pouillon, introduction de Dominique Bozo. Editions du Centre Georges Pompidou, Paris 1986.

Contemporary Artists. Macmillan Publishers, London 1977. 2. Aufl. 1983.

Depuis 45. Volume II: L'Art de Notre Temps. La Connaissance, Exclusivité Weber, Brüssel 1970.

Dictionary of Contemporary Artists. Clio Press, Santa Barbara 1981.

Dictionary of Twentieth Century Art. Phaidon Press, Oxford 1973.

Dictionnaire de peinture et de sculpture, l'art du XXème siècle. Unter der Direktion von Jean-Philippe Breuille. Larousse, Paris 1991.

Dunford, Perry. *A Biographical Dictionary of Women Artists in Europe and America Since 1850.* University of Pennsylvania Press, Philadelphia 1989.

Elffers, Joost und Schuut, Michael, Herausgeber. *Fantastische architectuur.* Meulenhoff/Landshoff, Amsterdam 1980.

Evren, Robert; Krane, Susan and Raye, Helen. *The Painting and Sculpture Collection: Acquisitions since 1972.* Hudson Hills Press, in Zusammenarbeit mit der Albright-Knox Art Gallery, New York 1987.

Glozer, Laszlo. *Westkunst. Zeitgenössische Kunst seit 1939.* DuMont Buchverlag, Köln 1981.

Gottlieb, Carla. *Beyond Modern Art.* E. P. Dutton & Co., New York 1976.

Hammacher, A. M. *La sculpture.* Cercle d'art, Paris 1988.

Hammann, Barbara. *Künstler Kritisches Lexikon der Gegenwartskunst.* Numéro spécial consacré à Niki de Saint Phalle, Weltkunst Bruckmann Verlag, München 1989.

Happenings. Fluxus. Pop art. Nouveau réalisme. Eine Dokumentation. Einführung von Jürgen Becker und Wolf Vostell, Rowohlt Verlag, Hamburg 1965.

Harrison, Helen A. *Larry Rivers.* Harper & Row, New York 1984.

Hartford, Huntington. *Art or Anarchy? How Extremists and Exploiters Have Reduced the Fine Arts to Chaos and Commercialism.* Doubleday & Co., Garden City, New York 1984.

Heller, Nancy G. *Women Artists: An Illustrated History.* Abbeville Press, New York 1987.

Henri, Adrian. *Environments and Happenings.* Thames and Hudson, London 1974.

Hermand, Jost. *Pop International. Eine kritische Analyse.* Athenäum Verlag, Frankfurt a. M., 1971.

Hulten, Pontus. *Jean Tinguely: A Magic Stronger Than Death.* Abbeville Press, New York 1987.

Jencks, Charles und Silver, Nathan. *Adhocism: The Case for Improvisation.* Doubleday & Co., Garden City, New York 1972.

Joray, Marcel. *Le béton dans l'art contemporain.* Editions du Griffon, Neuchâtel 1977.

Jouffroy, Alain und andere. *New Art Around the World: Painting and Sculpture.* Harry N. Abrams, New York.

Kultermann, Udo. *Histoire mondiale de la sculpture. Art contemporain.* Hachette Réalités, Paris 1980.

Kultermann, Udo. *The New Sculpture, Environments and Assemblages.* Frederick A. Praeger Publishers, New York, Washington 1968.

Lawless, Catherine. *Artistes et ateliers.* Editions Jacqueline Chambon, Nîmes 1990.

Le Normand-Romain, Antoinette; Pingeot, Anne; Hohl, Reinhold; Rose, Barbara et Daval, Jean-Luc. *L'Aventure de la sculpture moderne, XIXème et XXème siècles.* Editions d'art Albert Skira, Genève 1986.

Lippard, Lucy R. *Pop Art.* Thames and Hudson, London 1966.

Livingstone, Marco. *Pop Art: A Continuing History.* Harry N. Abrams, New York 1990.

Lobenthal, Joel. *Radical Rags: Fashions of the Sixties.* Abbeville Press, New York 1990.

Lucie-Smith, Edward. *Art Now: From Abstract Expressionism to Surrealism.* William Morrow and Company, New York 1977

Mannoni, Gérard. *Roland Petit, un chorégraphe et ses peintres.* Hatier, Paris 1990.

Mathews, Harry. *The Way Home. Collected Longer Prose.* Atlas Press, London 1989.

Mashun, Carol Anne. *Pop Art and the Critics.* UMI Research Press, Ann Arbor, Michigan 1987.

Montreynaud, Florence. *Le XXème siècle des femmes.* Nathan, Paris 1989.

Millet, Catherine. *L'Art contemporain en France.* Flammarion, Paris 1987.

Munsterberg, Hugo. *A History of Women Artists.* Clarkson N. Potter, New York 1975.

Naylor, Colin; Orridge, Genesis. *Contemporary Artists.* St. James Press, London, St. Martin's Press, New York 1977.

Neret, Gilles. *Trente ans d'art moderne. Peintres et sculpteurs.* Office du Livre, Fribourg 1988.

Nouveau dictionnaire de la sculpture moderne. Fernand Hazan, Paris 1970.

Nuridsany, Michel. *La commande publique.* Edition de la Réunion des musées nationaux. Sammlung »Enjeux-culture«, Paris 1991.

Osterwold, Tilman. *Pop Art.* Benedikt Taschen Verlag, Köln 1989.

Pelligrini, Aldo. *New Tendencies in Art.* Crown Publishers, New York 1966.

Pierre, José. *Le premier livre de peinture. L'abécédaire, précédé par le dialogue monotone,* et suivi de *Le gouvernement de l'écume.* Le Terrain Vague, Paris 1971.

Pierre, José. *Dictionnaire de poche. Le pop art.* Fernand Hazan, Paris 1975.

Pluchart, François. *1960–1970. Pop Art and cie.* Editions Martin-Malbur, Paris 1971.

Popper, Franck. *Art Action Participation 1.: Le déclin de l'objet.* Chêne, Paris 1975.

Ragon, Michel. *Naissance d'un art nouveau.* Albin Michel, Paris 1963.

Ragon, Michel. *Vingt-cinq ans d'art vivant. Chronique vécue de l'art contemporain, de l'abstraction au pop art, 1944–1969.* Editions Galilée, Paris 1966. Bearbeitete und ergänzte Neuauflage 1986.

Rellecke, Horst. *Der Glaselefant.* Bauverlag, Wiesbaden und Berlin 1986.

Restany, Pierre. *Les nouveaux réalistes.* Editions Planète, Paris 1968.

Restany, Pierre. *L'autre face de l'art.* Editions Galilée, Paris 1975.

Restany, Pierre. *Une vie dans l'art.* Gespräche mit Jean-François Bory. Editions Ides et Calendes, Neuchâtel 1983.

Restany, Pierre. *60/90. Trente ans du Nouveau Réalisme.* Editions de la Différence, Paris 1990.

Rischbieter, Henning (Hg.). *Art and the Stage in the 20th Century: Painters and Sculptors Work for the Theater.* New York Graphic Society, Greenwich, Connecticut 1968.

Rotzler, Willy. *Objekt-Kunst: Von Duchamp bis Kienholz.* Verlag M. DuMont Schauberg, Köln 1972.

Rubin, William; Pleynet, Marcelin. *Paris-New York. Situation de l'art.* Chêne, Paris 1978.

Rubinstein Streifer, Charlotte. *American Women Artists from Early Indian Times to the Present.* G. K. Hall & Co., Boston, und Avon Books, New York 1982.

Rubinstein Streifer, Charlotte. *American Women Sculptors.* G. K. Hall & Co., Boston 1990.

Sandler, Irving. *American Art of the 60's.* Icon Editions, Harper & Row, New York 1961.

Seitz, William C. *The Art of Assemblage.* The Museum of Modern Art, New York 1961.
Selz, Peter. *Art in Our Times: A Pictorial History 1890–1980.* Harry N. Abrams, New York 1981.
Takashina, Shuji (Hg.). *Assemblage and Accumulation (Art Now, 7).* Kodansha, Tokio 1971.
Thomas, Karin und De Vries, Gerd. *DuMont's Künstler Lexikon, von 1945 bis zur Gegenwart.* DuMont Buchverlag, Köln 1977.
Thorn-Petit, Liliane. *Portraits d'artistes.* RTL Edition, Paris-Luxembourg 1987.
Tomkins, Calvin. *Off the Wall: Robert Rauschenberg and the Art World of Our Time.* Doubleday & Company, Garden City, New York 1980.
Tono, Yoshiaki (Hg.). *The Pop Image of Man (Art Now, 4).* Kodansha, Tokio 1971.
Trente ans de ballets français. Photographien von Serge Lido, Vorwort von Pierre Gaxotte. Edition Vilo, Paris 1969.
Trichon-Milsani, Eurydice; Makarius, Michel et Marcheschi, Jean-Paul. *Au Musée national d'art moderne.* Fernand Hazan, Paris 1983.
Tronche, Anne und Gloagen, Hervé. *L'art actuel en France, du cinétisme à l'hyperréalisme.* André Balland, Paris 1973.
Turner, Ralph. *Contemporary Jewelry.* Studio Vista Book, Macmillan, London 1976.
Wheeler, Daniel. *Art since Mid-Century 1945 to the Present.* The Vendome Press, New York 1991.
Wolfram, Eddie. *History of Collage.* MacMillan Publishing Co., New York 1969.

Veröffentlichungen in Zeitungen und Zeitschriften

1961

Ashbery, John. »›Comparaisons‹ at Musée d'Art Moderne«, in: *New York Herald Tribune*, Paris, 8. Februar, Abb.

Ashbery, John. »Midsummer Madness Fills Void in Paris Art Calendar«, in: *New York Herald Tribune*, Paris, 25. Juli.

Ashbery, John. »Paris Art Season Ending With Bangs, Not Whimpers«, in: *New York Herald Tribune*, Paris, 1.–2. Juli, Abb.

»›Bewogen Beweging‹: Bizarre Expositie«, in: *Brabants Nieuwsblad*, Roosendaal, 11. März.

Coruzzi, Giovanni. »Dipinge a colpi di fucile«, in: *Libertà-Piacenza*, 21. Juli.

Descargues, Pierre. »Tirez, nous ferons le reste!«, in: *Feuille d'Avis de Lausanne*, Nr. 139, 19. Juli, Magazin, S. 2.

Devay, Jean-Françoise. »Un scandale nommé Niki ...«, in: *Paris-Presse-l'Intransigeant*, 29. Juni, S. 3D.

»Fyrvaerkeri med farver«, in: *Politiken*, Nr. 347, 16. September, S. 1, Abb.

Kühn, Siegfried, »Gräfin Niki malt mit dem Karabiner«, in: *Offenburger Tageblatt*, 1. September.

»Kunsten«, in *Billed Bladet*, Nr. 38, 22. September, S. 37, Abb.

Lewino, Walter. »Le maître, la lumiste, le modeste«, in: *Démocratie 61*, 13. Juli.

London, John. »The girl who paints with a gun«, in: *The Evening News and the Star*, 7. Juli, S. 8, Abb.

Quain, Anthony. »Stoep Talk«, in: *Johannesburg Star*, 13. Juli.

Restany, Pierre. »Die Beseelung des Objektes«, in: *Das Kunstwerk*, Bd. XV, Nr. 1–2, Juli/August, S. 37–56.

Rohde, H.P. »Hvor Dan Ramme Kunsten?«, in: *Berlingske Aftnavis*, 20. September, Abb.

Schilling, Tonia. »Shotgun Painter Does Brisk Trade«, in: *Montreal Star*, 19. Juli.

Schöffer, N. »Parisungrare visar dynamisk konst«, in: *Svenska Dagbladet*, 14. Mai, Abb.

»Seltene ›Kunst‹ Ausstellung in Paris«, in: *Hohenloher Tagblatt*, 15. Juli.

»Skjut inte på konstnärinnan ...«, in: *Idun*, Nr. 30, 24.–30. Juni, S. 4, Abb.

Thomaeus, Jan. »Bödlar och martyrer«, in: *Dagens Nyheter*, Mai, Abb.

Vincent, Paul. »Art et sport«, in: *Le Petit Marocain*, Casablanca, 9. Juli.

1962

Ashbery, John. »Paris Letter«, in: *Art International*, Bd. VI, Nr. 7, September, S. 64, Abb.

Ashbery, John. »Old and New Art in Holland: Hals Show in Haarlem; Moderns Have Fun«, in: *New York Herald Tribune*, Paris, 19. September.

»Beeldende Kunst: What's Happening?«, in: *Haagse Post*, 8. September, S. 15, Abb.

Buzzati, Dino. »La bellissima Niki chiude il vampiro in ›frigidaire‹ «, in: *Corriere d'Informazione*, 10.–11. Februar, S. 3, Abb.

»Cannon Field?«, in: *Newsweek*, 12. Februar, Abb.

»Dipinge sparando«, in: *Roma-Napoli*, 7. Januar.

»Dylaby-Dynamisch Labyrinth«, in: *Het Parool*, 31. August.

Gray, Beverly. »Closeup: Avant-Garde Artist«, in: *The New York Post*, 5. Dezember, Magazin, S. 3, Abb.

Johnston, Jill. »Niki de Saint-Phalle (Iolas)«, in: *Art News*, Bd. 61, Nr. 8, Dezember, S. 16, Abb.

Johnston, Jill. »Robert Rauschenberg, Jean Tinguely, Niki de Saint Phalle (Maidman Theater)«, in: *Art News*, Bd. 61, Nr. 4, Sommer, S. 53–54.

Judd, Donald. »Exhibition at Iolas Gallery«, in: *Arts Magazine*, Bd. 37, Dezember, S. 44, Abb.

Kouwenaar, Gerritt. »Publiek is meemaker aan Dylaby in het Stedelijk Museum«, in: *Het Vrije Volk*, 8. September.

»Le coin du bricoleur«, in: *Spirou*, Nr. 1240, 18. Januar, S. 30–31, Abb.

»Mit Ochsenblut und Dynamit«, in: *Frankfurter Illustrierte*, 18. Februar, Abb.

Secunda, Arthur. »Sunset Whammy: Art? – Maybe; Fun? – Definitely«, in: *Beverly Hills Times*, 8. März, S. 9, Abb.

Spierdijk, Jan. »Dylaby, Het Stedelijk als wondertent«, in: *De Telegraaf*, 4. September.

Tallmer, Jerry. »Entertainment?: The Building of Boston«, in: *The Village Voice*, 10. Mai, S. 9–10.

1963

Ashton, Dore. »New York Commentary: High Tide for Assemblage«, in: *Studio International*, Bd. 165, Januar, S. 24–25, Abb.

Restany, Pierre. »Le nouveau réalisme und was darunter zu verstehen ist« (mit französischem Text), in: *Das Kunstwerk*, Bd. XVI, Nr. 7, Januar, S. 1–18.

Restany, Pierre. »Paris Letter: The New Realism«, in: *Art in America*, Bd. 51, Nr. 1, Februar, S. 102–104, Abb.

Seckler, Dorothy G. »The Artist in America: The Audience Is His Medium!«, in: *Art in America*, Bd. 51, Nr. 2, April, S. 62–67.

»Sweeney's Way«, in: *Time*, 14. Juni, S. 74, Abb.

Wholden, Rosalind G. »Puerealism: ›The End‹ with Innocence«, in: *Artforum*, Bd. II, Nr. 3, September, S. 30–33, Abb.

Wulp, John. »Happening: A timely exercise in the Pursuit of Happiness«, in: *Esquire*, November, S. 134–138.

1964

Brumagne, M.M. »Niki de Saint-Phalle expose ses tableaux-objets à Genève«, in: *Tribune de Lausanne*, 16. April.

Deroudille, René. »Niki de Saint-Phalle (Galerie Iolas) vedette des quelques expositions Genèvois«, in: *Le Dauphin Libéré*, 20. April.

Descargues, Pierre. »Niki de Saint-Phalle construit ... des monstres!«, in: *Tribune de Lausanne*, 2. August, Abb.

Glueck, Grace. »Art Notes: Growing Pains«, in: *The New York Times*, 7. Juni, Abb.

Peillex, G. »Exposition à Genève«, in: *Das Werk*, Bd. 54, Juni, S. 135.

Perkins, Constance. »The Galleries: St. Phalle Doubles Paradox«, in: *Los Angeles Times*, 17. Januar, Teil IV.

»Pop-art Diskussion«, in: *Das Kunstwerk*, Bd. XVII, April, S. 24.

Russell, John. »Niki de Saint-Phalle«, in: *The Sunday Times*, 27. September.

Wholden, Rosalind G. »Paint and Fable in Los Angeles«, in: *Arts Magazine*, Bd. 38, März, S. 40.

Williams, Sheldon. »Pale Pink and Monsters«, in: *New York Herald Tribune*, Paris, 13. Oktober.

1965

»Art/Galleries: The Box, Glue & Nail Set«, in: *Time*, Bd. 86, 14. Mai, S. 70, Abb.

Ashbery, John. »Paris: Pop, Nanas«, in: *Art News*, Bd. 64, Nr. 8, Dezember, S. 37, 54, Abb.

Ashbery, John. »What's New in Paris Art? Murder, That's What«, in: *New York Herald Tribune*, Paris, 12. Oktober, Abb.

Barotte, René. »Les ›Grosses Nanas‹ de Niki«, in: *France-Soir*, 5. Oktober, S. 5, Abb.

Berkson, W. »Exhibition at Iolas Gallery«, in: *Arts Magazine*, Bd. 39, Mai, S. 56, Abb.

Constable, Rosalind. »The Mid 60s/Art: Is It Painting or Is It Sculpture?«, in: *Life*, Bd. 59, 20. Dezember, Abb.

Crespelle, Jean-Paul. »L'Exposition: le temps des Nanas«, in: *Le Journal du Dimanche*, 3. Oktober.

Descargues, Pierre. »Niki de Saint-Phalle expose de redoutables ouvrages de dame les Nanas«, in: *Tribune de Lausanne*, 26. September, Abb.

Douillard, Imy. »Vad är en Nana?«, in: *Göteborgs-Tidningen*, 6. November, Abb.

Emerson, Gloria. »Jean Shrimpton Beware! ›Nanas‹ of Paris Are After You«, in: *The New York Times*, 25. Oktober, S. 39, Abb.

Gablik, Suzi. »Niki de Saint Phalle (Iolas)«, in: *Art News*, Bd. 64, Nr. 5, September, S. 10, Abb.

Gassiot-Talabot, Gérald. »La figuration narrative dans la peinture contemporaine«, in: *Quadrum*, Nr. 18, S. 31–32, Abb.

Gassiot-Talabot, Gérald. »Lettre de Paris«, in: *Art International*, Bd. IX, Nr. 8, November, S. 48–50, Abb.

Gertz, Gerda. »Konkurrenz für Gartenzwerge«, in: *Hamburger Abendblatt*, 6. November, Abb.

Kousbroek, Rudy. »Die Vrouwen van Niki de Saint-Phalle«, in: *Algemeen Handelsblad*, 13. November, S. 27, Abb.

Lacoste Conil, Michel. »Niki Hottentote«, in: *Le Monde*, 5. November.

Lescaut, Sonia. »Profil: Niki de Saint-Phalle invente les ›nanas‹ en couleur«, in: *Arts*, 6.–12. Oktober, S. 33, Abb.

»Les Nanas de Niki de Saint-Phalle«, in: *Beaux-Arts*, 21. Oktober, Abb.

»Niki de Saint Phalle«, in: *Town & Country*, Juni, S. 79, Abb.

»Om dat zij vrij zijn (De ›Nanas‹ van Niki de Saint-Phalle)«, in: *Haagse Post*, 20. November, S. 27, Abb.

»Paris par express: Les dames de Niki de Saint-Phalle«, in: *L'Express*, 4.–10. Oktober, S. 61, Abb.

Patterson, Suzy. »Artist Expresses Feminine Revolt«, in: *Journal Herald*, Dayton, Ohio, 9. Oktober, S. 1, 26, Abb.

Rheims, Maurice. »Niki de Saint Phalle: l'Art et les mecs«. in: *Vogue*, Februar, S. 58–61, Abb.

Roditi, Edouard. »Niki de Saint-Phalle«, in: *Du*, Nr. 295, August, S. 599–611, Abb.

Sheppard, Eugenia. »Inside Fashion: Fashion Is Art, Honestly« in: *New York Herald Tribune*, 19. März, Abb.

Sweetinburgh, Thelma. »Niki's Nanas«, in: *Women's Wear Daily*, 15. Oktober, S. 4–5, Abb.

Vilaine, Anne-Marie de. »Confession: Mieux que les hommes«, in: *Le Nouvel Observateur*, Nr. 48, 13. Oktober, Abb.

Watt, Alexander. »Exhibition at Galerie Iolas«, in: *Studio International*, Bd. 127, Dezember, S. 247.

Watt, Alexander. »Paris Commentary: Kinetics Close the Gap«, in: *Studio International*, Bd. 170, September, S. 128, Abb.

1966

»Art: Calico Dames in a Frolic of Art«, in: *Life*, Bd. 60, Nr. 13, 1. April, S. 58–60, 64, Abb.

»Art/Sculpture: The Ultimate She«, in: *Time*, Bd. 87, Nr. 24, 17. Juni, S. 92, 93, Abb.

»Ausstellung in der Galerie Alexander Iolas«, in: *Das Kunstwerk*, Bd. XIX, April, S. 86, Abb.

»Ballett: Petit – Lob des Irrsinns«, in: *Der Spiegel*, Nr. 13, März, Abb.

Bourgeois, Jacques. »Une énorme réussite de Roland Petit: Eloge de la folie«, in: *Arts*, 16.–22. März, S. 18, Abb.

Brunius, Clas. »Moderna museets senaste: Jättekvinna på rygg«, in: *Expressen*, 3. Juni.

Burton, Scott. »Niki de St.-Phalle (Iolas)«, in: *Art News*, Bd. 65, Nr. 3, Mai, S. 14, 20.

Canaday, John. »Five Shows Blossom Among Current Fare«, in: *The New York Times*, 2. April.

Colberg, Klaus. »Pox durch Sex in Pop und Op«, in: *Mannheimer Morgen*, 4. Oktober, S. 24.

Cournand, Gilberte. »La danse«, in: *Opéra*, 13. April, S. 33.

Cullberg, Staffan. »Suggestiv urmoder«, in: *Svenska Dagbladet*, 3. Juni, Abb.

Curtiss, Thomas Quinn. »Petit's Ballet in Paris«, in: *The New York Times*, 13. März.

Cutler, Carol. »Paris not so French«, in: *Art in America,* Bd. 54, März, S. 109, Abb.
»Deçà, delà«, in: *Les Annales,* Mai, Abb.
»De quoi devenir fou«, in: *France-Soir,* 8. März, Abb.
Descargues, Pierre. »Niki de Saint-Phalle ›Nanas‹« (mit englischem Text), in: *Quadrum,* Nr. 20, S. 67–74, 178, Abb.
Drommert, René. »Hier die Königin – dort ›Sie‹«, in: *Die Zeit,* Nr. 29, 15. Juli, S. 16, Abb.
Emerson, Gloria. »Ballet Throbs With Odd Props. Designed by 3 Artists in Paris«, in: *The New York Times,* 27. März.
Fleuret, Maurice. »Ce qu'il en coûte d'être fou par Roland Petit«, in: *Le Nouvel Observateur,* 16. März, Abb.
Friedrich, Heinz. »Das Monstrum von Stockholm«, in: *Die Welt,* Nr. 169, S. 1, Abb.
Gassiot-Talabot, Gérald. »Lettre de Paris et de Saint-Paul-de-Vence«, in: *Art International,* Bd. X, Nr. 7, September.
Hahn, Otto. »The Death of Paris«, in: *Art & Artists,* Bd. 1, Nr. 2, Mai.
Hensel, Georg. »Die Comic Strippers von Kassel«, in: *Darmstädter Echo,* 9. Oktober.
Iden, Peter. »Oh, Lysistrata, meine Knie werden weich«, in: *Frankfurter Rundschau,* 5. Oktober, S. 6.
»Jeunes artistes français«, in: *Aujourd'hui,* Bd. 10, September, S. 86.
Kersting, Claus. »Lysistrata«, in: *Waldeckische Landeszeitung,* 4. Oktober, Abb.
Kramer, Hilton. »Stockholm: Like Reading Keats in Rush Hour«, in: *The New York Times,* 9. Juli, Abb.
»Kunst: Niki de Saint Phalle – Dame ohne Unterschenkel«, in: *Der Spiegel,* Nr. 41, 3. Oktober, Abb.
»Le ›Nanas‹ e i capelloni«, in: *Specchio,* 24. April.
Linde, Ulf. »En valdig varelse«, in: *Dagens Nyheter,* 4. Juni, Abb.
»Lysistrata à la mode-pop«, in: *La Tribune d'Allemagne,* 5. November, Abb.
Martin, Gregory. »A female Gulliver in Stockholm«, in: *The Times,* 27. Juni, Abb.
Mayer, Tony. »The Petit Romance«, in: *Financial Times,* 26. April.
Mellow, James. »New York Letter«, in: *Art International,* Bd. X, Nr. 7, September, S. 57.
Olvång, Bengt. »Hon«, in: *Aftonbladet,* 9. Juni.
Pluchart, François. »Fire Sermons« (übersetzt von Suzi Gablik), in: *Art & Artists,* Bd. 1, Nr. 5, August, S. 24–27, Abb.
Restany, Pierre. »›Hon‹ a Stoccolma« (mit englischem und französischem Text), in: *Domus,* Nr. 442, September, S. 49.
Restany, Pierre. »Qu'est-ce qui fait fuir nos peintures en Amérique?«, in: *Arts-Loisirs,* Nr. 64, 14. Dezember, S. 34–40, Abb.
Reuther, Hanno. »Wenn man will, geht es auch anders«, in: *Westfälische Rundschau,* Nr. 239, 14. Oktober, Abb.
»Roland Petit: Eloge de la folie«, in: *Parisien Libéré,* 3. März, Abb.
Rühle, Günther. »Die gepopte Lysistrata«, in: *Frankfurter Allgemeine Zeitung,* Nr. 232, 6. Oktober, S. 24.
Runge, Gertrud. »Lysistrata als Pop-Figur«, in: *Die Welt,* Nr. 233, 6. Oktober, S. 13, Abb.
»Saint-Phalle (Niki) (de)«, in: *Nouveau Candide,* 15. August.
Scheidegger, A. »Riesenweib von Stockholm«, in: *Der Bund,* 7. Juli.
Schyle, Hans-Joachim. »Das Blut der Venus von Milo«, in: *Saarbrücker Zeitung,* 29. März.
Scott, Lael. »Woman in the news: Niki de Saint Phalle«, in: *The New York Post,* 10. April, Magazin, Teil II, und S. 27, Abb.
Secunda, Arthur and Thunholm, Jan. »Everyman's Girl«, in: *Ramparts,* November, S. 66–68, Abb.
Stimson, Ermina and Weir, June. »Niki's Nanas«, in: *Women's Wear Daily,* Bd. 112, Nr. 61, 28. März, S. 1, 10, Abb.
»Stockholm: Dame über alles«, in: *Der Spiegel,* Nr. 27, Juni, Abb.
»They're Stealing the Show from Correggio«, in: *Chicago Daily News,* 23. Februar, Abb.
Trenet, Charles. »Entretien avec Roland Petit«, in: *Le Monde,* 3. März.
Valogne, Catherine. »La ›Hon-Cathédrale‹ et le musée de Stockholm«, in: *Les Lettres Françaises,* 1. September, Abb.
V. J. »Anatomie – La super-nana de Stockholm«, in: *Arts-Loisirs,* Nr. 40, 29. Juni, S. 45, Abb.
W. B. »Hon = she = zig, een kathedraal«, in: *Museumjournaal,* Reihe XI, Nr. 7, S. 199–203, Abb.
Willard, Charlotte. »The Nanas of Niki de Saint Phalle«, in: *The New York Post,* 10. April, Magazin, Teil II, S. 48.
Zimmerman, Sidney. »In the Galleries: Niki de Saint Phalle«, in: *Arts Magazine,* Bd. 40, Nr. 8, Juni, S. 52, Abb.

1967

Albert-Levin, Marc. »Les Arts: La fureur poétique«, in: *Les Lettres Françaises,* 20. April.
»Amsterdam: La Nana à habiter«, in: *Tribune de Lausanne,* 17. September, Abb.
»Around Paris Galleries«, in: *New York Herald Tribune,* Paris, 5. Dezember.
»Art: Sculpture at Expo«, in: *Time,* Bd. 90, Nr. 5, 4. August, S. 54–55, Abb.
Barotte, René. »A Montréal: La France sera à l'avant-garde des arts plastiques«, in: *Le Provençal,* Marseille, 19. März.
Barry, Edward. »When the historians get around to…«, in: *Chicago Tribune,* 20. November, Teil 2A, S. 4, Abb.
Bloc, Cor. »Niki de Saint-Phalle«, in: *Groene Amsterdammer,* 16. September.
Bloc, Cor. »Holland: Niki de Saint-Phalle«, in: *Art International,* Bd. XI, Nr. 9, November, S. 47, Abb.
Blume, Mary. »Tinguely's Machines Sacre Niki's Nanas«, in: *New York Herald Tribune – Washington Post,* Paris, 5. April, S. 12, Abb.
Bourdon, David. »Expo '67«, in: *Art International,* Bd. XI, Nr. 7, 20. September, S. 19–24.
Châtelain, Nicolas. »Montréal: Coups de canon, carillons sirènes et fanfares«, in: *Le Figaro,* 28. April.
Cunningham, Bill. »Niki de Saint Phalle, in New York…«, in: *Chicago Tribune,* 20. November, Teil 2A, S. 3.
Descargues, Pierre. »Premières photos des Hybrides de Niki de Saint-Phalle dans lesquels vont se ruer les machines offensives de Tinguely«, in: *Tribune de Lausanne,* 28. Februar, Abb.
Fournier, Eva. »250 000 entrées pour le 1er jour l'Expo internationale de Montréal«, in: *France-Soir,* 30. April.
Frater, Alexander. »The Lady In The Orang-Outang Skin Is Sitting On A Nana«, in: *The Daily Telegraph,* 24. November, Magazin, S. 26–29, 31, Abb.
Giaud, Claude. »L'exposition de la Galerie des Beaux-Arts…«, in: *La France,* 15. November.
Glueck, Grace. »New York Gallery Notes«, in: *Art in America,* Bd. 55, Nr. 2, März/April, S. 102–108.
Hahn, Otto. »Art: Les Nanas demandent des sous«, in: *L'Express,* Nr. 820, 6.–12. März, S. 98–99, Abb.
Hénault, D. Todd. »Environmental Aspects of Expo '67« (mit deutschem und französischem Text), in: *Graphis,* Bd. XXIII, Nr. 132, S. 347.
Kaplan, Bernard. »Inside Niki's Nanas: The Life Urge In A Polyester Package«, in: *Montréal Star,* 25. März.
»La perplexité canadienne devant les ›Nanas‹ de Niki de Saint-Phalle«, in: *France-Soir,* 7. Juni, S. 18.
»La table des matières du sculpteur 1967«, in: *Le Monde,* 15. Dezember.
Lévêque, Jean-Jacques. »Créer à coups de fusil«, in: *Arts,* Nr. 54, 5.–11. Oktober, Abb.
Michel, Jacques. »Les ›nanas‹ et les ›machines‹ feront la foire à Montréal«, in: *Le Monde,* 3. März.
»Montréal: le pop sur le toit«, in: *Arts-Loisirs,* Nr. 84, 3.–9. Mai, S. 34–35, Abb.
Müller, Gregoire. »Paris: Insanity Fair«, in: *Art & Artists,* Bd. 2, Juni.
»Niki de Saint Phalle: les nanas au pouvoir«, in: *Museumjournaal,* Reihe XII, Nr. 8, S. 208–211, Abb.
»Niki's Nanas«, in: *Algemeen Handelsblad,* 9. September, Abb.
»Niki's Puppen sind nicht von Pappe«, in: *Stern,* Nr. 18, 13. April, S. 71–72, Abb.
»Paris en parle: Niki de Saint Phalle«, in: *Vogue,* Oktober, S. 150–151.
Pluchart, François. »Bravo le ministère des arts et lettres«, in: *Combat,* 27. Februar, Abb.
»Pour les fêtes des œuvres à grand tirage«, in: *Les Lettres Françaises,* 4. Januar.
Restany, Pierre. »Montréal: un ballet ou une farce?«, in: *Arts-Loisirs,* 10. Januar.
Robillard, Yves. »Les conceptions des arts visuels à l'Expo«, in: *Vie des Arts,* Montréal, Herbst, S. 42–46, 67, Abb.
Sheppard, Eugenia. »Niki's New Long Skirt«, in: *World Journal Tribune,* 7. Februar, S. 9, Abb.
Sorel, Frédéric. »›Nanas‹ obscènes, sculptures grotesques et hallucinations en musique…«, in: *Minute,* 25. Mai, S. 16–17, Abb.
Sottsass, E., Jr. »Case de artiste a Parigi: dalla Francia con amore«, in: *Domus,* Nr. 452, Juli, S. 26–27, Abb.
Sweetinburgh, Thelma. »Decent Exposure… or My Fair Nana«, in: *Women's Wear Daily,* Bd. 114, Nr. 70, 11. April, S. 4–5, Abb.
Van 'T Veer, Paul. »De Nana's aan de macht bij Niki de Saint Phalle«, in: *Het Vrije Volk,* 2. September, Abb.
Warnod, Jeanine. »La Fureur poétique«, in: *Le Figaro,* 21. März.
Welling, Dolf. »Heur eigen domein: Slanke Française propageert ›moeilijke figuren‹«, in: *Dordrechts Nieuwsblad,* 2. September, Abb.
Weyer, Walter. »Wohin steuert die französische Kunst?«, in: *Holsteinischer Courier,* 23. November.

1968

Ammann, Jean-Christophe. »Schweizer Brief: Niki de Saint-Phalle in der Galerie Gimpel & Hanover, Zürich (18. Mai – 6. Juli)«, in: *Art International,* Bd. XII, Nr. 8, 20. Oktober, S. 55.
Besson, George. »Les Arts: Le décor de la vie. Musée Galleria«, in: *Les Lettres Françaises,* 17. April, S. 32.
Bonk, Siegfried. »In der kleinen Nana kann man sogar lieben«, in: *Leverkusener Anzeiger,* 22. November.
Colberg, Klaus. »Theater bei der ›documenta 4‹«, in: *Neue Zürcher Zeitung,* 9. Juli.
Cutler, Carol. »Art in Paris: Three Shows Out to Involve«, in: *International Herald Tribune,* Paris, 23. April, S. 3.
Descargues, Pierre. »Niki de Saint-Phalle a écrit et décoré ›Ich‹ à Kassel«, in: *Feuille d'Avis de Lausanne,* 2. Juli, S. 57, Abb.
Descargues, Pierre. »›Ich‹: un ›Ubu‹ femelle«, in: *Tribune de Lausanne,* 7. Juli, S. 3, Abb.
Gerber, Dieter. »Im Hippieland der dickbäuchigen Nanas«, in: *Generalanzeiger für Bonn,* 26. November, Abb.
Glueck, Grace. »Tinguely's Machines Menace Niki's Nanas in the Park«, in: *The New York Times,* 2. Mai, S. 49, Abb.
Hahn, Otto. »Expositions: Sept ›machines‹ cherchent leur voie«, in: *L'Express,* 29. April, Abb.
»Les Nanas au pouvoir«, in: *The Times,* 1. Oktober.

»Les Nanas sur la Plage«, in: *Vogue,* Bd. 151, Nr. 8, 15. April, S. 130–131, Abb.
Lévêque, Jean-Jacques. »Les poètes de la cruauté«, in: *Les Nouvelles Littéraires,* 14. November.
Lévêque, Jean-Jacques. »Musée Galleria: Une réflexion sur le mal industriel«, in: *Le Nouveau Journal,* 20. April.
Melville, Robert. »The Obsessive Image: 1960–1968«, in: *The Architectural Review,* Bd. CXLIII, Juni, S. 463–465, Abb.
Morschel, Jürgen. »Diana und ihre Puppen«, in: *Haller Tagblatt,* 17. Dezember.
»New Beach Belle: A Girl Balloon«, in: *Life,* 3. Mai, S. 66–67, Abb.
»Niki de Saint Phalle: the romantic point of view«, in: *Vogue,* Bd. 151, Nr. 1, Januar, S. 82–85, Abb.
»Nikis Debüt in Düsseldorf«, in: *Aachener Volkszeitung,* 16. November.
»Peeled Nanas«, in: *New York Daily News,* 2. Mai, S. 44–45, Abb.
Peppiatt, Michael. »Paris Letter«, in: *Art International,* Bd. XII, Nr. 10, Weihnachten, S. 60–61.
Pluchart, François. »Merveilleuse Niki de Saint-Phalle«, in: *Combat,* 11. Oktober, Abb.
Plunien, Eo. »Puppen für Erwachsene«, in: *Die Welt,* 13. Dezember, Abb.
»Pour les beaux jours: une nana-pavillon de jardin«, in: *L'Illustre,* Nr. 47, 22. November, Abb.
»Sculptures de joie et de bonheur – Serigraphien (Gimpel & Hanover Galerie, Zürich)«, in: *Das Werk,* Bd. 55, Juli, S. 490, Abb.
Sello, Gottfried. »Kunstkalender: Düsseldorf«, in: *Die Zeit,* 29. November, Abb.
Sheehy, Gail. »Nanas: In The Park«, in: *New York,* Bd. 1, Nr. 9, 3. Juni, Titelseite und S. 18–22.
Sheppard, Eugenia. »Giant Nanas, Iron Machines Inhabit the ›Fantastic Garden‹«, in: *The Washington Post,* 8. Mai, S. C10.
Strelow, Hans. »Alle Macht den Nanas«, in: *Frankfurter Allgemeine Zeitung,* N. 136, 13.–14. Juni.
Strelow, Hans. »Pomp und Glanz der Kunst«, in: *Rheinische Post,* Nr. 217, 19. November, S. 19.
»U.S. Museums Go Mad«, in: *Newsweek,* 1. April, S. 32–36, Abb.

1969
Armstrong, Lois. »Los Angeles«, in: *Art News,* Bd. 68, Nr. 6, Oktober, S. 74.
»Die Nanas an die Macht«, in: *Belser Kunst Quartal,* Bd. 1, Nr. 4, 30. Juni, S. 30–31, Abb.
Goldman, J. »Prints by Painters«, in: *Artist's Proof,* Bd. 9, S. 69, Abb.
Honnef, Klaus. »Ausstellung: Kunstverein Düsseldorf«, in: *Das Kunstwerk,* XXII, Nr. 5–6/Februar, März, S. 59, 76, Abb.
»Kunstmuseum: Luzern«, in: *Das Werk,* Bd. 56, September, S. 652, Abb.
»Kunst: Niki de Saint Phalle: Nanas an die Macht«, in: *Der Spiegel,* Nr. 5, 27. Januar, S. 104–107.
Lange, Rudolf. »Die Frauen an die Macht«, in: *Hannoversche Allgemeine Zeitung,* 7. März, S. 25, Abb.
»Les ›Nanas‹ de Niki ou la danse de Saint-Phalle«, in: *La Suisse,* 17. September, Abb.
Phelan, Charlotte. »Leave It to the Nanas«, in: *The Houston Post,* 25. März, Teil 1, S. 10.
»Revolte mit naivem Esprit«, in: *Die Kunst,* Januar.
Saint Phalle, Niki de. »Letter to Diane«, in: *The Paris Review,* Nr. 48, Herbst, S. 106–114.
Spencer, C. »London Exhibitions«, in: *Sculpture International,* Bd. 2, Nr. 4, S. 22, Abb.

1970
Borgeaud, B. »Exhibition in Paris«, in: *Arts Magazine,* Bd. 44, April, S. 53.
Denvir, Bernard. »London«, in: *Art International,* Bd. XIV, Nr. 2, Februar, S. 72.
»Diece anni dopo il ›nouveau réalisme‹ a Milano«, in: *Domus,* Nr. 491, Oktober, S. 45.
Gibson, Michael. »Around Paris Galleries«, in: *International Herald Tribune,* Paris, 14.–15. Februar.
»Gimpel & Hanover Galerie, Zürich: Ausstellung«, in: *Das Werk,* Bd. 57, Dezember, S. 827, Abb.
Gräslund, Thu. »Kunst för Miljoner: Ligger ock skräpar ...«, in: *Expressen,* 27. November, Abb.
Hahn, Otto. »Les Nanas aux Halles«, in: *L'Express,* 23. Februar, Abb.
Kellberg, Christina. »Dyrbara skulpturer på Skeppsholmen stoppas au konstråd«, in: *Dagens Nyheter,* 27. November, Abb.
»Le rêve de Diane vu par Niki de St. Phalle«, in: *Feuille d'Avis de Lausanne,* 2. März, S. 53.
»Niki de Saint-Phalle et les mecs«, in: *Lui,* Februar, Abb.
Perruchot, Henri. »Les femmes artistes: Les femmes sculptent aussi«, in: *Jardin des arts,* Nr. 191, Oktober, S. 2–13, Abb.
Piene, Nan R. »Art Under $500«, in: *Art in America,* Mai/Juni, S. 94–95.
Pluchart, François. »Le grand cirque de Niki«, in: *Combat,* 16. Februar, Abb.
Restany, Pierre. »E successo a Milano«, in: *Domus,* Nr. 493, Dezember, S. 43–52.
Ricour, Monique. »Paris«, in: *Art International,* Bd. XIV, Nr. 4, April, S. 78–79, Abb.
»Tania, Niki et Anne-Ella«, in: *Les Lettres Françaises,* 18.–24. Februar.

1971
»Bästa platen för ›Paradiset‹«, in: *Dagens Nyheter,* 8. Mai, Abb.
»Des seins de 40 mètres carrés la ›folie‹ provençale de prince de Hesse«, in: *France-Soir,* 7. August, S. 1, 7, Abb.
»Fest i Paradiset«, in: *Svenska Dagbladet,* 21. Mai, Abb.
Granath, Olle. »Ett jordiskt paradis«, in: *Dagens Nyheter,* 12. Mai, Abb.
Gräslund, Thu. »Klartecken för skära jättedamen på Skeppsholmen«, in: *Expressen,* 23. März, Abb.
Högardh, Lena. »Moderna museets Paradis invigt marinofficer protesterade förgäves«, in: *Svenska Dagbladet,* 8. Mai, Abb.
Kenedy, R. C. »Paris«, in: *Art International,* Bd. XV, Nr. 2, Februar, S. 56.
»Man and wife and the museum«, in: *Mobilia,* September.
»Moderna Museet under fire«, in: *Design,* Nr. 272, August, S. 15, Abb.
Olvång, Bengt. »Hanar & honor«, in: *Aftonbladet,* 13. Mai, S. 4, Abb.
Sagittarius. »Apropo ...«, in: *Enska Dagbladet,* 13. Juni, Abb.
»Sunflowers, caviar, and pots of paint«, in: *Vogue,* 15. November, Abb.
Vaissière, Warwara de la. »Une autodidacte du rêve: Niki de Saint-Phalle«, in: *Plaisir de France,* Nr. 394, November, S. 46–51, Abb.

1972
Braun, Werner. »Riding the Monster«, in: *The Jerusalem Post,* 10. November, Magazin, S. 18–19, Abb.
Brett, Guy. »Exclusively white«, in: *The Times,* 12. Dezember, Abb.
Carlstedt, S. »Hur länge skall vi dras med Paradiset på Skeppsholmen?«, in: *Svenska Dagbladet,* 5. Februar, Abb.
»Entretien avec Niki de Saint-Phalle«, in: *Pétroleprogrès,* Nr. 91, Frühjahr, S. 20, Abb.
Ford, Michael. »Niki de Saint Phalle: Gimpel Fils Devouring Mothers«, in: *Arts Review,* 16. Dezember.
»Galerie Iolas, Paris: Exposition«, in: *L'Œil,* Nr. 209, Mai, S. 35, Abb.
»Giant Play Sculpture in Jerusalem«, in: *Studio International,* Bd. 184, November, S. 162.
»Gimpel & Weitzenhoffer Gallery, New York: Exhibition«, in: *Art News,* Bd. 70, Januar, S. 22.
Mullaly, Terence. »The Ghouls of Niki de Saint Phalle«, in: *The Daily Telegraph,* Dezember, Abb.
Östlund, Bo. »Öarna öppna parker för kultur och fritid«, in: *Svenska Dagbladet,* 26. April, S. 15, Abb.
Pluchart, François. »Le risque de Niki-Phalle de Saint«, in: *Combat,* 6. März, Abb.

1973
Daval, Jean-Luc. »Lettre de Suisse, Genève«, in: *Art International,* Bd. XVII, Nr. 1, Januar, S. 47–48, Abb.
Davis, Douglas. »Art: A Spring Sampler of Shows«, in: *Newsweek,* 30. April, S. 88–89, Abb.
Denvir, Bernard. »London Letter«, in: *Art International,* Bd. XVII, Nr. 2, Februar, S. 30–31, Abb.
Canaday, John. Niki de Saint Phalle«, in: *The New York Times,* 14. April.
Feaver, William. »London Letter«, in: *Art International,* Bd. XVII, Nr. 3, März, S. 58.
»Gimpel Fils Gallery, London: Exhibition«, in: *Apollo,* Nr. 97, Januar, S. 100, Abb.
Haskell, Molly. »Film: Seasoned with Oedipal Sin«, in: *The Village Voice,* 5. April, S. 75.
Henry, Gerrit. »Niki de St. Phalle«, in: *Art News,* Bd. 72, Nr. 6, Sommer, S. 92.
McColl, Patricia. »Niki de St. Phalle and the Dragon«, in: *W,* 30. Dezember, S. 10, Abb.
Paris, Jeanne. »Women's roles: Sculptress has a sense of humor«, in: *Long Island Press,* New York, 15. April, S. 24, Abb.
Reichardt, J. »Arts: a cautionary tale«, in: *Architectural Digest,* Bd. 43, Nr. 2, S. 121.
Roud, Richard. »Taboo or not taboo«, in: *Arts Guardian,* 16. April.
»Saint-Phalle (Niki de)«, in: *Les Muses Encyclopédie des Arts,* Bd. XII, Nr. 203, 3. Oktober, Titelseite und S. 4055, Abb.
Schneider, Helmut. »Niki de Saint Phalles erster Film: Weg mit Daddy,« in: *Die Zeit,* Nr. 44, 26. Oktober, S. 24, Abb.
Vaes, Guy. »Autopsie d'un cas Niki de Saint Phalle«, in: *Spécial,* Nr. 437, 29. August, S. 40–43, Abb.

1974
»Architectural Projects and Realizations: Iolas Galerie, Paris«, in: *Arts Magazine,* Bd. 48, Nr. 8, Mai, S. 48.
»Aufstellung von drei Polyester-›Nanas‹«, in: *Das Kunstwerk,* Bd. XXVII, Mai, S. 79.
Demoriane, Helene. »Portrait: la fille à papa«, in: *Le Point,* 18. Februar, S. 17, 92.
»Der freundliche Golem«, in: *Der Landbote,* 19. März, Abb.
Doniol-Valcroze, Jacques. »Quoi de neuf... cinéma Daddy«, in: *L'Express,* 18. Februar.
Figuérdo, Mariza. »Maïs: Informações«, in: *Maïs,* Nr. 10, Mai, Abb.
Grisolia, Michel. »Le papa et la putain«, in: *Le Nouvel Observateur,* 18. Februar, S. 49, Abb.
»Il n'y a que des ›chiottes‹ joyeuses en France«, in: *Combat,* 19. Februar, Abb.
Montaigne, Pierre. »Niki de Saint-Phalle: je ne rêve pas d'être une star«, in: *Film,* 15. Februar.
»Nanas aus Paris«, in: *Hannoversche Allgemeine Zeitung,* Nr. 12, 15. Januar, S. 1, Abb.
»Nouveaux Niki de Saint Phalle: en manchettes«, in: *Connaissance des Arts,* Nr. 265, März, S. 118.
Piper, Elizabeth. »Scandalous Art«, in: *International Herald Tribune,* Paris, 23. Januar, Abb.
»Projets et réalisations d'architecture de Niki de Saint Phalle«, in: *L'Architecture d'aujourd'hui,* Nr. 172, März, S. 11.
»Quand Niki de St. Phalle abandonne ses nanas par ›Daddy‹«, in: *L'Aurore,*

20. Februar.
Reif, Rita. »A Family Lives in a Group of Sculptures«, in: *The New York Times,* 5. Juli, Abb.
Seide, Adam. »Was kann Straßenkunst denn sein?«, in: *Theater,* Hannover, Nr. 8, März, Titelseite und S. 14–15, Abb.
»The Dragon House: A $40000 Playhouse with Echoes«, in: *The Miami Herald,* 3. März, S. 1k, 10k.

1975
»Ausbruch in heitere Formen und Farben«, in: *Der Bund,* Nr. 270, 18. November, S. 27, Abb.

1976
Basoski, Corn. »Gekke speelobjecten van fantasierijke vrouw Niki«, in: *Hengelo Dagblad,* 31. Juli, Abb.
Frenken, Ton. »Niki verdwaald in Rotterdam«, in: *Brabants Dagblad,* 20. August, Abb.
Glavimans, André. »Die getatoëerde wereld van Niki de Saint Phalle«, in: *Spectator,* Nr. 34, 21. August, S. 57, Abb.
Göthe, Kjell. » Ingen frid i ›Paradiset‹ nu måste det flytas«, in: *Expressen,* 4. Mai, S. 10, Abb.
Juffermans, Jan. »Niki de St. Phalle in Boymans«, in: *Algemeen Dagblad,* 21. Juli, Abb.
Kelk, Fanny. »Niki's Nana's blijven charmant«, in: *Het Parool,* 4. August, Abb.
»Niki de Saint Phalle«, in: *Financieel Dagblad,* 30. August, Abb.
»Niki, Nana's en speelmonsters«, in: *De Waarheid,* 9. August,Abb.
Nyström, Jimmy. »Moderate Trägårdh vid Paradiset – han har vunnit efter fem år«, in: *Aftonbladet,* 4. Mai, Abb.
Peters, Philip. »Plezierige expositie van Niki de Saint-Phalle«, in: *NRC Handelsblad,* 10. August, Abb.
Schmidt, Bertus. »Niki is nietmeer tehouden«, in: *Het Vrije Volk,* 27. Juli, Abb.
Schwalb, Susan. »The Devouring Mothers (Book Review)«, in: *Women Artists Newsletter,* Bd. 2, Nr. 5, November.
Tuitjer, Koos. »Nana's nog steeds niet uitgedanst«, in: *De Limburger Maastricht,* 18. August, Abb.
Welling, Dolf. »Kinderspeel van Niki na het mannenvreten«, in: *Haagsche Courant,* 6. August, Abb.

1977
Anrep-Nordin, Monica. »Paradisskulpturerna: Vem betalor flyttningen?«, in: *Svenska Dagbladet,* 7. Mai, Abb.
Basson, Robert. »Un rêve plus long que la nuit«, in: *Ecran,* Nr. 54, 15. Januar, S. 53–54, Abb.
Menck, Clara. »Das provokante Paradies«, in: *Frankfurter Allgemeine Zeitung,* Nr. 212, 13. September, S. 19.
Romdahl, Margareta. »Paradisets skapare nej till flyttning«, in: *På Stan Veckan,* 10.–16. September, S. 7–8, Abb.
Sparten, Imer. »Sanslösa ganget och Paradiset«, in: *Aftonbladet,* 13. September, Abb.
Wall, Asa. »Vi tvirgas stänga Moderna museet«, in: *Svenska Dagbladet,* 3. September, S. 10–11, Abb.

1978
Knecht, Susanne. »Kunstereignis statt Ochsnerkübel«, in: *Brückenbauer,* Nr. 40, 6. Oktober, S. 12–13, Abb.
Raynor, Vivien. »Niki de Saint-Phalle«, in: *The New York Times,* 13. Januar, S. C-13.

1979
»Gimpel & Weitzenhoffer Gallery, New York: Exhibit«, in: *Art News,* Bd. 78, Sommer, S. 182, Abb.
H.L.S. »Niki de Saint Phalle: Monumental Projects«, in: *Art/World,* 20. April, S. 10.
»Objekte mit signalisierender Funktion«, in: *Schwäbische Zeitung,* Nr. 181, 8. August, Abb.
Rabinovich, Abraham. »Tale of a Dove«, in: *The Jerusalem Post,* 5. Oktober, S. 6, Abb.
Russell, John. Niki de Saint Phalle (Gimpel & Weitzenhoffer)«, in: *The New York Times,* 13. April, S. C-21.
Tallmer, Jerry. »The rebel in a white leather suit«, in: *The New York Post,* 21. April, S. 16, Abb.
Wolff, Theodore F. »Joy of art: art of joy«, in: *The Christian Science Monitor,* 23. Oktober, S. 20, Abb.

1980
Bordaz, Jean-Pierre. »Niki de Saint Phalle«, in: *Cahiers,* Mai, S. 497–498, Abb.
Bouisset, M. »Centro Georges Pompidou, Paris: instalaciòn«, in: *Goya,* Nr. 157, Juli/August, S. 37, Abb.
Bushbaum. »Weihnachtliche Billig-Kunstmesse ...«, in: *Wiener Zeitung,* 13. Dezember.
Cullinan, Helen. »Saint Phalle exhibit is a coup for Columbus«, in: *The Plain Dealer,* Columbus, Ohio, 1. Juni, Abb.
Fleisher, Pat. »Editorial: October in Paris«, in: *Artmagazine,* November/Dezember, S. 11, Abb.
Gilson, Nancy. »Artist de Saint Phalle's solo exhibit at museum«, in: *Columbus Citizen Journal,* Columbus, Ohio, 19. Mai, S. 10, Abb.
Hahn, Otto. »Niki l'iconoclaste«, in: *L'Express,* 23. Juli, Abb.
Hall, Dieter. »Niki de Saint-Phalle und ihre ›Nanas‹«, in: *Schaffhauser Nachrichten,* Nr. 84, 11. April, S. 9, Abb.
Hall, Jacqueline. »Works Challenge Columbus«, in: *Columbus Dispatch,* Columbus, Ohio, 4. Juni, S. C-7, Abb.
Hellgoth, Brigitte. »Ein Fest für die Plastik«, in: *Art,* Nr. 9, September, S. 94–103, Abb.
Jaccard, Anne-Marie. »Niki dans le miroir«, in: *Le Nouvel Illustré,* Nr. 29, 16. Juli, S. 52–57.
Jordan, James. »Niki de Saint Phalle: Remembrance of Things Past«, in: *Dialogue/Ohio Arts Journal,* Juli/August, Abb.
Kraft, Peter. »Ein Riesenarsenal erkämpfter Lebensfreude«, in: *Salzburger Nachrichten,* 17. Dezember.
K.S. »Die ›Nanas‹ in Linz«, in: *Die Presse,* 12. Dezember, S. 7, Abb.
»Künstler kochen«, in: *Du,* Nr. 9, S. 6, Abb.
Längsfeld, Wolfgang. »Ulms blumenbunte Kunst: Skulpturen in der Landesgartenschau«, in: *Süddeutsche Zeitung,* Nr. 133, S. 10, Abb.
Mayer, Gerhard. »Die Nanas an die Macht«, in: *Wochenpresse,* Nr. 50, 10. Dezember, S. 26–27, Abb.
Michel, Jacques. »Niki de Saint Phalle en rétrospective«, in: *Le Monde,* 16. Juli, S. 15.
Mock, Jean-Yves. »Les années Niki de Saint Phalle«, in: *Vogue,* Nr. 667, Juni/Juli, S. 204–209, Abb.
N.D. »Les pimpantes ›Nanas‹ de Niki au Centre Pompidou«, in: *France-Soir,* 2. August, S. 3, Abb.
»Niki de Saint Phalle«, in: *Life Is Art Magazine,* Japan, April, S. 89–98, Abb.
»Nikis Kaktus für die Nanas«, in: *Schweizer Illustrierte,* 24. März, Abb.
»Ohne die Kunst wäre ich im Irrenhaus«, in: *Tages-Anzeiger,* 2. April, Abb.
Oliver, Richard. »Niki de Saint Phalle Meets ›The New Man‹, in: *New York Herald Tribune,* Paris, 19.–20. Juli, S. 8W, Abb.
Paul et Guy, »Niki de Saint Phalle, une rétrospective«, in: *Libération,* 27. Juli, S. 16, Abb
p.k.w. »Galerien: Freudvolle Szenerien«, in: *Weltwoche,* 26. März.
Schober, Herta, »Eine Welt der heiteren Monster«, in: *Volksblatt,* Linz, Nr. 296, 20. Dezember, S. 8, Abb.
»Skulpturen-Ausstellung: Bisher 50000 Besucher«, in: *Basler Zeitung,* Nr. 191, 16. August, S. 3, Abb.

1981
Andrechen, Jana. »Notes on Niki de Saint Phalle«, in: *La Jolla Light,* California, 22. Oktober, Abb.
Chauvit, J.P. »Air Transat 81: L'Équipage de pilote privé«, in: *Pilote Privé,* Nr. 88, 15. Mai, Titelseite und S. 20–22, Abb.
»Expositions à Genève«, in: *La Suisse,* 21. Mai.
Fredriksson, Inger. »Mot paradiset med fötterna på jorden«, in: *Dy Nag,* 14. Oktober, Abb.
Hedberg, Gösta. »Moderna Museet«, in: *Nerikes Allehanda,* 11. September, Abb.
Larieux, Jean-Marie. »Une nouvelle aventure volante dans l'art«, in: *Arts,* Nr. 18, 15. Mai, Titelseite und S. 10–11.
Lind, Ingela. »Niki de Saint Phalle retrospecktivt: Balansakt mot banaliteten«, in: *Dagens Nyheter,* 6. Oktober, Abb.
Lindgren, Sören G. »Niki de Saint Phalle på Moderna museet«, in: *Smalandposten,* 30. September, Abb.
Lippki, Erika. »Das vergessene Leben«, in: *Der Tagesspiegel,* 8. Mai, Abb.
»Neue Objekte von Niki de Saint Phalle«, in: *Architektur & Wohnen,* Nr. 2, Juni, S. 139–143, Abb.
Nyblom, Brigitte. »Före och efter Paradiset«, in: *Dagens Nyheter,* 12. September, Abb.
Olvång, Bengt. »Man känner sig medryckt och glad«, in: *Aftonbladet,* 23. September, Abb.
Reilly, Richard. »Designer's maquettes: Artwork Exhibition With A Switch«, in: *The San Diego Union,* 16. Oktober, Abb.
Sauré, W. »Pariser Kunstereignisse (Galerie Sammy Kinge: Ausstellung)«, in: *Das Kunstwerk,* Bd. XXXIV, Nr. 4, S. 66, Abb.
Schnierle, Barbara. »Entwürfe für eine andere Welt«, in: *Tip,* Dezember, S. 62–63, Abb.
Stam, Cecilia. »Förlorade Paradis«, in: *Stockholms-Tidningen,* 2. Oktober, Abb.
Sten, Aase. »Niki de Saint Phalle - viktig för kvinnliga konstnarers frigörelse«, in: *Katrineholms-Kuriren,* 5. November.
Wallert, Evert. »Djärva Niki i Moderna museet«, in: *Norrtelje Tidning,* 15. September.
Weibull, Nina. »I hjärtat an kvinnan finns en liten flicka«, in: *Expressen,* 19. September, S. 5, Abb.
Wretholm, Eugen. »Den desperata leken«, in: *Svenska Dagbladet,* 19. September, Abb.

1982
Blakeston, Oswell. »Niki de Saint Phalle: Gimpel Fils«, in: *Arts Review,* Bd. XXXIV, Nr. 13, 18. Juni.
»Gimpel Fils Gallery, London: Exhibit«, in: *Art & Artists,* Nr. 189, Juni, S. 31, Abb.
Nelson, David. »Sensory Art Forms Share Spotlight«, in: *La Jolla Light,* California, 30. September, S. B-9, Abb.
Restany, Pierre. »Le Nouveau Réalisme«, in: *Flash Art International,* Nr. 100, Februar/März.
»Szene: Luftiges von Niki de Saint Phalle«, in: *Der Spiegel,* 17. Mai, Abb.
Taylor, Angela. »An Artist With A Sense of Fashion«, in: *The New York Times,* 5. September, S. 25, Abb.
Vaizey, Marina. »Drawing up a revolution«, in: *The Sunday Times,* 20. Juni, S. 39, Abb.
Wolff, Theodore F. »Niki de Saint Phalle«, in: *The Christian Science Monitor,* 24. Mai.
Zeindler, Peter. »Ein Garten der Wunder«, in: *Annabelle,* 13. Mai, S. 122–126, Abb.

1983
Astruc, Philippe und Leglu, Dominique. »Niki de Saint Phalle: Soleil sur l'Ircam«, in: *Libération,* 17. Mai, Abb.
Berlin, Brigid; Bilotti, Carlo; Warhol, Andy. »Niki de Saint Phalle«, in: *Interview,* Oktober, S. 66–67, Abb.
B.K. »Chirac et Lang l'ont inaugurée en-

semble: Oh! la belle fontaine!«, in: *Le Matin*, 17. März, Abb.
Bouilhet, Daniele. »Niki de Saint Phalle ou la delire des femmes«, in: *Harper's Bazaar*, Nr. 4, Juli/August, Abb.
Byrne, Reneta. »Artist creates perfume, sculpture with a nose and eye for the unusual«, in: *The San Antonio Light*, 28. Oktober, S. 3G, Abb.
Daigneault, Gilles. »Heurs et malheurs de la sculpture«, in: *Le Devoir*, 16. April, Abb.
Demonpion, Denis. »Niki de Saint-Phalle: Une fontaine de joie pour Paris«, in: *Paris Match*, 3. Juni, Abb.
Doren, Phyllis van. »Museum Without Walls«, in: *Westways*, Bd. 75, Nr. 7, Juli, S. 48–51, Abb.
Failing, P. »Big Bird on Campus«, in: *Art News*, Bd. 82, November, S. 135.
Hellman, Mary. »Storm Bars ›Sun God‹ Debut«, in: *The San Diego Union*, 28. Januar.
Knight, Christopher. »Monumental art project begins at UC San Diego«, in: *Los Angeles Herald Tribune*, 2. März, S. B1, B4, Abb.
Leuba, E. »Paris: la fontaine Beaubourg«, in: *Le Messager Suisse*, Nr. 5, Mai.
Michel, Jacques. »Entre l'église Saint-Merri et Beaubourg«, in: *Le Monde*, 19. März.
»Niki de Saint Phalle a (peut-être) trouvé une solution au problème des prisons«, in: *France-Soir*, 7. Juni, S. 2, Abb.
Pacadis, Alain. »A la claire fontaine«, in: *Libération*, 21. März, Abb.
Renard, D. »Jean Tinguely, Niki de Saint Phalle«, in: *Flash Art International*, Nr. 113, Sommer.
»Vanity Fair Nominates: La Fontaine Stravinsky«, in: *Vanity Fair*, Juli, S. 38, Abb.
Varenne, Françoise. »Beaubourg: inauguration des fontaines Stravinski«, in: *Le Figaro*, 17. März.
»Women Artists«, in: *Bijutsu Techno*, Japan, Bd. 35, Nr. 515, September, Titelseite und S. 50, Abb.

1984
Castany, Sara Maria. »Niki de Saint Phalle: La han llamado genio y bruja...«, in: *Buenhogar*, Venezuela, Nr. 7, März, S. 26–29, 74, Abb.
G.P.E. »Niki de Saint Phalle, en vitrine...«, in: *Nord Matin*, 21. November, Abb.
Heinz, Liane. »Hannah Höch und Niki de Saint-Phalle«, in: *Dada-Zeitung*, 18. März, Titelseite und S. 22–23, Abb.
»Künstlerateliers als Kunstprogramm – Werkstatt heute«, in: *Das Kunstwerk*, Bd. XXXVII, Juni, S. 43.
»Les ›Nanas‹ de Niki de Saint-Phalle sont entrées dans Lille«, in: *La Voix du Nord*, 27. November, Abb.
Martin, Bradley. »Théâtre à l'eau«, in: *Décoration International*, Nr. 73, Juli/August, Titelseite und S. 124–129, Abb.
Meyer, Eliane. »Interview: Ich bin eine Besessene!«, in: *Jardin des Modes*, November, S. 17–20, Abb.
»Niki de Saint Phalle«, in: *Kateigaho*, Japan, Juli, S. 291, Abb.
Saint Phalle, Niki de. »Hantée par le rêve d'un autre«, in: *Le Nouvel Observateur*, 20. Juli, S. 62–63.
Vincendon, Mireille. »Niki de Saint-Phalle des Nanas au parfum«, in: *Marie-Claire*, Juli, S. 137, Abb.

1985
Beaumont, Mary Rose. »Niki de Saint Phalle: Gimpel Fils«, in: *Arts Review*, Bd. XXXVII, Nr. 14, 19. Juli, S. 369, Abb.
Burr, J. »Gimpel Fils Gallery, London: Exhibit«, in: *Apollo*, Nr. 122, Juli, S. 72, Abb.
Colby, Joy Hakanson. »76 artists flock to produce a menagerie of a show«, in: *The Detroit News*, 22. Dezember, S. 4H.
Miller, Sanda. »Rebel sculpture«, in: *The Times*, 2. August, S. 16.
Mullaly, Terence. »Art: Fairytales«, in: *The Daily Telegraph*, 29. Juli.
»New Work (Gimpel Fils)«, in: *Art & Artists*, Nr. 227, August, S. 32–33, Abb.
Raynor, Vivien. »Niki de Saint Phalle«, in: *The New York Times*, 6. September.
Stephan, Peter. »Jean Tinguely und Niki de Saint Phalle: Hommage à Igor Strawinsky«, in: *Die Kunst*, Nr. 10, Oktober, S. 822–826, Abb.
Strathern, Oona. »If it's Tuesday it must be Belgium«, in: *Arts Review*, 6. September, S. 415–416, Abb.
Wolff, Theodore F. »Playful sculptor de Saint Phalle«, in: *The Christian Science Monitor*, 16. September.
Wyss, Barbara. »Niki de Saint Phalle«, in: *Basler Zeitung*, 15. Juni, Abb.
Zeindler, Peter. »Die Welt ist eine Brust«, in: *Basler Magazin*, Nr. 23, 8. Juni, S. 1–5, Abb.

1986
Aspesi, Natalia. »La donna che arriva dal passato«, in: *Grazia*, Nr. 2381, 12. Oktober, S. 50–55, Abb.
Bouisset, Maïten. »Les Nouveaux Réalistes«, in: *Beaux-Arts*, Nr. 36, Juni, S. 38–46, Abb.
Daure, Armand; Michalet, Bénédicte; Nahon, Pierre. »Les Nouveaux Réalistes« (3 Artikel), in: *Canal*, Nr. 2, Sommer, S. 9–15, Abb.
»Drömmar tar form«, in: *Hufvudstadbladet*, Finnland, 6. Dezember, S. 5, Abb.
Gaigneron, Axelle de. »Knokke-le-Dragon«, in: *Connaissance des Arts*, Nr. 407, Januar, S. 40–48.
Kino, Hana. »Niki de Saint Phalle – I Wish to Come in Touch with the Spirit of This Great and Passionate Artist«, in: *Hot Dog Press*, Japan, Nr. 49, 10. Mai, S. 4, Abb.
Kivirinta, Marja-Terttu. »Tarot – kortit elävät villeissä veistoksissa«, in: *Helsingin Sanomat*, Dezember, S. 24, Abb.
Lecombre, Sylvain. »Les Nouveaux Réalistes a Parigi venticinque anni dopo« (mit englischem Text), in: *Domus*, Nr. 676, Oktober, S. 12–13, Abb.
Masuda, Yoko-Shizue. »Praise to Niki de Saint Phalle – Witch or Angel?«, in: *Monthly Ueno*, Japan, Nr. 325, Mai, S. 37–41, Abb.
Michishita, Kyoko. »Prediction of New Matriarchalism: Charm of Mythical Artist Niki de Saint Phalle«, in: *Sankei Newspaper*, Japan, 16. Mai.
Miyasako, Chizuru. »Big Mother Under Cloudless Sky – Niki de Saint Phalle and Shizue Masuda«, in: *So-En*, Japan, Juli, S. 210, Abb.
Pirtola, Erikki. »Rohkeat vedot ratkaisevat«, in: *Ilta:Sanomat*, Finnland, Dezember, S. 21, Abb.
Saint Phalle, Niki de. »Major Arcana«, in: *Tique*, Nr. 2, Sommer, S. 59–65, Abb.
Schaake, Marlet. »Porträt: Niki de Saint Phalle. Sie trägt gern dick auf«, in: *Cosmopolitan*, Nr. 11, November, S. 116–125, Abb.
Segi, Shinichi. »Portrait of Soul – Niki de Saint Phalle«, in: *Weekly Post*, 25. April.
Takeuchi, Nanae. »Niki de Saint Phalle Exhibition«, in: *Mainichi Daily News*, Japan, 27. April, Abb.
Thon, Carole. »Éros est au parfum«, in: *Bat/ L'Aventure de la Communication*, Nr. 86, Juni/Juli, Titelseite und S. 34–36, Abb.
Yoshida, Yoshie. »Imaginative Power of Niki de Saint Phalle – Attack to the Man-Ruled Culture and Creation of Matriarchal Myths of the Modern Age«, in: *Mainichi Newspaper*, 2. April, S. 4, Abb.

1987
»An Artist Throws the Book at Misinformation«, in: *Newsweek*, 15. Juni, S. 61, Abb.
Billard, Pierre. »Voyage en Nikiland«, in: *Le Point*, Nr. 758, 30. März, S. 134–136, Abb.
Chayat, Sherry. »Contemporary artists rediscover the sacred«, in: *Syracuse-Herald-Journal*, Syracuse, New York, 22. Januar, S. D8.
Colberg, Klaus. »Visionen des Widersprüchlichen«, in: *Schwäbische Zeitung*, 28. März, Abb.
Dattenberger, Simone. »Mit magischer Kraft«, in: *Münchner Merkur*, Nr. 77, 26. März.
Dengler, Christine. »Populäre Polyester-Plastiken«, in: *Reichenhaller Tagblatt*, 6. Juli.
Desarzens, Corinne. »Niki de Saint Phalle au-delà du miroir«, in: *Tribune de Genève*, 9. Oktober, S. 13, Abb.
Diehl, Fred. »Künstler privat: Niki de Saint Phalle«, in: *Pan*, April, S. 62–63, Abb.
Dubuc, Madeleine. »De l'art dans les chaises; des chaises dans les arts«, in: *La Presse*, Montréal, 14. April.
Ehret, Gloria. »Frauen sind Fabelwesen«, in: *Die Welt*, 3. April, Abb.
»Elämän salaisuudet korteissa«, in: *Kotiläākäri*, Finnland, Januar, S. 26, Abb.
Fanelli, Franco. »Mostre: Niki de Saint Phalle«, in: *Vernissage*, Juli, Abb.
Fenn, Walter. »Die fröhlichen Monster«, in: *Nürnberger Nachrichten*, Nr. 72, 27. März, Abb.
Goetz, Joachim. »Die Stunde der Nanas«, in: *Madame*, Juni, S. 24, 28, Abb.
Graziani, Benno. »Les tarots fantastiques«, in: *L'Express*, Nr. 8, 7. Mai, S. 36–42, Abb.
Gugg, Anton. »Niki de Saint Phalle«, in: *Noema*, Januar, Abb.
Gunasinghe, Zora. »Niki de Saint Phalle: Een toneeldecor in Kassel en een Tarottuin in Toscane«, in: *Ruimte*, Nr. 4, Februar, S. 2–3, 16–20, 38, Abb.
Harrison, Helen. »From ›Targets‹ to Nanas to Tarot«, in: *The New York Times*, Long Island Weekly, S. 1, 30, Abb.
Hegewisch, Katharina. »Befreiung zur Phantasie«, in: *Frankfurter Allgemeine Zeitung*, Nr. 106, 8. Mai, S. 29, Abb.
Herz, Hans-Michael. »Niki de Saint Phalle«, in: *Weltkunst*, Mai, S. 12, Abb.
Hofmann, Isabelle. »Für sie war Kunst wichtige Therapie«, in: *Hamburger Morgenpost*, 26. Mai, Abb.
Jaumonet, Léopold. »Exposition: Niki de Saint-Phalle«, in: *Écoute*, 9. Juni, S. 6, Abb.
Jones, Baird. »Catching Up With Niki de Saint Phalle In Nassau«, in: *Downtown*, New York, 11. November, S. 12A, Abb.
Karcher, Eva. »Hexen, Erdmütter und menschenfressende Riesenfrauen«, in: *Münchner Theaterzeitung*, April, Abb.
Kipphoff, Petra. »Gräfin Dracula schließt Frieden«, in: *Die Zeit*, Nr. 16, 10. April, S. 1, Abb.
Krauß, Annette. »Mütter und Hexen«, in: *Donau Kurier Ingolstadt*, Nr. 85, 11.–12. April, Abb.
Kronthaler, Helmut. »Aggression und Harmonie«, in: *Straubinger Tagblatt*, Nr. 85, 11. April, Abb.
Lalanne, Dorothée. »L'enfance de l'art«, in: *Vogue*, Nr. 675, April, S. 162–167, Abb.
Längsfeld, Wolfgang. »Von der Provokation zur Spiritualität«, in: *Süddeutsche Zeitung*, Nr. 74, März, Abb.
Lehmann, H. »Die Bildwelt des Phantastischen«, in: *Trierischer Volksfreund*, 3. April.
Lettau, Annette. »Die fröhliche Anarchie«, in: *Hannoversche Allgemeine Zeitung*, 18. April, Abb.
Lipson, Karin. »A Sculptor By Many Other Fames«, in: *Newsday*, 13. September, Teil II, S. 39, 47, Abb.
Miracco, Franco. »L'imperatrice dei tarocchi«, in: *Epoca*, Nr. 1895, Januar, S. 102–107, Abb.
Morché, Pascal. »Kunst voll Gefühl«, in: *Harper's Bazaar*, Juni, S. 96, Abb.
Müller, Elisabeth. »Skurrile Monster-Damen«, in: *Abendzeitung*, Nr. 71, 26. März, Abb.
Müller-Mehlis, Reinhard. »Alle Macht den Nanas!«, in: *Die Kunst*, April, S. 285–288, Abb.

Pfeifer, Hartmut. »Der Sieg der Nanas über King-Kong«, in: *Hypo-Press*, Nr. 2, 17. Januar, Abb.
Prinz Michael von Griechenland. »House of Cards«, in: *Architectural Digest*, Bd. 44, Nr. 9, September, Titelseite und S. 124–131, Abb.
Rainer, Wolfgang. »Böse, bunte Träume«, in: *Stuttgarter Zeitung*, 30. April, Abb.
Robinson, Yvonne. »Munich: Niki de Saint Phalle«, in: *Arts Review*, Bd. XXXIX, Nr. 8, 24. April, S. 258–259, Abb.
Rose, Barbara. »A garden of earthly delights«, in: *Vogue*, Bd. 177, Nr. 12, Dezember, S. 266–272, 365–367, Abb.
Rötzer, Florian. »Im Disneyland der Mythen«, in: *Die Tageszeitung*, 22. April, Abb.
Schwartz, D. »Les Nouveaux Réalistes (Kunstmuseum, Winterthur, Switzerland)«, in: *Die Kunst*, Nr. 2, Februar, S. 111.
Selz, Peter. »Alternate Aesthetics: Quests For Spiritual Quintessence«, in: *Arts Magazine*, Oktober, S. 46–47.
Stachelhaus, Heiner. »Nanas wie am Fließband«, in: *Neue Rhein Zeitung*, 3. April.
Stephan, Peter. »Der neue Symbolismus bei Niki de Saint Phalle«, in: *Artis*, Nr. 4, April, S. 10–13.
Valentini, Ruth. »L'évangile selon Niki de Saint-Phalle«, in: *Le Nouvel Observateur*, Nr. 1177, 29. Mai, S. 9, Abb.
»Venus ade«, in: *Stern*, Nr. 18, 23. April, S. 44–67, Abb.
V. H. »Le sida. C'est facile a éviter«, in: *Madame Figaro*, 13. Juni, S. 37, Abb.
Wavrin, Isabelle de. »Nouveaux Réalistes: l'ascension ne fait que commencer«, in: *La Vie Française*, 26. Januar, S. 95.
Weiss, Christina. »Von der Aggression zur Versöhnung«, in: *Art*, März, S. 16–17, Abb.

1988

Berger, Françoise und Bresson, Gilles. »Mitterrand cerné, n'a pas lâché le morceau«, in: *Libération*, 11. März. S. 10, Abb.
Berthoud, Roger. »Sculptor whose mad dreams come true«, in: *The Independent*, 22. Juni, S. 13.
Boudier, Laurent. »Histoire d'eau«, in: *Télérama*, Nr. 2002, 25. Mai, S. 72–73.
Bowe, Nicola Gordon. »The Bird in the Work of Niki de Saint Phalle«, in: *The GPA Irish Arts Review*, Jahrbuch 1988, S. 31–36, Abb.
Brizard, Caroline. »Les particules qui compétent«, in: *Le Nouvel Observateur*, 15.–21. Juli, Abb.
Couret, Jean-Paul. »Mitterrand dampens journalistic speculation«, in: *The Independent*, 11. März, Abb.
Darimont, Petra. »Hommage à Niki de Saint Phalle«, in: *Beispiele*, Nr. 2, Juni, S. 42–45, Abb.
»Exhibition: Art Kite«, in: *Bijutsu Techo: Monthly Arts Magazine*, Japan, Bd. 40, Nr. 598, August, Titelseite und Nr. 194–199, Abb.
Fohanno, Danielle. »Château-Chinon: 400 journalistes pour inaugurer une fontaine!«, in: *Le Parisien*, 11. März, S. 2, Abb.
Freudenheim, S. »Under the Singing Eucalyptus Tree«, in: *Artforum*, Bd. 26, April, S. 126–127, Abb.
Herzfeld, John. »Looking at Life: AIDS is here«, in: *Art News*, Januar, Abb.
Hulten, Pontus. »Niki de Saint Phalle«, in: *Manads Journalen*, Finnland, 4. April, S. 54–61, Abb.
Lalanne, Dorothée. »I monumenti de Niki«, in: *Vogue Décoration*, Nr. 13, September, Abb.
Liu, Catherine. »Nouveaux Réalistes (Zabriskie Gallery, New York)«, in: *Artforum*, Bd. 27, November, S. 144–145.
Loon, Flip van. »Niki de Saint Phalle«, in: *Ritz*, August, Abb.
Mahler, Annemarie. »Parfum-Kunst«, in: *Schweizer Illustrierte*, 3. Oktober, S. 70–71, 73, Abb.
Meyer Rubinstein, Raphael. »Europa Resurgent: Objects and Activities of the Nouveaux Réalistes«, in: *Arts Magazine*, Bd. 63, Nr. 1, September, Titelseite und S. 68–73.
Picard, Denis. »Sur la colline embelliée«, in: *Connaissance des Arts*, Nr. 431, Januar, S. 78–81, Abb.
Reed, Susan. »Artist Niki de Saint Phalle Sketches: Lifesaving Truths for Teenagers Unwary of AIDS«, in: *People Magazine*, 11. Januar, S. 51–52, Abb.
Robinson, Yvonne. »Niki de Saint Phalle and Jean Tinguely: A Collaboration That Has Lasted Over 30 Years«, in: *Arts Review*, Bd. XL, 3. Juni, Rückseite und S. 389, Abb.
Schlag, Beatrice. »Wo Götter sich erheben«, in: *Sonntagszeitung*, 27. November, S. 42–43, Abb.
Urquhart, Rachel. »The Allure of Eau de Glamour Gal«, in: *San Francisco Chronicle*, 15. August, S. B4, Abb.
Vincent, Claude. »Au Château-Chinon: Mitterrand décide... de ne rien dire«, in: *France-Soir*, 11. März, S. 6, Abb.

1989

»Au Palais Bénédictine: Niki de Saint-Phalle expose ses ›Œuvres des années 80‹«, in: *Le Progrès*, 1.–2. Juli, Abb.
Bouisset, Maïten. »Niki de Saint-Phalle: Le monde coloré des Nanas«, in: *Beaux-Arts*, Mai, S. 44–46, Abb.
Bouzerand, Jacques und Pierrand, Jean. »Ya-t-il une esthétique Mitterrand«, in: *Le Point*, Nr. 883, 4. September, S. 10–14.
Brunhammer, Yvonne. »Furniture mobilier«, in: *Connaissance des Arts, Special Issue for Exhibition: L'art de vivre: Decorative Arts and Design in France 1789–1989*, S. 14–21, Abb.
Couturier, Elizabeth. »Le match de Paris«, in: *L'Express*, 2. Juni, S. 4–5, Abb.
Couturier, Elizabeth. »Niki de Saint Phalle«, in: *Paris Match*, 25. Mai, S. 3–5, Abb.
Dunlop, Fiona. »Design: Niki in Wonderland«, in: *The Sunday Times*, 28. Mai, Magazin, S. 68–71, Abb.
Dussard, Thierry. »Saint-Phalle: L'armée, la banque, les arts et les lettres«, in: *Le Point*, Nr. 853, 6. Februar, S. 96, Abb.
Ernold-Gandouet, Marielle. »Paris: Niki de Saint Phalle«, in: *L'Œil*, Nr. 407, Juni, S. 88, Abb.
Exposition d'été au Palais Bénédictine: Niki de Saint Phalle, sculpteur«, in: *Le Progrès*, 24.–25. Juni, Abb.
»Fécamp«, in: *Marie-Claire*, September, Abb.
Fohr, Robert. »Niki et les Tarots«, in: *Le Quotidien de Paris*, 7. Juni, Abb.
Foldes, Lilly. »The Fantastic Garden of Niki de Saint Phalle«, in: *Readers Digest*, England, Februar, Abb.
Gandee, Charles. »My dinner with André«, in: *House & Garden*, Juli.
Gunasinghe, Zora. »Giardino dei tarocchi«, in: *Tableau*, Bd. 12, Nr. 1, September, S. 110–112, Abb.
Hahn, Otto. »Coup de cœur: Niki de Saint Phalle«, in: *L'Express*, 2. Juni, Abb.
Hulten, Pontus. »Niki de Saint Phalle: le jardin des Tarots«, in: *Galeries Magazine*, Nr. 31, Juni/Juli, S. 16–17, Abb.
Monnin, Françoise. »Niki de Saint Phalle: Un gros ballon d'oxygène«, in: *Artension*, 12. Mai, Abb.
»Niki de Saint Phalle«, in: *Arthemes*, April/Mai, Abb.
»Niki + Jean (JGM. Galerie, Paris)«, in: *Connaissance des Arts*, Nr. 447, Mai, S. 138, Abb.
Prinz Michael von Griechenland. »Niki, dame des Tarots«, in: *Maisons et Jardins*, September, S. 174–183, Abb.
Sager, Peter. »Wenn Nippons heiße Drachen steigen«, in: *Zeit Magazin*, Nr. 19, 5. Mai, Titelseite und S. 12–20, 25, Abb.
Schwarzacher, Lukas. »Das Fest der fliegenden Bilder«, in: *Art*, Nr. 6, Juni, S. 68–74, Abb.
»Six dames au parfum«, in: *Madame Figaro*, 10. November, S. 78–83.
Spector, Buzz. »A Profusion of Substance«, in: *Artforum*, Oktober, S. 120–128, Abb.
Vernon, Alexandre. »Au Palais Bénédictine: Le monde merveilleux de Niki de Saint Phalle«, in: *Le Progrès*, 8.–9. Juli, S. 1, 10, Abb.
Wallach, Amei. »The Golem Legend in Many Guises«, in: *Newsday*, 6. Januar, S. 13.
Weisenfeld, Jennifer. »Art takes to the sky in Hara kite exhibit«, in: *The Japan Times*, 14. Mai, S. 10, Abb.
White, Edmund. »Surreal Note in Belgium: Artist Roger Nellens Collection at Knokke«, in: *Architectural Digest*, Bd. 46, Nr. 12, Dezember, S. 142–149, Abb.

1990

Baker-Sandback, Amy. »Virginia Dwan, l'aventure d'un marchand d'art«, in: *Art Press*, Nr. 13, Oktober, S. 41–46, Abb.
Danto, Ginger. »Paris: Virginia Dwan and the Nouveaux Réalistes«, in: *Art News*, Oktober, S. 136.
»Les grosses nanas de Niki«, in: *Art International*, Nr. 37, Juli/August, Abb.
»Niki de Saint Phalle«, in: *Geijutso Shincho*, Japan, Juni, S. 48, Abb.
»Port Chair Taste Tests Public Art«, in: *The San Diego Union*, 6. März, S. E1-E3, Abb.

1991

Bass, Ruth. »Reviews: Niki de Saint Phalle (Gimpel/Weitzenhoffer)«, in: *Art News*, Bd. 90, Nr. 1, Januar, S. 146, Abb.
Henry, Gerrit. »Niki de Saint Phalle at Gimpel & Weitzenhoffer«, in: *Art In America*, Bd. 79, Nr. 2, Februar, S. 149–150, Abb.
Turner, Jonathan. »Vasari Diary: A Park of Cards«, in: *Art News*, Bd. 90, Nr. 7, September, S. 18, Abb.
»Une semaine avec elle: Expositions – Niki de Saint-Phalle dans le Haute Médoc«, in: *Elle*, Nr. 2381, 26. August, S. 18, Abb.
Welling, Wouter. »Niki de Saint Phalle: ›in mijn atelier ben ik god‹«, in: *Beelding*, Nr. 1, Februar, Titelseite und S. 18–21, Abb.

Filme der Künstlerin

1971
Nana Island
Erster Film der Künstlerin, wurde nicht fertiggestellt.

1973
Daddy
Untertitel für die französische Aufführung: *Journal d'une femme psychotique*
Unter Mitwirkung von: Rainer von Diez, Mia Martin, Clarice Rivers, Niki de Saint Phalle, Marcel Lefranc, Jean-Pierre Raynaud
35-mm-Film, vertont, Farbe und schwarz/weiß, 90 Minuten, englische Fassung
Regie: Peter Whitehead
Drehbuch: Niki de Saint Phalle
Kamera: Peter Whitehead
Montage: Peter Whitehead
Produktion: Peter Schamoni und Tom G. Neuman
Verleih: Argos Films
Freigegeben ab 18 Jahre
Uraufführung: 20. Februar 1973.

1975
Camélia et le dragon/Un rêve plus long que la nuit
Unter Mitwirkung von: Laura und Laurent Condominas, Marina Karella, Imbert Balzan, Rico Weber, Jean Tinguely, Bernhard Luginbühl, Henri Holstein, Daniel Spoerri, Samuel Mulholland, Silvio Barandun, Niki de Saint Phalle, Andrée Putman, Ursi Luginbühl, Régine de Forges, Françoise de Perche, Maris Beltrani, Dominique Maréchal, Roger Nellens, Sepp Imhof, Dominique Bondeau, Rudolf Tanner, Paul Wiedemer, Jean-Yves Mock, Bernard Pons
16-mm-Film, vertont, Farbe, 90 Minuten
Drehbuch: Niki de Saint Phalle
Regie: Frédéric Rossif und Niki de Saint Phalle
Ausstattung: Niki de Saint Phalle, mit von Jean Tinguely für diesen Film entworfenen Maschinen
Produktion: Télé Hachette
Übertragung: Télé Hachette.

1977
A Travelling Companion / Le Compagnon de Voyage
35-mm/16-mm-Film, Farbe, vertont, 60 Minuten
Drehbuch: Niki de Saint Phalle nach dem Märchen *Der Wandersmann* von Hans Christian Andersen
Ausstattung und Modelle: Niki de Saint Phalle
Kostüme: Marina Karella
Musik: Don Cherry
Produktion: Télé Hachette.

Seit 1990 arbeitet Niki de Saint Phalle zusammen mit dem Kameramann Bernard Zizerman an einem Film über ihr gesamtes Werk.

Filme über Niki de Saint Phalle

1961
Reihe: *En français dans le texte consacrée à l'avant-garde* von Louis Pauwels
Folge: »Niki de Saint Phalle«
Pierre Restany präsentiert: Arman, Gérard Dufrêne, Raymond Hains, Yves Klein, Niki de Saint Phalle und Jean Tinguely
Schwarz/weiß, vertont, 10 Minuten, französische Fassung
Regie: Yvan Jouhannot
Produktion: O.R.T.F. (Office de la Radiodiffusion et Télévision Française)
Übertragung: I.N.A. Institut National de l'Audiovisuel
Sendetermin: 25. April 1961.

Atelier de l'impasse Ronsin
16-mm-Film, schwarz/weiß, vertont, 4 Minuten
Realisierung und Produktion: Gaumont Actualités
Übertragung: Gaumont.

Reihe: *David Brinkley's Journal*
Zweiteiliger Film über Avantgardekünstler
16-mm-Film, Farbe, vertont, 30 Minuten, englische Fassung
Produzenten: Ted Yates, Stuart Schulberg
Übertragung: NBC NEWS
Sendetermin: 13. Dezember 1961.

1962
Reihe: *David Brinkley's Journal*
Titel der Sendung: »The end of the world«
Der Film dokumentiert das Happening *Study for the end of the world No. 2* von Jean Tinguely, bei dem Niki de Saint Phalle assistierte. Die Aktion fand am 21. März 1962 in der Wüste von Nevada statt.
16-mm-Film, Farbe, vertont, 30 Minuten, englische Fassung
Produzenten: Ted Yates, Stuart Schulberg
Übertragung: NBC NEWS
Sendetermin: 4. April 1962.

1963
Reihe: *Medium Plastische Kunsten*
Titel der Sendung: »Het Nieuwe Realisme in München«
Der Film dokumentiert die *action-spectacles*, die für die Ausstellung *Les Nouveaux Réalistes* in der Neuen Galerie im Künstlerhaus in München anläßlich des »Zweiten Festivals der Nouveaux Réalistes« stattfand. Die Aufnahmen entstanden am 9. Februar 1963
16-mm-Film sepmag, schwarz/weiß, 30 Minuten
Archiv Nr.: AE 1515
Produzent: Ludo Bekkers
Direktor: Filip Tas
Übertragung: BRNT (Belgisches Fernsehen).

1964
Reihe: *Les métamorphoses*
Titel der Sendung: »L'aventure de l'objet« Unter Mitwirkung von Pierre Restany, Malaval und Niki de Saint Phalle
16-mm-Film, vertont, Farbe, 30 Minuten
Regie: Jean Antoine
Produktion: R.T.B.
Übertragung: R.T.B. (Radio Télévision Belge).

1965
Reihe: *Dim Dam Dom*
Titel der Sendung: »Les Nanas de Niki de Saint Phalle«
Interview mit Niki de Saint Phalle und ihrer Tochter Laura in der Galerie Alexandre Iolas anläßlich der ersten Präsentation der Nanas in Paris. Die Künstlerin kommentiert die ausgestellten Skulpturen.
16-mm-Film, schwarz/weiß, vertont, 7 Minuten
Regie: Jean-Christophe Averty und René Bernard
Produktion: Daisy de Galard, unter Mitwirkung von Michel Polac
Übertragung: O.R.T.F.(Office de la Radiodiffusion et Télévision Française)
Sendetermin: 28. oder 29. Oktober 1965.

1966
Hon
Dokumentation des Aufbaus von *Hon* im Moderna Museet in Stockholm
Regie: Magnus Wibom und Lüfti Özbök

Hon
Dokumentation des Auf- und des Abbaus von *Hon* im Moderna Museet in Stockholm. Besucher der Ausstellung.
Regie: François de Menil
16-mm-Film, Farbe, vertont.

Eloge de la folie
Film von Roland Petit über sein gleichnamiges Ballett.
Autor: John Cau
Ausstattung: Martial Raysse, Niki de Saint Phalle, Jean Tinguely
Übertragung: Télévision internationale
Verleih: Comacico.

1968
MOI
Gedreht nach der Inszenierung von *MOI*. Eine Geschichte von Niki de Saint Phalle, die 1968 in Zusammenarbeit mit Rainer von Diez zu dem Stück *MOI* umgeschrieben wurde.
16-mm-Film, Farbe, vertont
Produktion: ARD (Arbeitsgemeinschaft der öffentlich-rechtlichen Rundfunkanstalten der Bundesrepublik Deutschland) Übertragung: ARD in seinen dritten Programmen
Verleih: documenta GmbH Kassel.

1972
Reihe: *Ombre et lumière*
Titel der Sendung: »Autrefois la femme« Unter Mitwirkung von Dominique Rollin, Xavière Gauthier, Niki de Saint Phalle, André Masson
16-mm-Film, schwarz/weiß, vertont, 60 Minuten
Realisation: Daniel Le Comte
Produktion: Daniel Le Comte im Auftrag des O.R.T.F. (Office de la Radiodiffusion et Télévision Française)
Übertragung: I.N.A. (Association internationale de la Presse filmée).

1976
Les Nouveaux Réalistes
Interviews mit Künstlern aus der Gruppe ›Nouveaux Réalistes‹ u. a. Arman, César, Christo, Martial Raysse, Jean Tinguely.
Von Niki de Saint Phalle ist ein Auszug aus ihrem Film *Daddy*, einige Bilder von einer Schießaktion vom 26. Februar 1961 und *Le paradis Fantastique* in Stockholm zu sehen.
Kommentar und Interviews : Otto Hahn
16-mm-Film, Farbe, vertont, 70 Minuten, französische Fassung
Regie: Adrian Maben
Produktion: R.M. Productions, London
Produktionsleitung: Michèle Arnaud und Rainer Moritz.

1982
Niki
Ein Zusammenschnitt aus Filmen, die in einem Zeitraum von 15 Jahren (von 1967-1982) von François de Menil gedreht wurden.
16-mm-Film, Farbe, vertont, 30 Minuten, englische Fassung
Sprecher: Pontus Hulten
Produktion: F.D.M. (François de Menil) Foundation for the Arts Production
Co-Produzent: Monique Alexandre
Regie: François de Menil und Monique Alexandre
Photographie: François de Menil
Weitere Photographen: Hanno Fuchs, Michael Murphy, Bernard Auroux, Eric Breitbart, Tom McDounough
Herausgeber: Monique Alexandre
Assistenz: Murphy Birdsall
Ton: Guillaume Sciama, Philippe Lemenuel, Yvonne Hanneman
Tonmischung: Rick Dior
Herausgeber Musik: Variety Moszynski
Standphotos: Hans Namuth, Yoram Lehman.
Im selben Jahr entstand unter Mitwirkung von Niki de Saint Phalle ein ähnlicher Film über Jean Tinguely: *Tinguely: A Kinetic Cosmos*
Produzent: F.D.M. Foundation for the Arts Production.

1983
Portraits d'artistes
Titel der Sendung: »Niki de Saint Phalle«
16-mm-Film, Farbe, vertont, 26 Minuten, französische Fassung
Regie: Liliane Thorn-Petit
Produktion: Liliane Thorn-Petit im Auftrag von R.T.L. (Radio Télévision Luxembourg)
Technik: Jacques Navadic
Übertragung: R.T.L.
Sendetermin: Dezember 1983.
Reihe: *Aujourd'hui en France*
»Paris. La fontaine Stravinsky«
Der Brunnen nach seiner Vollendung
Régie: Christophe Loizillon
16-mm-Film, Farbe, vertont, 3 Minuten und 22 Sekunden
Produktion: Ministère des Affaires étrangères für eine Fernsehsendung im Ausland.

1987
Niki de Saint Phalle: Ein Portrait
16-mm-Film, Farbe, vertont, 60 Minuten, deutsche Fassung
Regie: Jürgen Müller und Philip Mathews
Produktion: NDR, Hamburg
Kamera: Volker Mach, Ardo Schmidt, Degio Tolla
Ton: Frank Anders
Schnitt: Karen Klamtoth
Produktionsleitung: Norbert Klohn
Sprecherin: Britta Subklew
Übertragung: Norddeutscher Rundfunk
Redaktion: Gerd Kairat.

1990
Le sida, tu ne l'attraperas pas
Ein Film von Philip Mathews nach Zeichnungen von Niki de Saint Phalle
16-mm-Film, Farbe, vertont, 8 Minuten, französische Fassung
Filmtrick: Steve Dovas und Barbara Nislick
Mitarbeiter: Marc Littlejohn, Cecilia Laureys, Josefina Larrain, Bloum Condominas, Elisabeth Tiso, Kathleen D'Aloia, Sarah Edwards
Kamera: Daniel Esterman
Musik: David Byrne
Montage: Jocelyne Melin
Sprecherin: Mireille Darc
Produktion: Agence française de lutte contre le sida.

Photonachweis

Photonachweis (Dokumentation)

Allied-News-Photo
S. 20/21, Abb. 1
Claes Annerstedt
S. 80/81, Abb. 1
Sepp Bär
S. 72/73, Abb. 6, 7; S. 86/87, Abb. 1, 2, 3, 4
Benjamin
S. 20/21, Abb. 3
Leonardo Bezzola
S. 54/55, Abb. 2; S. 90/91, Abb. 3, 5; S. 96/97, Abb. 1, 2, 3, 4, 9, 10; S. 103/104, Abb. 3, 5; S. 106/107, Abb. 2; S. 108/109, Abb. 2, 5; S. 110/111, Abb. 1, 2, 3, 4; S. 112/113, Abb. 1, 2, 3, 4, 6, 8; S. 126/127, Abb. 6, 7, 8; S. 128/129, Abb. 1, 2, 4; S. 132/133, Abb. 5, 6; S. 134/135, Abb. 2; S. 138/139, Abb. 7
William Cheney
S. 56/57, Abb. 4
Max F. Chiffelle
S. 50/51, Abb. 3, 4
Henry Clarke
S. 20/21, Abb. 5
William Claxton
S. 44/45, Abb. 1, 2, 3, 4, 5, 6; S. 46/47, Abb. 1, 2, 3, 4, 5, 6
Laurent Condominas
S. 22/23, Abb. 1, 2; S. 24/25, Abb. 1, 2, 3, 4, 5; S. 26/27, Abb. 4, 5; S. 44/45, Abb. 7; S. 54/55, Abb. 3; S. 94/95, Abb. 3; S. 98/99, Abb. 6; S. 100/101, Abb. 2, 4; S. 106/107, Abb. 3, 4; S. 114/115, Abb. 5; S. 116/117, Abb. 5, 6, 7, 8; S. 118/119, Abb. 1, 2, 3, 4, 5, 6; S. 120/121, Abb. 1, 2, 3, 4, 5; S. 122/123; S. 130/131, Abb. 1; S. 132/133, Abb. 2, 3, 7; S. 134/135, Abb. 1, 3, 5; S. 136/137, Abb. 4, 8; S. 138/139, Abb. 1, 2, 3, 4, 5, 6, 8, 9, 10
Conway Studios
S. 20/21, Abb. 2
Ed van der Elsken
S. 48/49, Abb. 3, 4, 5; S. 62/63, Abb. 8
Jacques Faujour
S. 140/141, Abb. 5
Gimpel & Weitzenhoffer Gallery
S. 98/99, Abb. 2
Sherwin Greenberg, McGranahan & May
S. 78/79, Abb. 1
Hans Hammarskiöld
S. 62/63, Abb. 4, 9; S. 64/65, Abb. 2, 7, 8; S. 66/67, Abb. 4, 5; S. 68/69, Abb. 3, 4, 5; S. 70/71, Abb. 1, 2, 3, 4, 5, 6; S. 80/81, Abb. 1, 2
F. Hatte
S. 128/129, Abb. 3
Brigitte Hellgoth
S. 84/85, Abb. 3, 4, 5, 6; S. 90/91, Abb. 4
Hirshhorn Museum and Sculpture Garden
S. 54/55, Abb. 4
Pontus Hulten
S. 62/63, Abb. 5
Monique Jacot
S. 52/53, Abb. 1, 2, 3, 4, 5; S. 124/125, Abb. 1, 2, 3
Claude Magelhaes
S. 50/51, Abb. 2
Heidi Meister
S. 42/43, Abb. 7
Moderna Museet
S. 60/61, Abb. 2, 8, 9, 10; S. 62/63, Abb. 1, 2, 3, 7; S. 64/65, Abb. 3, 4, 5, 6; S. 66/67, Abb. 1, 2, 3; S. 68/69, Abb. 1, 2; S. 70/71, Abb. 7, 8
André Morain
S. 38/39, Abb. 6; S. 86/87, Abb. 5
Richard P. Meyer
S. 136/137, Abb. 1, 2
Hans Namuth
S. 48/49, Abb. 1, 2, 6, 7
Arnold Newman
S. 20/21, Abb. 6
Lüfti Özbök
S. 60/61, Abb. 1, 3, 4, 5, 6, 7; S. 62/63, Abb. 6; S. 64/65, Abb. 1
Lennart Olson/Tio
S. 34/35, Abb. 1
Ad Petersen
S. 82/83, Abb. 1, 2, 4, 5, 6; S. 84/85, Abb. 2; S. 92/93, Abb. 1, 8
Daniel Pype
S. 94/95, Abb. 5, 6, 8, 9, 10
Larry Rivers
S. 54/55, Abb. 5
Petter Runnqvist
S. 114/115, Abb. 4
Harry Shunk
S. 28/29, Abb. 1, 2, 3, 4, 5; S. 30/31, Abb. 1, 2, 3, 4, 5, 6, 7, 8, 9, 10; S. 32/33, Abb. 1, 3, 4, 5, 6, 7, 8, 9; S. 34/35, Abb. 2, 3, 4, 5, 6; S. 36/37, Abb. 1, 2, 3, 4; S. 38/39, Abb. 1, 2, 3, 4, 5; S. 40, 41, Abb. 1, 2, 3, 4, 5, 6, 7; S. 42/43, Abb. 1, 2, 3, 4, 5, 6, 8; S. 58/59, Abb. 2, 3; S. 72/73, Abb. 1, 2, 3, 4, 5; S. 74/75, Abb. 1, 2, 3, 4, 5, 6, 7, 8; S. 76/77, Abb. 1, 2; S. 78/79, Abb. 2, 3, 4, 5, 6, 7; S. 80/81, Abb. 3; S. 88/89, Abb. 1, 2, 3, 4, 5, 6, 7; S. 92/93, Abb. 2, 3, 4, 5, 6, 7, 9
Vera Spoerri
S. 22/23, Abb. 3, 4
Stuart Collection
S. 126/127, Abb. 4
Stedelijk Museum
S. 32/33, Abb. 2
Vogue Magazin
S. 20/21, Abb. 4
Gilles Walusinski
S. 124/125, Abb. 4
Rico Weber
S. 94/95, Abb. 2, 7; S. 96/97, Abb. 3, 6

Photonachweis (Bildteil)

Christies, London
S. 22
Laurent Condominas
S. 189, 190, 191, 192, 194, 195, 196, 197, 198, 199, 200, 201, 202, 203, 204, 205, 206, 207, 208, 209, 211, 212, 213, 214, 215, 216, 217, 218, 219, 223, 224, 225, 227, 229, 230, 233, 235, 237, 238, 239, 240, 242, 244, 245, 247, 248, 249, 250, 251, 254, 255, 257, 258, 259, 260, 261, 262, 263, 264, 265, 266, 267, 268, 269, 270, 271, 272, 273, 274, 275, 276, 277, 278, 279, 280, 281, 282
Jacques Faujour
S. 226, 228, 243
Hans Hammarskiöld
S. 188, 222
Pontus Hulten
S. 236
Galerie Alexandre Iolas, Paris
S. 231
Yoram Lehman
S. 246
Galerie Hans Mayer, Düsseldorf
S. 256
Musée d'art moderne, Centre Georges Pompidou, Paris
S. 220
Museum moderner Kunst, Stiftung Ludwig, Wien
S. 241
Statens Konstmuseer, Stockholm
S. 193, 212
Harry Shunk
S. 210, 234, 252
Petter Runnqvist
S. 253